Pauline Pinchaud, servante

Du même auteur aux Éditions LOGIQUES

Adèle et Amélie, roman

Les parapluies du diable, récit

Les bouquets de noces, roman

Un purgatoire, roman

Marie Mousseau 1937-1957, roman

L'ermite, roman

Et Mathilde chantait, roman

Denis Monette

Pauline Pinchaud, servante

ROMAN

Les Éditions
LOGIQUES

LOGIQUES est une maison d'édition agréée et reconnue par les organismes d'État responsables de la culture et des communications.

Nous remercions le Conseil des Arts du Canada, le ministère du Patrimoine canadien et la Société de développement des entreprises culturelles du Québec pour leur appui à notre programme de publication.

Nous reconnaissons l'aide financière du gouvervement du Canada par l'entremise du Programme d'aide au développement de l'industrie de l'édition (PADIÉ) pour nos activités d'édition.

Toute ressemblance avec des personnes vivantes ou ayant existé, des lieux ou des événements actuels ou passés, est pure coïncidence.

Révision linguistique: Bianca Côté, Jacques Chaput
Mise en pages: Roger Des Roches – SÉRIFSANSÉRIF
Graphisme de la couverture: Gaston Dugas
Illustration de la couverture: Gaston Dugas
Photo de l'auteur: Georges Dutil

Distribution au Canada:
Québec-Livres, 2185, autoroute des Laurentides, Laval (Québec) H7S 1Z6
Téléphone: (450) 687-1210 • Télécopieur: (450) 687-1331

Distribution en France:
Casteilla/Chiron, 10, rue Léon-Foucault, 78184 Saint-Quentin-en-Yvelines
Téléphone: (33) 01 30 14 19 30 • Télécopieur: (33) 01 34 60 31 32

Distribution en Belgique:
Diffusion Vander, avenue des Volontaires, 321, B-1150 Bruxelles
Téléphone: (32-2) 761-1216 • Télécopieur: (32-2) 761-1213

Distribution en Suisse:
Diffusion Transat s.a., route des Jeunes, 4 ter, C.P. 1210, 1211 Genève 26
Téléphone: (022) 342-7740 • Télécopieur: (022) 343-4646

Les Éditions LOGIQUES
7, chemin Bates, Outremont (Québec) H2V 1A6
Téléphone: (514) 270-0208 • Télécopieur: (514) 270-3515
Site Web: http://www.logique.com

Pauline Pinchaud, servante

ISBN 2-89381-708-4
LX-818

À Roxane et Michel,
avec ma plus vive
affection.

Prologue

L undi, 12 septembre 1949, Pauline Pinchaud sonnait à la porte d'une résidence cossue du quartier Rosemont. À ses pieds, sur le perron, sa grosse valise et, juste derrière, posés là par le chauffeur de taxi qui l'avait conduite, deux sacs à poignées remplis d'objets personnels. Une fois de plus servante, avec des gages de sept piastres par semaine, logée, nourrie, blanchie. C'était par le biais des petites annonces du journal que Pauline avait trouvé cet emploi. Sans références, c'était Jovette qui, se faisant passer pour sa patronne, l'avait fortement recommandée à madame Crête. Pauline avait été forcée de partir, de quitter le logis de Jovette. Sans travail, sans ressources, elle ne pouvait assumer seule le paiement du loyer jusqu'au mois de mai de l'année suivante. Jovette, qui comptait emménager dans sa maison nouvellement acquise avec Carmen vers le 15 septembre, avait sommé Pauline de quitter les lieux quelques jours avant. Elle avait réussi, avec l'accord du propriétaire, à sous-louer son logis à un jeune couple qui venait tout juste de se marier. Jovette était plus que fébrile à l'idée de posséder sa maison, «leur» maison en comptant l'apport de Carmen, et de s'installer dans ce nid douillet avec sa compagne pour y vivre des jours heureux. Pauline, la mine défaite, l'avait embrassée sur la joue le matin de son départ et Jovette, quelque peu chagrinée, lui avait dit: «Bonne chance, ma grande. Avec tout c'qui s'est passé, y'est temps pour toi de r'partir à neuf. Pis, on s'perdra pas d'vue, Pauline. J's'rai toujours là si t'as besoin d'moi…» Pauline avait hoché la tête, incapable de répondre, essuyant de son gros pouce une larme tombée dans la raie de son buste. Puis, ses bagages installés dans le coffre du taxi, elle avait jeté un dernier regard en direction du deuxième étage et fait un léger signe de la main à Jovette qui, frileuse, se recroquevillait les épaules entre les mains.

Pauline Pinchaud, décemment vêtue, frisée, fardée, appuya sur la sonnette de la maison qui allait l'accueillir. Et ce, sans aucune appréhension, elle savait exactement où elle allait. Madame Crête l'avait déjà reçue pour une brève entrevue et Pauline avait accepté l'offre de peur de ne rien trouver d'autre. Madame Crête, petite femme sèche et maigre aux cheveux gris, ne lui était pas apparue des plus aimables. Mariée à un entrepreneur en construction, elle tentait de se donner des allures de femme du monde. Mais Pauline, pas sotte sans être instruite, avait vite remarqué que cette femme avait été élevée dans la «potée» et que, malgré ses efforts de prononciation, les racines plébéiennes l'habitaient encore. Surtout quand elle avait dit à Pauline: «Mon homme voyage beaucoup, vous l'aurez pas souvent dans les jambes.» Pour une femme de riche, c'était plus que pauvre comme vocabulaire. Toutefois, la chambre qui lui était destinée était grande et confortable, avec une belle fenêtre donnant sur la rue et un appareil de radio juste pour elle. La maison étant vaste, Pauline savait qu'elle allait travailler ferme avec la mère Crête sur les talons, mais elle aurait un chez-soi. Pour un bout de temps, du moins. Et ce, même si madame Crête, la regardant de haut en bas, lui avait demandé: «Vous ne mangez pas comme un ogre, au moins?» Pauline avait répondu: «Non, raisonnablement, Madame. Fiez-vous pas à mon embonpoint, c'est héréditaire dans ma famille.» Soulagée, madame Crête lui avait dit qu'elle avait deux fils, Réal et Gabriel. Réal, l'aîné, travaillait avec son père. Non pas comme directeur, mais avec ses deux bras pour les madriers, ses deux mains pour le marteau et l'égoïne. Il avait trente ans et habitait encore à la maison. «Il ne sort pas avec personne, c'est un indépendant», avait ajouté la petite dame revêche. Gabriel, dix ans plus jeune que l'autre, étudiait pour devenir un comptable agréé. Très rangé, plus timide que son grand frère d'après la mère, il habitait aussi à la maison. Pauline aurait donc deux chambres de gars à mettre en ordre chaque jour. Dans son for intérieur, elle s'était dit: «Pourvu qu'y soient pas trop *sloppy*!»

Et ce n'était pas avec un sourire fendu jusqu'aux oreilles qu'elle avait appuyé sur la sonnette. Des petits pas précipités se firent entendre, le rideau fut poussé et, apercevant Pauline, madame Crête ouvrit la porte pour l'accueillir avec un semblant de sourire.

– Tiens! Mam'zelle Pinchaud! Enfin! C'est à vous tout c'stock-là?

– Ben… J'ai juste une valise pis deux sacs… C'était permis, non?

– Oui, oui, entrez, attendez que j'vous aide avec un des sacs, la chambre est grande, vous aurez d'la place. J'ai juste été surprise…

– Vous pensiez quand même pas que j'avais juste ce que j'ai sur le dos pis ma sacoche?

– Non, non, voyons donc! Vous êtes pas la première personne que j'engage, Mam'zelle Pinchaud.

Ayant entré son «stock», Pauline déposa son sac à main et dit à sa patronne, tout en lui souriant:

– Ça s'rait peut-être plus simple de m'appeler Pauline, vous trouvez pas?

– Ben... si ça vous dérange pas, j'aimerais mieux ça. J'ai toujours appelé mes servantes par leur p'tit nom.

– Ben, dans c'cas- là, changez pas vos habitudes, Madame Crête. Moi, c'que j'aime, c'est de m'sentir à l'aise.

– Pour ça, vous s'rez chez vous ici, mais une servante, c'est pas une visiteuse, vous comprenez? Faudra pas vous attendre à manger avec nous pis à veiller dans l'salon... C'est pas pour rien que j'vous donne la plus grande chambre.

– J'ai compris, Madame Crête, c'est partout pareil. C'est pas la première fois que j'suis servante, vous savez. J'connais les règlements.

– Alors, tout est réglé. Si vous voulez rentrer vos affaires dans vot' chambre, vous aurez tout l'avant-midi pour déballer. Aujourd'hui, j'vous laisse le temps d'vous installer. Après dîner, vers trois heures, quand vous aurez fini, tout c'que j'vous demande, pis juste si ça vous tente, c'est d'laver le plancher du passage. Le reste, ça va commencer juste demain. J'vous dirai au fur et à mesure c'qu'y a à faire comme ménage. Mais juste demain, Pauline. Quoique...

– Y'a-tu d'autres choses pour aujourd'hui, Madame Crête?

– Ben, si c'est pas trop vous demander, la vaisselle après l'souper. Pis, si vous êtes pas trop fatiguée, nettoyer ma chambre de bain privée après que j'me serai trempée dans l'muguet. J'fais ça chaque soir, vous savez.

Pauline avait enfin mis le pied dans la chambre qui lui était désignée et, assise sur le lit, la tête entre les mains, elle se demandait ce qu'elle avait pu faire au bon Dieu pour mériter un sort pareil. Servante! Encore servante! Depuis l'âge de treize ans, elle n'avait été que servante, sauf... Accrochant quelques vêtements dans la garde-robe, sa tête était ailleurs. Elle pensait, elle songeait, il n'y a pas si longtemps, elle aurait cru, elle aurait pu... Puis, les yeux dans la fenêtre où seule une rue quasi déserte s'offrait, elle en vint à se remémorer ce qu'elle tentait de tout son être d'oublier, depuis deux mois et des poussières. Elle avait beau marcher de long en large, jeter un regard sur un tableau qu'elle n'avait pas encore vu, le visage de Sam lui revenait sans cesse. Penaude, triste, elle se culpabilisait depuis qu'elle avait su... Et, sans qu'elle l'ait cherché, de nouveau sur son lit, la tête entre les mains, l'horrible drame refit surface dans sa mémoire. Malgré elle, Pauline allait revivre la plus grande épreuve de sa vie. Aurait-elle souhaité s'en soustraire ce matin-là, que le rideau s'ouvrait de force pour qu'elle regarde bien en face, une fois de plus, la sinistre scène qui l'avait étranglée de remords. C'était le 22 juin, alors qu'elle attendait une réponse à sa lettre en se gavant de *cup cakes,* que le téléphone avait sonné, que Jovette avait répondu et que, peu à peu, pâlissant, s'appuyant contre le mur, Jovette s'était écriée: «C'est pas vrai, maman? C'est pas possible!»

Chapitre 1

Pauline avait peine à avaler sa bouchée de *cup cake*. Jovette l'avait sidérée avec son air désespéré. Pour un instant, Pauline avait cru qu'il s'agissait de monsieur Biron. Peut-être était-il mort? Non! Jovette n'aurait pas accueilli la nouvelle avec un tel désespoir. L'un de ses frères, peut-être? Ce qui était curieux, c'était que plus son amie écoutait ce que sa mère disait, plus elle la regardait. Oui, elle, Pauline, écrasée dans son fauteuil. Comme si l'appel, en quelque sorte, la concernait. Jovette écouta jusqu'à la fin sans rien dire et, sur une question de sa mère, sans doute, elle répondit: «Oui, maman, elle est là…» tout en regardant Pauline avec compassion, une larme au coin de l'œil. Debout, la main sur la gorge, Pauline s'écria:

– Qu'est-ce qu'y a? Ça me concerne, Jovette? C'est ça, hein?

Jovette raccrocha, regarda Pauline, se massa le bras et répondit avec le plus grand calme possible:

– Oui, Pauline. Il s'agit de Sam…

– Sam? Qu'est-ce qu'il a? Il a parlé de ma lettre à ta mère?

– Non, Pauline, Sam… Sam est mort.

Pauline blêmit. Pantelante, tenant la colonne du salon à deux mains, elle demanda:

– Mort comment? T'as dit mort, Jovette? Ça s'peut pas…

– Écoute, Pauline, ma mère n'invente rien. Samuel Bourque est mort…

– De quoi? l'interrompit Pauline. Une crise du cœur? Un accident?

Jovette prit place sur le divan, Pauline en fit autant.

– Il s'est tué, Pauline, il s'est enlevé la vie, il s'est pendu… parvint à murmurer Jovette dont la voix tremblait d'émotion.

Pauline crut défaillir. Plus pâle que le rideau blanc cassé du salon, elle se mit à tousser, à reprendre son souffle puis, à éclater en sanglots. Le choc avait été violent. Elle qui attendait une réponse à sa lettre… Jovette la prit par les épaules, la serra contre elle.

– Prends sur toi, Pauline, ce sont des choses qui arrivent.

– Pourquoi? Pourquoi, Jovette? Pourquoi y s'est pendu?

– Lui seul le sait, il n'a laissé aucun mot, on n'a rien trouvé…

– C'est d'ma faute, Jovette! Si Sam s'est tué, c'est parce que j'l'ai laissé! C'est d'ma faute! Pourtant, ma lettre… ajouta-t-elle en pleurant de plus belle.

– Arrête, Pauline, mets-toi pas à l'envers comme ça. C'est pas d'ta faute… Sam avait peut-être d'autres raisons…

– Oui, mais ma lettre, Jovette? Ta mère t'en a parlé? Elle sait?

Jovette lui tourna le dos, regarda par la fenêtre et murmura:

– Sam s'est sans doute tué avant que ta lettre arrive, Pauline. Il l'a jamais eue, jamais lue. D'après ma mère, il était dans un drôle d'état. Y paraît qu'y a fait du grabuge au village…

— Tu vois? Y'a jamais lu ma lettre… Y'a jamais su que j'voulais revenir. J'suis sûre que si y'avait lu ma lettre… Jovette! C'est d'ma faute! C'est à cause de moi que Sam a fait ça! Avec tout c'que j'lui ai dit… Avec tout c'que j'lui ai fait endurer… J'peux pas l'croire, Jovette. J'l'aimais cet homme-là, j'étais prête à r'tourner…

— Allons, calme-toi pis arrête de t'jeter l'blâme. Sam avait dépéri…

— Tu vois? Tu l'dis, Jovette! Sam avait dépéri à cause de moi!

— Aïe, vas-tu finir par m'écouter, toi? J'te dis qu'y'avait perdu la boule d'après ma mère. Y'a fait du grabuge…

— Quel grabuge? Lui qui parlait pas à personne… Voyons!

— J'en sais pas plus, ma mère va m'en dire plus long à soir. Un longue distance en plein jour, tu sais… J'vais la rappeler à l'heure du souper.

Pauline, le visage entre les mains, sanglotait sans rien dire. Jovette, voyant que «le choc» se dissipait peu à peu, lui marmonna:

— J'pense que ça va changer tes plans, hein Pauline?

— C'est pas l'mot! Moi qui pensais… Qu'est-ce que j'vais faire astheure? Pis, quand j'pense à lui… Ça doit jacasser au village! J'suis certaine qu'on m'pointe du doigt pour c'qui est arrivé. Tu t'rends compte, Jovette? La veuve qui m'haïssait pour me tuer, le curé, la mère Gaudrin… S'y fallait que j'me montre la face là… T'es sûre que tu pourrais pas avoir d'autres nouvelles avant à soir? Si t'appelais Ti-Guy, Jovette?

— Non, pas lui, pas au magasin. J'vais plutôt rappeler ma mère vers deux heures. Ça coûtera c'que ça coûtera, mais le père sera pas là, elle va être plus libre pour parler. J'voulais qu't'encaisses le coup avant, tu comprends? J'pouvais pas aller plus loin. J'suis sous l'choc moi itou…

17

– J'ai encaissé, Jovette, pis j'veux en savoir plus long. J'tiens pas à avoir sa mort sur la conscience, moi. Si ça m'regarde pas, ça va m'soulager, ajouta Pauline, déjà plus détendue.

– De toute façon, on peut rien faire, Pauline. On est loin d'tout ça à Montréal. Ça fait longtemps qu'on n'est plus là, nous autres.

– Oui, pis t'as raison, j'm'en fais peut-être pour rien, Jovette. Jamais j'croirai qu'un homme en arrive à s'tuer pour une fille. Y'avait perdu la boule, tu dis? Y'était peut-être devenu fou. À son âge, ça arrive ces choses-là... Mais, ça m'fait d'la peine. C'était un bon diable, y'avait l'cœur sur la main...

Et pour se donner bonne conscience, Pauline s'empara d'un Kleenex et se moucha bruyamment.

Vers deux heures de l'après-midi, ce même jour, Jovette insista pour que Pauline aille boire un *Coke* au restaurant du coin. «Le temps d'parler à ma mère sans qu'tu m'interrompes», lui avait-elle dit. Pour ajouter: «Donne-moi trois quarts d'heure pis r'viens. J'te conterai en détail c'qui s'est passé.» Pauline partit en maugréant quelque peu et, une fois seule, Jovette appela d'abord son amie Carmen à la manufacture. Pour Jovette, c'était une journée de congé que le «boss» lui devait pour du temps supplémentaire, mais Carmen était dans sa comptabilité depuis le matin. Jovette lui raconta brièvement ce qui s'était passé et l'autre, contrariée, lui répliqua: «J'espère qu'on va pas l'avoir sur les bras, elle, avec tout ça!» Jovette la rassura, lui promit de trouver une solution d'ici leur déménagement et, soulagée, Carmen lui répondit:

– J'ai hâte qu'on soit dans notre maison, tu peux pas savoir comment!

– Moi aussi, Carmen, et j'suis contente que la mauvaise nouvelle arrive un jour de congé. Ça va m'permettre de m'virer d'bord assez vite avec Pauline. Là, j'appelle ma mère, j'vais tout apprendre pis j'vais affranchir Pauline juste après. N'empêche que c'est d'valeur pour le vieux. J'suis sûre que c'est à cause d'elle qu'y a fait ça. C'était un bon gars, c'est elle qui l'a rendu au boutte! Elle l'a pas mal magané avant d'partir. J'suis certaine que c'est elle qui l'a rendu fou!

– Qui d'autre? Fais-moi pas dire c'que j'pense d'elle, pis vire-toi pas les sangs avec ça, Jovette. Appelle ta mère, va aux nouvelles, avertis Pauline pis arrange-toi pour qu'a décampe avant septembre. Une vraie sangsue, celle-là!

– Inquiète-toi pas avec ça, Carmen, j'ai mon idée, j'vas la caser. Bon, j'te laisse, passe une bonne journée, ma grande.

– Toi aussi, ma chouette, pis à ce soir. On soupe au restaurant, oublie pas.

Jovette regarda sa montre et s'empressa de téléphoner à sa mère avant que Pauline revienne du restaurant du coin. Madame Biron, en l'absence de son mari, put converser plus librement. Elle lui narra le périple de l'ermite au village sans omettre le moindre détail. Elle lui confia que le curé Talbert avait été apostrophé, que Ti-Guy en avait pris pour son rhume, que le conseiller du maire avait su que sa femme et le petit Gaudrin s'envoyaient en l'air puis, hésitante, elle confia à voix basse à sa fille que Sam avait invectivé son père au sujet de la liaison qu'il entretenait avec elle. Jovette, plus morte que vive, plus blême que Pauline avait pu l'être, demanda à sa mère:

– Il... Il lui a tout dit, maman? Le père a dû perdre la face...

– Il lui a reproché ses actes devant ton frère, Jovette. Depuis deux jours, Gérald veut plus travailler avec lui au garage. Pis ton père sait qu'y me l'a dit, y a la tête entre les deux jambes...

19

– Maman! Sois honnête! lança Jovette. Tu l'as toujours su!

– Oui, c'est vrai, mais qu'est-ce que j'pouvais faire? T'as été témoin de certaines raclées, non? J'ai déjà menacé d'le quitter, Jovette; j'ai tout fait pour te sortir de ses griffes mais, à chaque fois, j'encaissais ses coups et comme j'étais démunie, sans argent, dépendante de lui... Si tu savais comme ça me faisait mal de savoir qu'y abusait de toi. Si seulement tu savais... Ç'a été ma plus grande douleur de mère, Jovette, même si y m'disait en dernier que t'étais *willing,* que ça payait pis qu'tu couchais avec tout l'monde.

– J'avais pas l'choix, y m'forçait! C'est sûr que j'aurais pu partir avant, niaiseuse que j'étais, mais comme toi, maman, j'en avais peur. J'ai eu peur de lui jusqu'au jour où ses écœuranteries me sont sorties par les oreilles. Tu comprends? J'en pouvais plus d'être la pute du village, de vivre dans une grange, d'être une traînée comme y disait. Là, j'ai une autre vie, j'fais d'l'argent pis j'veux plus jamais le r'voir de ma chienne de vie! Y peut crever, ce sera un bon débarras! Mais, dis-moi, le village a pas su toujours, pour lui pis moi?

– Non, heureusement. Sam l'a apostrophé devant ton frère seulement. Y'a été chanceux en verrat, Jovette! Y'aurait pu être montré du doigt pour le restant d'ses jours.

– Pis moi avec, maman... Y'aurait été assez écœurant pour leur faire croire que c'était moi qui sautais sur lui!

– Enfin, là, j'sais pas c'qui va arriver. Hier, y'a dit à ton frère qu'y sacrerait peut-être le camp d'icitte, qu'y s'en irait ouvrir un garage ailleurs... Pis ça m'dérangerait pas, Jovette, ça s'rait même une bénédiction! Si c'est le cas, Gérald va prendre la relève au garage pis initier le p'tit dernier dans la même ligne. À eux deux, ça marcherait pis, comme y veulent s'occuper d'moi...

— J'te l'souhaite, maman; j'espère qu'y va décrisser loin d'la famille, lui! Pis, t'en fais pas, j'suis là pour voir à c'que tu manques de rien, moi aussi.

— Dis donc, j'veux pas être indiscrète, mais t'as quelqu'un dans ta vie, Jovette?

— Heu… non… Pas encore. J'travaille comme une folle, j'monte en grade… J'veux pas d'homme pour l'instant. J'ai une bonne amie d'fille qui va partager la moitié du prochain loyer avec moi.

— Tu déménages? Tu m'avais pas dit ça!

— Ben, on a acheté une maison, Carmen pis moi. Elle aussi, est seule à Montréal. Est pire que moi, a l'a pas d'famille. À nous deux, on va la payer vite, c'te maison-là. J'suis en train de m'placer les pieds, la mère. D'ici un an ou deux… Tu vas voir!

— Pis Pauline, qu'est-ce qui va arriver avec elle? Tout l'monde sait qu'a voulait r'venir, Gertrude a ouvert sa lettre, la Gaudrin l'a lue, Hortense la sait par cœur, le curé aussi. Mais lui, j'pense qui veut changer d'paroisse. Y dit qu'y veut s'rapprocher d'sa famille, mais paraît qu'l'ermite l'a pas manqué lui non plus. J'sais pas c'qu'on lui a dit, mais l'enfant d'chœur sert plus la messe.

— Voyons maman, tout l'monde le sait… Ben, du moins, Ti-Guy pis moi.

— En tout cas, chose certaine, la Pauline a besoin de plus s'montrer l'nez par icitte. La veuve veut la couper en p'tits morceaux, la Gaudrin veut lui étamper la main dans' face parce qu'elle a débauché son Ti-Guy…

À ces mots, Jovette éclata de rire.

— Voyons, la mère, elle lui a rien appris. Ti-Guy s'envoyait en l'air avec Madeleine ben avant d'connaître Pauline. Pis ça, sans parler des filles de quelques fermiers, des filles des touristes, pis d'moi! Oui, d'moi aussi, maman, parce que Ti-Guy m'a sauvée bien des soirs des pattes du père. J'étais pas en amour avec lui, fais-toi pas d'idée, mais le p'tit Gaudrin, c'était mieux que l'chien sale... Ah! fais-moi pas parler d'lui, ça va m'faire sacrer! Pis, pour Pauline, t'en fais pas, j'lui trouverai une place de servante ailleurs. C'est pas les maisons d'riches qui manquent ici. Avec mes références, j'la placerai ben queq' part. Bon, t'as rien d'autre pour l'instant? Qu'est-ce qui vont faire avec le shack? Pis Sam, la mère, on l'a enterré où? J'imagine qu'y a pas eu d'service, pas d'messe, pas d'prières...

– Non, rien, y s'est suicidé, Jovette. Tu sais bien que ceux qui s'enlèvent la vie n'ont pas droit aux derniers sacrements ni aux funérailles religieuses. La veuve s'est chargée de l'enterrer dans l'même trou qu'son premier mari pis Piquet. La tombe la moins chère pis, le lendemain, on l'enterrait. Y'avait juste Charlotte pis le fossoyeur sur les lieux. Personne s'est montré, tu comprends? Et y fallait s'y attendre, c'est la veuve qui a hérité du shack. C'était l'entente qui avait été prise entre les trois y'a dix ans. La butte pis ses cabanes au survivant. Et là, comme Charlotte est celle qui survit... J'sais pas c'qu'a va faire, mais j'pense qu'a va vendre pis s'en venir au village. A restera jamais seule sur la butte, a peur de son ombrage. Pis j'la blâme pas, j'passerais pas une nuit là toute seule, moi! Surtout pas avec l'image du pendu du shack dans' tête!

Et dans un dernier effort, madame Biron raconta à sa fille tout ce qu'elle avait appris de la mort de Sam. La corde de la balançoire, l'ourson éventré, le cœur en argent qui se baladait sur sa poitrine, les alliances pas loin de lui...

– Les alliances? l'interrompit Jovette.

– Ben oui, deux joncs pis une bague que Charlotte a mis au feu dans sa rage. Y les avait achetés pour son mariage avec Pauline. Tu savais pas? A te l'avait pas dit?

– Non... pis j'pense qu'elle le savait pas elle-même, maman. Y'a dû faire ça pendant qu'elle était ici. Y voulait sans doute la surprendre à son retour.

– Tu sais, elle a pas été ben fine, la Pauline. Si elle avait décidé de r'venir avant, si elle avait téléphoné au lieu d'écrire, Sam s'rait peut-être encore en vie, Jovette.

– Oui, peut-être, maman, mais j'me d'mande ce qu'elle avait dans' tête en voulant r'tourner là. Elle l'aimait pas, ça, j'en suis sûre. Oui, y s'rait peut-être en vie comme tu dis, mais j'me d'mande si a l'aurait pas fait mourir à p'tit feu. J'ai rien contre Pauline, moi, mais plus tête de linotte que ça... Tiens, je l'entends qui r'monte, j'te laisse, la mère. C'est pas que j'veux la blesser, mais si a s'imagine qu'a va s'en tirer les quatre pieds blancs... C'est quand même à cause d'elle qu'y s'est pendu, l'ermite!

Pauline poussa la porte au moment même où Jovette raccrochait le récepteur. Regardant celle qui ne disait rien, qui semblait songeuse, Pauline brisa le silence.

– Ben, t'as ben l'air jongleuse. Ta mère t'en a conté des bonnes, j'suppose?

– Assis-toi, Pauline, j'm'allume une cigarette pis j'te conte toute!

Jovette s'alluma une cigarette, prit même le temps de se verser un verre de bière d'épinette et, installée, demanda à Pauline:

– T'as eu l'temps de prendre un *Coke* au moins? J't'ai rien offert...

– Un *Coke*? Deux, Jovette! Avec le temps qu'tu m'as demandé d'rester là! La *waitress* me jasait, mais y'avait un vieux maudit qui m'flirtait. Y s'mêlait d'not' conversation, y m'a même offert de payer ma palette de chocolat! Vieux maquereau! Quand y'a vu qu'ça pognait pas, y'a payé pis y'est parti. Y'avait l'air marabout, mais j'suis toujours ben pas pour me laisser flirter par tous les vieux qui travaillent plus ou qui sont su'l'chômage! Y'ont pas tous l'allure de Sam… J'veux dire, l'allure qu'y avait…

– Parlant d'lui, Pauline, j'ai tout appris d'ma mère. Si tu m'écoutes sans trop m'interrompre, j'vais y aller du début jusqu'à la fin. C'est pas drôle, Pauline, c'qui lui est arrivé. C'est même triste…

– C'est toujours ben pas d'ma faute, Jovette Biron! J'étais à des milles de là!

– Ça, j'en suis pas sûre, Pauline. C'est pas parce qu'on n'est pas là qu'on s'en lave les mains, tu sais. C'est justement parce que t'étais plus là… Pis, dis plus rien, laisse-moi t'conter comment tout ça s'est déroulé. Ma mère n'en revenait pas. A l'avait vu deux jours avant au village…

– Ben, vas-tu finir par m'la dire, l'histoire? Tu veux pas que j'parle, Jovette, pis toi, tu tournes autour du pot sans arrêt! Accouche, viarge! Faut que j'me fasse une idée, moi!

Jovette, constatant que Pauline se remettait assez vite du drame qui, pourtant, la touchait de près, lui raconta, bribe par bribe, la désolante et dernière journée de l'ermite. Sur un ton affligé avec, parfois, des trémolos qu'elle ne feignait pas. Jovette était plus chagrinée de la triste fin de Sam que pouvait l'être la «presque» responsable. Elle lui parla des pilules, de l'alcool, de l'amaigrissement du pauvre homme, de ce qu'il avait dit au curé et que le «p'tit pas tout là» avait répété à celle qui l'hébergeait. Passant outre, ou presque, aux détails concernant la prise de bec de Sam avec son père, elle lui parla de l'esclandre chez Gaudrin, du conseiller du maire, de Ti-Guy qui s'était fait dire devant son père qu'il «tripotait» depuis longtemps. Ce qui fit éclater de rire Pauline, malgré l'intensité du désarroi du pauvre ermite au moment de l'altercation.

– Pauline! J'te raconte un drame épouvantable pis tu ris! Voyons!

– J'sais qu'c'est pas drôle, Jovette, mais j'imagine la face de Ti-Guy quand Sam a dit au conseiller qu'y couchait avec sa femme. Aïe! Ça va avoir des conséquences, c't'affaire-là! La Madeleine va plus avoir le nez en l'air, asteure que tout l'village sait...

– Pauline, épargne-moi tes commentaires, j'ai pas fini, tu sais. Le pire s'en vient. T'as besoin d'être forte à moins que ça t'dérange pas plus que ça, le suicide de l'ermite.

– Jovette! Viarge! Je l'aimais! Tu l'sais, je r'tournais sur la butte...

– Ouais, disons... Mais entre l'amour et la seule solution... On r'parlera d'ça plus tard, si tu veux bien.

Lorsque Jovette lui apprit que Sam s'était pendu avec la corde de «sa» balançoire, Pauline eut un sursaut. Et lorsqu'elle ajouta que Sam avait été trouvé nu au bout de la corde, le cœur en argent sur la poitrine, l'ourson éventré par terre et les alliances en vue dans un écrin de velours à quelques pieds du corps, Pauline tressaillit de tout son être. La voix tremblante, elle murmura:

– Quelles alliances, Jovette?

– Celles pour votre mariage. Il les avait achetées sans te l'dire pour t'en faire la surprise. T'avais accepté, Pauline, y pensait qu'tu r'viendrais.

Sincèrement triste, imaginant le bonheur de Sam au moment où il avait choisi la bague et les joncs, Pauline sentit ses yeux s'embuer et dit avec peine à son amie:

– J'pensais pas qu'y était allé jusque-là... Pis moi qui lui mentais... Si tu voulais m'faire sentir coupable, Jovette, t'as réussi. Avec c'que tu viens de m'décrire, c'est sûr qu'y s'est tué parce que j'suis pas revenue. Pis la maudite lettre qui est arrivée trop tard...

Jovette, pensive, émue, ne disait rien.

– C'est ça, laisse-moi avec ça sur la conscience, astheure! Comme si j'avais pas eu assez d'marde dans ma vie... J'savais-tu, moi, qu'y m'aimait au point de s'pendre au bout d'une corde? Y'avait l'air indépendant, y faisait pas d'crise de jalousie... Qu'est-ce que tu veux que j'fasse, Jovette, que j'm'en confesse? Faudrait-tu que je r'tourne là-bas m'excuser en public d'être la cause de sa mort? Pis là, c'est moi qui est à plaindre, y'est parti, lui! C'est moi qui sais plus où aller, Jovette! J'avais même laissé du linge, des petites affaires là-bas...

– Comptes-y pas, Pauline. La veuve s'est emparée de tout c'qui restait. C'est elle qui a hérité du shack, c'était sur papier.

– La vieille maudite! Tu vois? Si j'étais r'tournée avant, le shack aurait été à moi, pis là, j's'rais pas dans' rue.

– Pauline! Maudit qu't'es niaise! Comment peux-tu dire ça? Si t'étais r'tournée, Sam se s'rait pas pendu, voyons! Des fois, des fois... J'me d'mande si t'as l'âge de raison!

Pauline baissa la tête puis, la relevant, demanda timidement:

– Dernière question, les alliances, c'est-tu la chipie qui les a gardées?

– Pauline! Dis-moi pas que t'irais jusqu'à tenter d'les récupérer?

– Ben…

– J'en r'viens pas! Ben, ôte-toi ça d'la tête, parce que la Charlotte, a les a brûlées, les alliances! L'écrin de velours avec!

Pauline, les yeux sortis de la tête, la lèvre tremblante, marmonna:

– Vieille charogne!

Pauline avait passé la soirée à «jongler» pendant que Jovette, délivrée du fardeau de la «mauvaise nouvelle», était allée rejoindre Carmen pour le souper en tête à tête dans un restaurant. Seule sur son divan, la radio allumée, Pauline écoutait une chanson de Lise Roy suivie d'une autre de Lionel Daunais, mais, dans son cœur, loin des rimes de ces tendres quatrains, elle fulminait. Elle en voulait à Sam d'avoir mis fin à ses jours. Elle lui en voulait de la faire se sentir coupable. Dans son for intérieur, elle le traitait de lâche, elle le maudissait pour l'avoir ainsi délaissée alors qu'elle s'apprêtait à regagner «le nid» et se jeter dans ses bras. Sam, le seul homme sur terre qui l'aurait sauvée… d'avoir à gagner sa vie. Sam, qui l'aurait prise en charge et à qui elle se serait donnée sans cesse pour lui rendre la monnaie de la pièce de… sa générosité. Ce Sam Bourque qui, quoique vieux, lui faisait l'amour comme un dieu. Ce qui n'était guère à dédaigner pour une fille qui, logée, nourrie, n'avait qu'à fureter de ses doigts dodus pour être assouvie. Et ce, sans avoir à travailler pour le reste de ses jours. Elle, peu vaillante, rapidement essoufflée et peu encline à «s'arracher» les genoux sur des planchers de cuisine. Elle qui avait songé à devenir la «châtelaine» de la butte et à expulser de son entourage Charlotte dite la veuve, avec sa peau, ses os et l'écume de ses commérages. Elle croyait avoir tout prévu alors que la lettre timbrée, oblitérée, était acheminée jusqu'au bureau de poste de Saint-Calixte. Sans savoir que, pendant ce temps, malgré les efforts de la veuve, Sam avalait des pilules tout en buvant de la bière. Sans que personne, pas même Ti-Guy, l'avise, elle, du danger que l'ermite courait. Seule sur son sofa, elle se trouva soudainement bête. Qui donc aurait pu prévoir un quelconque danger? Sam était fort comme un bœuf! Sauf que debout sur une chaise, avec une corde… Et tout s'était passé si vite…

Rêve évanoui, de nouveau à la case départ de sa piètre vie, Pauline oublia Sam momentanément pour se pencher sur elle. Oui, qu'adviendrait-il d'elle? Tout était chambardé, elle était figée, elle n'avait rien envisagé… d'autre. Jovette et Carmen déménageaient en septembre. Elle le savait, elle devait être loin lorsque le moment viendrait. Mais là… Jovette n'avait pas abordé le sujet. Par délicatesse, sans doute, pour qu'elle se remette du choc, pour qu'elle absorbe, pour qu'elle se fasse à l'idée… Ne l'avait-elle pas laissée seule toute la soirée? Sans doute pour qu'elle médite, qu'elle trouve une solution, qu'elle l'en avise le lendemain. Mais quelle solution? Pauline n'avait même pas songé à retourner d'elle-même chez l'ermite, c'était Jovette qui l'y avait poussée. Pauline n'avait jamais vraiment rien planifié dans sa vie. Tout lui était arrivé tels des orages sans parapluie. Même le jour où, pantoise devant le curé, elle avait échoué chez l'ermite qu'elle ne connaissait ni d'Ève ni d'Adam. Une suite d'imprévus, une succession d'impromptus, telle avait été sa vie. Jamais Pauline ne fut à l'origine de la moindre idée. Elle avait beau songer, rien ne sortait, à moins qu'on ne lui masse les neurones. Et c'est ainsi qu'elle se coucha après s'être empiffrée de chocolats. Sans la moindre idée de ce qui allait lui arriver. Elle ferma les yeux, non sur le souvenir de Sam, mais sur la certitude que, dès demain, Jovette allait trouver, Jovette allait s'occuper d'elle. Et elle s'endormit, sûre et certaine que son «amie très chère» ne la laisserait pas tomber.

Jovette laissa quelques jours s'écouler sans mentionner quoi que ce soit à Pauline. Cette dernière, de son côté, s'avisait bien de ne pas la questionner, trop heureuse de ne pas réveiller les morts, Sam inclus, duquel elle ne parlait plus. Trop heureuse d'être «sur le bras» de Jovette sans débourser le moindre sou. Ce que, d'ailleurs, elle n'avait pas. Mais à la mi-juillet, pressée par son amie Carmen qui ne prisait guère l'effronterie de «la Pauline» à vivre aux crochets de Jovette, cette dernière profita d'une grasse matinée dont Pauline était coutumière, pour préparer sa plaidoirie. Dès que Pauline, ayant senti les rôties et le beurre d'arachide, se leva, elle l'apostropha sans lui laisser le temps de sucrer son thé.

– Pauline, ça m'fait d'la peine, mais ça peut pas continuer comme ça!

– Qu'est-ce que tu veux dire? Qu'est-ce que j'ai fait encore?

– Rien! Justement, rien! Tu laisses les jours se lever, se coucher, tu les suis, tu t'habilles pas ou presque, tu fais semblant d'entretenir, mais la poussière se promène avec les courants d'air, pis tu manges, Pauline! Tu manges comme t'as jamais mangé pis ça t'gêne pas de m'voir tout payer! Y'a des limites!

– Ben… Qu'est-ce que tu veux que j'fasse, j'travaille pas…

– T'as pas besoin d'me l'dire, ça s'voit! Pis c'est pas toi qui r'gardes les p'tites annonces d'*La Presse* le plus souvent! Tu manges pis tu dors, Pauline! Me prends-tu pour Sam Bourque, toi? Penses-tu qu'tu vas faire avec tout l'monde c'que tu faisais avec lui? J'suis pas ta mère ni ta sœur, moi. Pis là, comme j'déménage dans deux mois, va falloir que tu t'grouilles! Tu suis pas avec nous autres, tu sais. Va falloir que tu prennes ta vie en main, Pauline!

Surprise du ton, brusquée, poussée à bout, bouche bée, Pauline se mit à pleurer. Jovette, qui connaissait trop bien le stratagème, l'arrêta d'un ton sec.

— Surtout pas ça! Ça prend pas avec moi, Pauline! Les larmes dans ton cas, c'est les armes de la paresse. J'regrette, mais va falloir que tu t'trouves une job pis un logement. Pis ça presse, Pauline!

Ayant retrouvé son calme, insultée du traitement de Jovette, la «grosse fille» répliqua les deux mains sur les hanches:

— Où c'est qu'tu veux que j'aille, viarge! J'connais personne, maudit!

— Prends pas c'ton-là, Pauline! Pis tu sais c'que tu peux faire, force-moi pas à te l'dire!

— Non, je l'sais pas! T'as une idée, toi? Alors, sors-la, crache-la!

— Servante, Pauline! C'est tout c'que tu sais faire. Servante dans une maison privée, logée, nourrie, avec des gages.

À ces mots, Pauline Pinchaud avait pâli. Elle avait même titubé.

— Ça s'peut pas! J'peux pas l'croire! Jovette Biron, ma meilleure amie, celle qui veillait sur moi, celle qui m'plaignait de faire c'te job-là… Pis là, t'es prête à m'voir rentrer n'importe où, torcher les gens, laver les planchers à g'noux, faire le lavage, me… me faire tâter…

— Aïe! Exagère pas! Y'a pas rien qu'des cochons en ville! Y'a de bonnes personnes, Pauline. Des dames respectables qui traitent bien leurs engagées. J'te dis pas d'aller n'importe où, mais si tu cherches…Tiens! À nous deux, on pourrait trouver, Pauline…

– J'aimerais mieux r'tourner rouler des cigares.

– Penses-y pas, le boss te veut plus. T'étais pas bonne dans c'te job-là pis, y t'ont remplacée depuis longtemps.

– C'est Carmen qui veut plus d'moi à la manufacture?

– Dis donc pas d'niaiseries, Pauline! Tu l'sais qu'tu valais rien dans les cigares. Pis même avec la job, t'es pas capable de prendre un loyer toute seule, te faire un budget. Parle pas pour rien dire, tu l'sais que c'est dans les maisons privées qu't'es à ta place. Servante, logée, nourrie, pas d'troubles... C'est même pour ça qu'tu voulais r'tourner chez l'ermite.

– Oui, parce qu'avec lui, j'travaillais pas comme un bœuf!

– Ça s'comprend, c'était grand comme ma gueule! Une seule pièce, Pauline. Pis tu sais fort bien que Sam avait pas besoin d'servante. Avec lui, c'était la belle vie. On fait l'café, on époussette, pis la couchette!

– J'te défends d'parler comme ça, Jovette Biron! J'suis pas une fille de rue!

– J'ai jamais dit ça, Pauline. N'empêche que l'occasion fait le larron. Pense à tes autres emplois avant Sam, c'était sûrement plus ardu. On paye pas une servante à rien faire...

Penaude, songeuse, le menton dans ses grosses mains, Pauline boudait quelque peu, mais se rendant compte qu'elle n'aurait guère gain de cause, elle murmura:

– T'as dit que tu m'aiderais à trouver une place, Jovette?

– Oui, j'te l'ai dit. Mieux qu'ça, j'vais t'servir de références. Tu diras qu'tu travaillais pour moi, qu'mon mari est mort pis que j'déménage. J'dirai la même chose, j'vais vanter tes talents pis j'suis sûre que tu vas être engagée. Aïe! C'est pas tous les jours que les bonnes femmes tombent sur une servante de vingt et un ans! Pis robuste à part ça!

Ravie du «compliment» quoique méfiante, Pauline demanda:

– Si ça marche, on va-tu s'voir encore après? On va-tu rester amies?

– Ben sûr! J'serai pas loin, Pauline, juste dans l'nord d'la ville.

– Oui, j'sais, mais l'autre, ta Carmen, a m'aime pas la face.

– Ben non, c'est ton imagination. Pis, dis pas «ta» Carmen…

– Jovette, maudit! Viens pas m'dire que vous êtes juste des amies! J'suis pas instruite, mais j'suis pas aveugle! T'as jamais eu d'*chum* depuis qu't'es en ville. Pis elle, avec sa face d'homme…

– Pauline, je t'défends de t'mêler d'nos affaires! Si tu veux qu'on reste des amies, avise-toi plus d'parler d'Carmen comme ça! Pis, c'qui s'passe dans ma vie, ça r'garde personne d'autre que moi!

– T'as pas toujours dit ça, Jovette. T'as la mémoire courte. Tu m'disais pas de m'mêler d'mes affaires quand ton père…

– R'viens pas sur ça, Pauline! Jamais plus, tu m'entends? Jamais plus où j'te sors de ma vie comme si t'avais jamais existé!

Voyant qu'elle était allée trop loin, apeurée par le cri rauque de Jovette, figée par son regard, Pauline baissa la tête et marmonna:

– Excuse-moi, Jovette, j'voulais pas t'offenser. Excuse-moi, j'sais plus c'que j'dis. C'est depuis Sam… Ça m'a jetée à terre…

– Bon, j't'excuse, mais c'est la dernière fois, Pauline. Si tu veux qu'on t'invite, qu'on te garde sur la liste, parle plus jamais d'Carmen pis d'moi de cette manière. J'veux même pas qu'tu penses que elle pis moi… Tu comprends-tu, Pauline?

– Oui… oui, va pas plus loin. J'm'excuse, j'm'excuse mille fois… Jovette.

Deux semaines plus tard, début août 1949, Pauline, avec l'aide de Jovette, avait enfin déniché l'emploi permanent qui l'attendait. Elle avait certes répondu à plusieurs annonces, mais ça ne faisait pas toujours l'affaire. Des mégères qui l'attendaient avec une brique, un vieux monsieur qui voulait qu'elle lui frotte ses rhumatismes, une femme avec quatre enfants et un mari qui semblait toujours saoul, une autre qui avait une fille infirme et arriérée... Pauline déclinait les offres, encouragée par Jovette, jusqu'à ce qu'elle aperçoive dans *La Presse*, l'annonce de madame Léa Crête. Quartier Rosemont, gentille au bout du fil, Pauline s'y rendit un certain après-midi et la dame l'engagea en lui disant, toutefois, qu'elle allait prendre des références auprès de «Madame Biron», son ancienne patronne. Charmante au téléphone, la mère Crête, mais pas aussi aimable en personne. Et c'est à ce moment, face à face, que Pauline s'était rendu compte que «la Crête», comme elle l'appelait déjà, était une parvenue. Une femme sans instruction, sans trop d'éducation, qui avait sans doute eu la chance de frapper le *jackpot*. Son mari était devenu riche et elle jouait les femmes de «la haute» dans une grande maison décorée... sans goût. Elle avait même remarqué des bibelots en plâtre de chez Larivière & Leblanc sur une étagère du long corridor. Après un assez long questionnaire, voyant que Pauline s'impatientait, madame Crête, de peur de la perdre, lui avait dit qu'elle parlerait à «Madame Biron», mais qu'il était presque certain qu'elle la prenait. Chambre privée, logée, nourrie, blanchie, sept piastres par semaine, libre le vendredi soir, congé le dimanche.

Et c'est ainsi que, le 12 septembre, elle avait échoué, valise et sacs à ses pieds, sur le perron de la «résidence» des Crête. Deux heures plus tard, ayant revécu une fois de plus le drame dont elle se sentait coupable et qu'elle payait chèrement, elle laissa échapper un long soupir de... découragement. Jovette s'était débarrassée d'elle, pensait-elle. Jovette qu'elle avait aidée naguère et qui, à l'aise et bien placée, allait vivre comme une reine dans sa maison pendant qu'elle... «Oh! Comme c'est injuste!» s'exclama-t-elle intérieurement. Sans même songer à tout le mal qu'elle avait causé au seul homme qui l'avait aimée. Cet homme, cet envoyé du bon Dieu pour lui venir en aide. Cet ermite, ce Samuel Bourque avec qui elle avait tant ri, tant souri, du lever du jour jusqu'à la tombée charnelle de la nuit. Elle l'imaginait dans son cercueil, six pieds sous terre, les yeux fermés, les mains jointes, par-dessus Piquet, et elle en frémissait. Il aurait suffi de si peu, d'une heure ou deux de plus, d'une lettre ouverte... pour qu'elle soit dans ses bras depuis belle lurette. Mais il fallait qu'elle chasse ces images de sa tête, qu'elle se déculpabilise, qu'elle l'oublie...

Mais elle ne pouvait oublier Jovette et le sourire qu'elle affichait la veille de son départ. Jovette qui ne n'était pas empêchée de sortir, même si c'était leur dernière soirée sous le même toit. Pour aller dans un cabaret de la rue Saint-André avec Carmen et d'autres... copines. Elle avait encore à la mémoire le regard méfiant de Jovette qui lui avait demandé alors qu'elle se maquillait: «T'aurais pas vu mon *cutex* grenat, Pauline? J'le trouve nulle part, pis j'viens juste de l'acheter...» Une question banale, quasi normale, n'eût été le regard inquisiteur de son amie. Comme si elle se doutait que Pauline... Puis, assise sur son lit, la tête encore entre les mains, elle revoyait Jovette lui faire un dernier signe de la main le lendemain, alors qu'elle quittait. Et, en tournant le coin dans le taxi, elle aperçut, sur la rue transversale, Carmen au volant de sa voiture. Carmen qui attendait qu'elle déguerpisse pour monter et serrer sa copine sur son cœur. Carmen qu'elle détestait, Carmen qui l'haïssait.

Carmen qui lui avait ravi sa seule amie… avec son visage d'homme. Images dispersées, frustrations quelque peu allégées, Pauline sursauta lorsqu'on frappa timidement à la porte de sa chambre.

– Oui? Qui est là?

– C'est moi, Pauline, madame Crête. Vous aimeriez une tasse de thé, peut-être?

– Heu… non, merci. J'ai pas encore tout rangé, Madame Crête.

– Bien, si vous changez d'idée, vous n'aurez qu'à venir à la cuisine.

– Merci, vous êtes bien aimable. Peut-être qu'un peu plus tard…

Pauline rangea quelques vêtements, accrocha un manteau, des robes et revint s'asseoir sur son lit avec son sac à main sur les genoux. Étirant le bras, elle ouvrit la radio et une chanson de Luis Mariano l'irrita. Tournant le bouton à gauche, elle tomba sur une chaîne anglaise et quelle ne fut pas sa surprise d'entendre sa préférée, Judy Garland, de sa voix larmoyante, chanter *Embraceable You*. Émue jusqu'aux larmes, Pauline sentit son cœur battre à tout rompre. Elle revoyait Saint-Calixte, le lac Desnoyers, Marcel Marande, la baignoire bleue, le trèfle en or avec un diamant, sa pile de disques, ses mots d'amour… Au temps du bonheur, avant les injures. Assise sur le lit, la voix de Garland dans la tête, le chalet de Marcel dans le cœur, c'est machinalement qu'elle ouvrit son sac à main pour en retirer une petite bouteille. Et c'est en regardant au loin et non sa main, qu'elle enduisit adroitement un à un ses ongles d'un joli *cutex*… grenat.

Chapitre 2

Pauline était encore dans sa chambre lorsqu'elle entendit les pas de sa patronne dans le long corridor. Elle avait tout rangé, elle s'était légèrement maquillée, mais elle n'avait osé sortir de peur que madame Crête la mette «à l'essai» sur-le-champ, comme elle l'avait laissé entendre.

– Pauline, vous ne dormez pas, j'espère? Il est six heures, il est temps de souper. Venez que je vous présente mes fils, ils sont rentrés.

– J'arrive, Madame Crête, le temps de refermer mes tiroirs.

Pauline entrouvrit la porte et, percevant des bruits de voix venant du boudoir, elle s'y dirigea, passablement gênée par la situation. Madame Crête, assise, se leva et un grand jeune homme aux cheveux noirs frisés se leva à son tour.

– Pauline, je vous présente Gabriel, mon plus jeune fils. C'est lui qui est encore aux études. C'est celui qui quitte tôt le matin.

Le jeune homme, gauche, timide, s'avança, tendit la main et marmonna:

– Heu… Enchanté… Bienvenue…

Puis, détournant la tête, il perçut à peine le «enchantée» de Pauline et ne vit pas ou presque, le sourire qu'elle lui offrait. «Pas laid, mais pas dégourdi», pensa-t-elle. Gabriel, étudiant ou pas, avait tout simplement l'air insignifiant. «Le genre grand corps mort, écrasé sur son lit, le nez dans ses études…» pensa Pauline. Pas laid, pas beau, juste ordinaire. Puis, assez «épais» selon elle, même si sa mère vantait ses succès scolaires. Pauline allait se retirer lorsque madame Crête la retint.

– Attendez! Réal aussi est arrivé! Y'est juste parti aux toilettes…

Pauline fit quelques pas, se retourna et vit Réal dans l'embrasure de la porte. Plus petit que l'autre, presque chauve mais musclé comme un dieu grec, c'était celui qui travaillait dans la construction avec son père. Pas gêné, la salopette encore sur le dos, le torse à demi nu, il s'avança avec un grand sourire et serra la main de Pauline en lui disant:

– Ça m'fait plaisir! J'espère que vous allez aimer ça icitte!

Il n'avait pas de classe, pas de manières, mais il était fort sympathique. Il l'avait mise à l'aise. Promptement. D'un seul sourire engageant. Et comme il avait trente ans, il était normal qu'il soit plus déluré que son frère. Visage plutôt rond, cheveux blonds, il avait de belles dents blanches. La seule chose qui agaçait Pauline, c'est qu'il avait les petits yeux sournois de sa mère. Et tout comme les siens, gris avec un tantinet de vert à la vive lumière. Gabriel, pour sa part, avait de grands yeux bruns. Sans doute ceux de son père. Mais, dans l'ensemble, il allait de soi que Pauline préférait de beaucoup les mains rudes et les biceps de l'aîné, aux longs doigts effilés du freluquet de l'université. Et comme Réal la regardait d'un drôle d'air, qu'il n'était pas marié, Pauline eut la consolation et l'espoir de ne pas être tout à fait tombée dans le noir. La sortant de sa torpeur, madame Crête s'empressa de lui dire:

– Vous n'aurez pas à servir les repas, c'est moi qui le fais. Je sais ce que veulent mes gars. Par contre, vous mangerez dans la cuisinette. Vous avez vu? Il y a une table et deux chaises. J'veux pas vous insulter, mais ce s'rait pas normal que les servantes mangent dans la salle à manger…

– J'comprends ça, Madame Crête, voyons! On en a déjà parlé pis, c'est pas ma première maison…

– Bon, ça m'rassure. J'ai rien d'autre à ajouter, Pauline. Allez manger, vous avez l'choix entre le pâté chinois ou la fricassée. Pis, en fouillant, vous allez trouver l'beurre, le pain pis tout c'que vous aurez besoin. Pour dessert, y'a d'la pudding au tapioca. Si vous n'aimez pas ça, y'a des beignes au miel pis des carrés aux dattes dans la *pantry*. Comme breuvage…

– Aïe, la mère, arrête ça, tu vas finir par toute la mélanger! s'écria Réal en riant, alors que le jeunot ne portait aucune attention à la situation.

– Ben, j'veux qu'elle soit à l'aise, Réal. Elle vient tout juste d'arriver…

– Je l'sais, mais elle en a vu d'autres! C'est pas sa première job, elle l'a dit! Tu lui parles comme si elle avait douze ans, la mère!

– T'as peut-être raison, je m'excuse, Pauline. Mais, vous savez, vous êtes la plus jeune servante que j'ai engagée. Les autres…

– Des faces de carême! Des pots d'chambre! Soixante-dix ans minimum!

– Réal, pour l'amour! Parle pas comme ça de ces braves personnes!

Sans voir plus loin que son nez, Pauline avait souri puis avait éclaté lorsque Réal avait décrit celles qui l'avaient précédée. Dans sa tête, en un instant, elle avait revu la veuve de la tête jusqu'aux pieds. Constatant que madame Crête avait froncé les sourcils, Pauline balbutia:

– Ex... Excusez-moi, c'est parti tout seul. Votre fils a une façon de dire les choses...

Puis, pouffant à nouveau, elle s'excusa et se dirigea vers la petite cuisine sous l'œil amusé et complice du gars de la construction mal engueulé, mais drôle comme un bouffon. Comme ceux du port qu'elle avait connus jadis. Seule dans sa cuisinette, Pauline se servit une grosse portion du pâté chinois et se beurra trois tranches de pain croûté. Après, sa tasse de thé prête, elle se servit un bol de pudding au tapioca, croqua dans deux carrés aux dattes et s'empiffra de trois beignes au miel. Puis, se sachant seule, elle rota de satisfaction. Elle nettoya sa petite table aux pattes chromées, balaya le plancher de sa petite cuisine et s'empressa d'aller desservir la table de la salle à manger, ce qui, hélas, faisait partie de ses corvées.

Toutefois, comment tuer une soirée quand on n'a qu'une chambre ou la petite table de la cuisinette à sa portée? Elle savait qu'elle aurait à nettoyer la salle de bain après la «trempée aux muguets» de «Madame», mais en attendant? Elle n'osait pas téléphoner à Jovette de peur d'éveiller les soupçons. Jovette était aux yeux de madame Crête son ancienne patronne, pas son amie intime. Et comme on ne l'avait pas questionnée sur sa parenté, personne ne savait qu'elle était seule dans la vie. Elle s'essuya les lèvres, se rinça les mains, retira son tablier et se rendit à sa chambre. Elle alluma la radio, trouva une station avec de la musique de fond et s'empara d'un petit roman d'amour que Jovette lui avait acheté. Un petit roman comme ceux de Clarisse, la défunte femme de... feu Sam... Brusquement, elle se frappa la tête avec son poing. Non! Non! il ne fallait plus qu'elle pense à lui, à son passé, à personne… Elle se devait de vivre pour demain, pour l'avenir, mais il était certain qu'elle n'envisageait pas de «servir» toute sa vie. Il fallait qu'elle s'en sorte et, qu'à l'instar de Jovette, elle devienne une personne respectée. Regardant le petit cadran que sa patronne lui avait prêté, elle se rendit compte qu'il était l'heure d'aller ramasser les serviettes humides laissées par terre par celle qui prenait des bains parfumés chaque soir. Se dirigeant vers la salle de bain, elle passa devant la chambre de Gabriel dont la porte était fermée. En sourdine, elle pouvait entendre de la musique classique. «De la musique aussi plate que lui!» pensa-t-elle. Puis, tournant le coin, elle faillit se heurter à Réal qui, enroulé d'une serviette de bain, se dirigeait vers les toilettes des garçons. S'excusant, rougissant, elle le contourna tout en faisant mine de regarder ailleurs, mais lui, souriant, les bras croisés, s'appuya contre le mur et murmura de façon à peine perceptible:

– Pauline…

Elle s'arrêta, se retourna et le vit qui, les deux mains sous les aisselles, se bombait le torse d'aise. Dérangée, attirée, elle le fixait, ne disait rien. La sentant rétive parce que gênée, Réal lui dit d'un ton un peu plus élevé:

– Toi pis moi, j'pense qu'on s'ennuiera pas. T'as pas d'*chum*, au moins?

Pantelante, haletante après avoir été privée depuis si longtemps, elle répondit:

– Non, j'ai personne. J'suis seule dans la vie.

Il lui tapa un clin d'œil, s'éloigna, et Pauline l'observait. Il avait une démarche virile, sensuelle; il était musclé jusque dans le bas du dos et, sous la serviette, elle pouvait discerner qu'il avait le cul aussi ferme, aussi bombé… qu'une pomme! De sorte que, Pauline Pinchaud, dès son arrivée chez madame

Crête, humait déjà «son» homme. Et ce, malgré ses rondeurs, sa cellulite, ses vergetures.

Pauline travaillait depuis cinq jours chez madame Crête et, déjà, elle n'en pouvait plus de toutes les tâches qui lui incombaient. La petite dame, vilaine, nerveuse, épiait ses moindres gestes et l'accablait de reproches. La vaisselle n'était pas lavée soigneusement, les planchers n'étaient pas propres et la cire était mal appliquée. Pauline se servait trop souvent de la moppe et pas assez de ses genoux. Le lit de Gabriel était mal fait, la chambre de Réal n'était pas tout à fait impeccable. Pourtant, Pauline faisait de son mieux. Peu vaillante, elle mettait quand même tout son cœur à l'ouvrage parce que, chez madame Crête, on mangeait bien et à sa faim. La chambre du jeunot était rarement en désordre, mais elle devait passer une heure dans celle de l'aîné. Un vrai bordel! En plus d'être «traîneux», il laissait des bouteilles de bière vides sur sa commode, ce qui formait des cernes tenaces, à moins de frotter jusqu'à ce que le meuble change de couleur. Ce qu'elle n'osait pas faire, le mobilier étant de qualité. Pour «la mangeaille», la mère Crête n'était pas regardante. Du moins, elle n'en laissait rien paraître ou se souvenait rarement des commandes qu'elle plaçait chez l'épicier. La glacière était toujours pleine, la dépense aussi, et avec deux grands gars dans la maison, jamais elle n'aurait cru que c'était Pauline qui mangeait comme un goinfre. Réal était réputé pour avoir bon appétit, lui qui bûchait à longueur de journée. Un jour, cependant, prenant Pauline à part, elle lui dit:

– Moi, si j'étais vous, j'm'arrangerais pour maigrir, Pauline. J'dis pas ça parce que vous mangez trop, vous m'avez dit qu'c'était d'famille, mais c'est pas normal à votre âge d'être essoufflée comme une femme qui a accouché de cinq enfants.

La graisse, ça peut fondre avec un bon régime. J'connais un docteur…

– Donnez-vous pas la peine, Madame Crête, j'ai tout essayé. J'ai même vu des spécialistes, mais y peuvent rien faire pour moi. L'embonpoint, c'est dans mon système. J'ai une sorte de diabète sucré… J'mangerais pas pendant un mois que j'perdrais pas une livre, on me l'a dit. Pis ça pourrait être dangereux parce que j'pourrais faire de l'anémie…

– Mon Dieu, Pauline! N'en dites pas plus! Je m'excuse, j'savais pas… Ça m'apprendra à me mêler d'mes affaires.

– Y'a pas d'offense, Madame Crête, vous saviez pas. Pis comme vous m'disiez ça pour m'aider… Pour le ménage, j'vais faire plus attention, j'vais laver les planchers à genoux…

– Non, non, continuez avec la moppe! Avec c'que vous m'avez dit là, j'voudrais pas qu'vot' cœur en souffre. Faites de vot' mieux, Pauline, pas plus.

Madame Crête s'était esquivée avec une certaine gêne. Sévère et exigeante, elle n'était quand même pas du genre à miner la santé de ses servantes. Et comme Pauline en faisait pas mal pour sept piastres par semaine, elle n'allait pas risquer de la perdre et se retrouver avec une vieille qui lèverait à peine le plumeau. Pauline, de son côté, souriait d'aise de sa superbe mise en scène. Ayant attiré sur elle la compassion de la patronne, elle était certaine, désormais, que «la Crête» n'allait plus l'assommer de reproches. Mais elle n'était pas tout à fait heureuse dans cette vaste maison où elle se sentait confinée. Elle aurait espéré que Réal, dans les jours suivants… Mais celui qu'elle reluquait sortait tous les soirs et la regardait à peine en arrivant. Peut-être avait-il une blonde? Elle aurait tant souhaité qu'au moins un soir, après quatre ou cinq bières, il s'infiltre dans sa chambre… Pauline était en manque.

Telle une chatte en chaleur, elle espérait que le mâle fonce sur elle, qu'elle le griffe, qu'il recule, qu'il revienne et qu'il abuse d'elle. Sans permission, sans retenue, d'une façon animale comme dans… Pauline se leva d'un bond. Dans ses pensées les plus charnelles, elle allait presque dire: «comme dans l'shack!». Mais Réal, sans la fuir, ne semblait pas avoir de temps pour elle. Et le jeunot, le nez dans ses livres, la regardait comme si elle était de deux décennies avant lui. Elle qui avait son âge, un an de plus tout juste. Pauline, plus seule que la marmotte dans son trou, se serait même contentée des avances de Gabriel. Malgré sa maigreur, ses longues jambes arquées, son visage blême. Mais ce dernier, le nez dans ses livres d'arithmétique, semblait plus porté sur les équations que sur le calcul mental et… oral! Dépitée, sans nouvelles de Jovette même en ce dimanche où elle avait congé, Pauline était à deux pas du cafard et des larmes. Elle avait certes tenté de rejoindre Jovette d'une cabine téléphonique, mais ses communications demeuraient à sens unique. Jovette savait pourtant que, dès dimanche, Pauline se manifesterait… C'est elle-même qui lui avait indiqué l'heure approximative pour le faire. Pourquoi n'était-elle pas là? Sortie? À moins que Carmen, dans leur nouvelle maison, soit maintenant souveraine. Elle qui avait injecté plus d'argent que Jovette, elle qui avait tout donné en garantie. Pauline s'efforça de retrouver le moral. Elles avaient emménagé la veille, il se pouvait qu'elles soient au sous-sol… Mais non! Pauline venait de se réveiller. Elle avait composé l'ancien numéro, la ligne n'était pas encore débranchée, et Jovette n'avait pas encore le téléphone dans sa nouvelle maison. Mais… pourquoi lui demander de l'appeler sachant qu'elle ne serait plus là? Une gaucherie de sa part? Un simple malentendu? N'empêche que ce dimanche avait été navrant. Pauline s'était rendue tôt en ville où elle avait fait du lèche-vitrine après avoir copieusement déjeuné dans un restaurant bon marché. Elle aurait certes aimé aller au cinéma, mais peu fortunée, ménageant sa première paye… Puis, seule, sans personne, risquant d'avoir un type aux doigts longs à côté d'elle… Elle flâna et, vers midi, elle dénicha un restaurant chinois où elle commanda un *chop suey* et trouva un autre restaurant où elle alla s'empiffrer d'une pointe de tarte au citron couverte de meringue. Histoire de tuer le temps, de dépenser le moins possible, de ramasser son argent pour le jour où elle enlèverait à tout jamais son tablier de servante. Elle entra dans une église, alluma un lampion pour sa mère, puis elle découvrit un petit musée où il n'y avait pas de prix d'entrée et y passa une heure à regarder des sculptures à faire peur. Ensuite, elle marcha et mangea peu, très peu, avant de reprendre le tramway. Elle ne mangea presque rien, car elle savait que, de retour, personne ne la verrait se bourrer la panse avec les restes du souper. Parce que Pauline, en congé le dimanche, n'était pas nourrie par «la Crête».

Quelques jours passèrent et Réal, de moins en moins souvent à la maison, avait à peine le temps de souper pour ensuite repartir. La semaine suivante, il fut absent durant deux jours consécutifs. Et, lors de ses présences, Pauline était pour lui inexistante. Il lui avait souri une fois, tapé un clin d'œil et s'était vite envolé sans même avoir mangé. N'en pouvant plus, faisant mine de rien, Pauline leva les yeux sur sa patronne alors que cette dernière sortait de table, et lui demanda:

— Monsieur Réal ne mange pas souvent à la maison. J'ai presque pas de vaisselle à laver et les chaudrons restent pleins à la cuisine.

— Ne vous en faites pas, Pauline, il va les vider de nouveau, ce sera pas long. Réal travaille avec son père sur une grosse affaire de ce temps-ci. Presque jour et nuit, mais quelque chose de payant. Mais ça achève, ma fille, et préparez-vous à vous rouler les manches, parce que Réal revient avec son père dès dimanche.

– Monsieur Crête aussi? Je ne l'ai pas encore rencontré, vous savez…

– Ben, ce ne sont pas les occasions qui vont manquer, mon mari prend un congé d'une semaine pour mettre ses livres à jour. Et ça, il le fait à la maison, jamais au bureau, jamais en voyage. Le soir, Gabriel l'aide, c'est bon pour ses cours, ça le fait pratiquer. Mais vous verrez, mon mari n'est pas malcommode, pas dérangeant, il est comme Gabriel. Celui-là peut pas l'renier pour son père, j'vous l'dis!

Satisfaite, quasi heureuse du retour prochain de Réal dans cette maison sans vie, elle s'apprêtait à ranger les dernières tasses quand Gabriel, passant près d'elle, lui demanda:

– Vous savez où sont les Kleenex? Je n'en ai plus dans ma chambre.

– Ici. Venez, je vous en remets une boîte ou deux si vous désirez.

– Merci, une seule va suffire. Merci… Bonsoir.

«Toujours aussi gauche», pensa Pauline. «Toujours aussi discret, aussi ennuyant, aussi plate à mort», ajouta-t-elle en son for intérieur. Elle plaignait même la fille qui tomberait un jour dans ses bras. En attendant, Gabriel ne fréquentait personne. Isolé du monde, solitaire à souhait, il passait ses journées à l'université, ses soirées dans sa chambre. Il arrivait, cependant, que le lit soit défait comme s'il avait cauchemardé. Il arrivait même que le panier à rebut de sa chambre soit rempli de klee-nex en boule ou froissés… lui qui ne se mouchait guère.

Septembre tirait à sa fin et, sans être au «paradis» dans cette maison de Rosemont, Pauline vivait, au moins, du jour au lendemain sans la moindre insécurité. Elle ramassait ses sous, dépensait très peu et entassait ses gages dans le fond d'un tiroir… au cas où. Quand elle fit la connaissance de monsieur Crête, elle le trouva aimable, courtois, sans plus. Tout comme son fils Gabriel qui, d'ailleurs, était vraiment le portrait tout craché de son père. Elle préférait de beaucoup Réal, malgré sa ressemblance avec sa mère, les mêmes yeux de lynx, le même sourire quasi hypocrite. Et elle se rendit compte, en écoutant aux portes, que monsieur Crête reprochait à sa femme de ne pas surveiller son budget, que les dépenses chez l'épicier et le boucher étaient trop élevées. «Pas un autre gratte la cenne», pensa-t-elle, quoique «l'autre» avait été plus que généreux avec elle. Pauline avait sans doute oublié le «tronc d'arbre» avec cette vilaine remarque. Madame Crête se défendit de son mieux, plaidant que Réal était une bonne fourchette et qu'avec une bouche de plus à nourrir… Ce qui lui valut comme réponse: «T'aurais pu la choisir plus maigre, ma femme!» Insultée, elle aurait voulu démissionner sur-le-champ, mais elle se plia de mauvaise grâce à mettre son orgueil de côté. D'autant plus, elle le savait, que c'était elle qui faisait grimper les «comptes payables» avec son appétit vorace. Et ce, sans parler du boulanger qui venait avec son panier chaque matin et que madame Crête vidait de son contenu pour… Réal! Croyant, bien sûr, que c'était son colosse de fils qui, depuis quelque temps, avait la dent sucrée. Fort heureusement, monsieur Crête ne s'arrêta pas sur le compte en souffrance du boulanger. Pour lui, le pain était vital à une bonne santé. Sans se douter, par contre, que les *cup cakes,* les mokas, les roulés aux fraises, les *Black Beauty* et les beignes au miel entraient à la douzaine dans le garde-manger dont Pauline avait… la charge.

Ce qui inquiétait la pauvre fille, ce qui l'irritait, c'était qu'elle n'avait aucune nouvelle de Jovette depuis son déménagement. Pas même son adresse ni son numéro de téléphone par la poste. Humiliée, elle en vint à traiter son amie de sans-cœur et d'ingrate. Après tout ce que Jovette avait fait pour elle! Pauline se disait qu'elle ne lui devait rien, qu'elle lui avait remis la monnaie l'année dernière, en l'aidant à sortir des griffes de son père. Sans elle, selon Pauline, Jovette serait peut-être encore là à ouvrir son drap pour que son père s'y glisse certains soirs. Et pourtant, à part quelques mots d'encouragement, Pauline n'avait rien fait pour la sortir de son marasme et c'est Jovette, avec l'aide du commis voyageur, qui s'était elle-même évadée de sa cage. Comment Pauline, si peu intelligente, aurait-elle pu manigancer quoi que ce soit? C'était à peine si elle pouvait s'occuper d'elle quand personne n'était là pour lui tendre la main. Pas même assez brillante pour savoir qui était le père de la petite qu'elle avait perdue. Jovette s'éloignait, c'était évident, mais Pauline n'acceptait pas qu'on la délaisse ainsi, elle qui avait abandonné froidement le seul homme qui l'avait aimée dans sa vie. Elle qui prenait sans donner. Elle qui allait encore prendre, avec la ferme intention de ne pas perdre cette fois.

Premier dimanche d'octobre, un autre jour de congé sans intérêt pour elle. Levée tôt, ayant pris sa douche, s'étant maquillée, habillée, elle se frisait une mèche ou deux quand on frappa discrètement à sa porte. Elle ouvrit et se retrouva face à face avec Réal qui, vêtu d'un pantalon pas même agrafé, pieds et torse nus, lui murmura pour ne pas réveiller les autres qui faisaient la grasse matinée:

– Tu vas où, aujourd'hui, Pauline?

Surprise et heureuse à la fois de cette charmante inquisition, elle répondit:

– J'sais pas, j'ai pas d'idée précise. J'vais aller à l'église allumer un lampion pour ma mère pis, après, j'vais prendre l'autobus pis l'tramway, puis j'vais descendre en ville déjeuner. Pourquoi tu m'demandes ça?

– Parce que j'ai l'goût d'sortir avec toi aujourd'hui. Sans que la mère pis les autres le sachent. Dis-moi où j'pourrais t'rejoindre pis à quelle heure.

Pauline, qui entendait madame Crête tousser dans sa chambre, répondit rapidement:

– Pourquoi pas en face du théâtre Princess sur la rue Sainte-Catherine? J'vais m'arranger pour être là à midi, y'a un bon restaurant à deux pas, j'y vais souvent.

– Ça marche, Pauline. J'saute dans mon char pis j'te rejoins là. Écoute, j'pense que la mère se lève. J'retourne dans ma chambre pis toi, ferme sans faire de bruit.

En effet, madame Crête gagnait la cuisine au moment où Réal refermait sa porte et que Pauline reprenait ses bigoudis, le sourire au coin des lèvres.

Pauline quitta la maison vers neuf heures trente devant «Monsieur» et «Madame» qui lui souhaitèrent une bonne journée, sans s'enquérir, comme d'habitude, de ce qu'elle en ferait. Par discrétion sans doute, sauf que Pauline aurait peut-être aimé leur dire, parfois, qu'elle était seule, qu'elle tuait ses dimanches en ville et qu'elle n'aurait pas détesté les suivre à la campagne où les Crête possédaient un chalet. Sauf, bien entendu, en ce dimanche où l'homme qu'elle dévorait des yeux depuis le premier jour serait avec elle pour la journée. Pauline passa outre au lampion qu'elle voulait faire brûler pour sa mère et s'empressa de descendre au centre-ville, quitte à tuer une heure ou deux en déjeunant copieusement quelque part. Car, le dimanche, il allait de soi que le ventre de la pauvre fille criait famine avec un déjeuner aussi tardif, elle qui avait l'habitude de se «bourrer» la panse de quatre ou cinq rôties avec confiture et cretons à sept heures du matin en semaine.

Pas *chic and swell* comme au temps de la butte, elle était quand même plus que passable dans sa robe verte à rayures jaunes, un imperméable beige sur le dos, son sac à main et ses souliers de cuir brun à talons hauts. Un petit foulard beige sur la tête parce que c'était frisquet et des boucles d'oreilles plaquées or, légèrement ternies. Tout en buvant son thé abondamment sucré, elle surveillait constamment, de la fenêtre, les alentours du restaurant. Soudain, elle reconnut la Chevrolet de Réal et le vit stationner sur une rue transversale. S'empressant de payer, elle sortit rapidement et se rendit dans l'entrée du cinéma Princess où il devait la rejoindre.

– Tiens! T'es là! J't'ai pas fait attendre trop longtemps, au moins?

– Pantoute, Réal! J'buvais mon thé pis j't'ai aperçu. Aïe! J'te dis qu't'as du beau linge pour un gars d'la construction!

– Pensais-tu qu'j'étais toujours en salopette, Pauline? J'magasine des fois. J'ai tout acheté ça chez Beaucraft le mois passé.

Pauline, fière de «son homme», le dévisageait de la tête aux pieds. Réal portait un complet luisant dans les tons de brun. Un complet dont le pantalon était très ajusté, voire moulant. Une belle chemise blanche avec des boutons de manchettes, une cravate avec des fleurs et des souliers vernis bruns. Imperméable sur le bras, il n'avait pas oublié d'enduire ses quelques cheveux de Brylcreem. Offrant son bras à Pauline, il lui dit:

– Toi, t'oublies ton p'tit restaurant à deux pas d'ici pis tu viens dîner avec moi en dehors de la ville. J'connais une belle salle à manger l'autre bord du pont Jacques-Cartier. C'est isolé, c'est bien fréquenté parce que c'est cher, mais c'est privé pis on mange bien.

— Ben… comme j'suis ton invitée, Réal, moi, j'suis. J'ai rien à dire.

Réal, au volant de sa voiture de l'année, s'engagea sur le pont, continua un peu, tourna à droite et emprunta une route secondaire. Ils traversèrent un village que Pauline ne connaissait pas et, trois ou quatre milles plus loin, Pauline aperçut un genre de grand restaurant en bois blanc avec une douzaine de petites cabines adjacentes au bâtiment. Sans être brillante, elle n'était pas sotte et elle savait bien que ces cabines n'étaient pas des chalets pour les familles de passage. D'autant plus que le sourire narquois de Réal lui indiquait clairement ce qu'il en était.

— Ça va t'plaire ici, Pauline? T'aimes l'entourage?

— Oui, pis c'est plus achalandé qu'tu disais, y'a cinq autos dans l'*parking*, mais plutôt du côté des cabines…

Réal lui sourit, éclata de rire et serra sa main potelée dans la sienne. À ce contact, Pauline avait frémi. Depuis le temps que le manque lui causait des démangeaisons, ce toucher, cette main d'homme… Elle en tremblait d'aise et d'envie. Réal Crête semblait être un habitué de la place puisque le patron l'accueillit avec une tape dans le dos et un «tu» plus qu'amical. Réal lui répondit avec la même familiarité et lui présenta Pauline sans préciser ce qu'elle était pour lui. Comme s'il avait présenté sa cousine! Il va sans dire que le menu était varié et que Pauline, malgré les plats raffinés, opta pour un *hot chicken*, viande blanche, avec un grand verre de *root beer*. Après, comme si de rien n'était, elle commanda une grosse pointe de tarte aux pommes avec deux boules de crème glacée. Réal avait mangé peu, très peu, une entrée de tomates farcies, une salade verte et une eau minérale. Il surveillait sa ligne, ses muscles, son tour de taille, les jours où il ne travaillait pas. Peu après, Pauline le vit se lever, parler au patron, son ami, et revenir à la table avec ce que l'autre lui avait donné et qu'il avait vite foutu dans sa poche. Ayant payé et laissé un généreux pourboire, il sortit avec Pauline et lui murmura:

– Marche lentement, suis-moi, j'ai demandé la dernière cabine. Pis l'autre à côté sera pas louée.

– On loue des chambres le dimanche, Réal? J'pensais qu'avec les lois…

– On n'est pas en ville icitte, pis c'est comme si on avait loué hier soir. Tout est correct, t'en fais pas. T'as pas d'scrupules, au moins?

– Moi? T'as rien vu, Réal Crête! J'ai vu neiger, tu sauras!

Ils entrèrent et Pauline remarqua que la cabine était des plus réduites. Un lit, une chaise, un lavabo, une fenêtre avec un store vénitien. Elle ne put s'empêcher de songer: «Maudit! C'est aussi p'tit que l'shack!» Mais elle avait tellement envie de lui. Elle était déjà conquise par l'eau de toilette qu'il portait. Ça sentait l'écorce de bouleau, ça sentait… l'homme. Elle, aspergée de Fresh Wind, obtint encore le même résultat.

– Aïe! Tu sens bon en pas pour rire, toi! Ça va mettre du piquant!

Pauline éclata de rire et dégraffa un à un les boutons de sa robe, pendant que Réal, debout devant elle, érection en évidence, retirait sa chemise après avoir enlevé ses souliers. Chatte, rusée, elle l'attira à lui et leurs lèvres s'unirent dans un long baiser. Dehors, le soleil s'était caché, créant ainsi plus d'ombre dans la cabine. Ce qui plaisait à Pauline alors qu'elle se déshabillait. Il y avait une petite lampe, mais elle le pria de ne pas allumer. Elle aimait faire l'amour dans le noir ou presque. Un amour tamisé. C'était, selon elle, plus… sensuel.

D'une main potelée qui glissait sur sa poitrine, d'une autre qui lui tâtait les fesses, Pauline insista pour le libérer de son pantalon alors qu'il était debout devant elle, elle assise sur le lit. Il aurait souhaité plonger la main dans son soutien-gorge, se rendre jusqu'à son ventre, mais elle le retint en lui disant: «Prends ton temps, on a tout l'après-midi.» Elle fit tomber son sous-vêtement et, ébahie, comblée par ce qu'elle vit, elle se laissa glisser à genoux pour faire avec rage à Réal, ce que jadis elle avait fait en douceur à l'ermite. Réal Crête, malgré ses trente ans, en dépit de ses nombreuses expériences, fut conquis par le geste inattendu de… la servante. Cette grosse fille avait encore plus de «doigté» que toutes les filles de joie qu'il payait de temps en temps, pour un pareil traitement. De ce geste qui en fit une bête, Réal se rua sur elle en ne ménageant plus ses audaces. Et c'est exactement ce que Pauline attendait de ce mâle, cet animal en puissance, depuis qu'elle était chaste par défaut. Trop chaste! Un mois de plus et elle aurait «pris» n'importe qui. Elle se serait donnée à quiconque, les yeux fermés. Mais là, avec ce corps de gladiateur sur elle, avec ces mains de fer, avec cette bouche à séduire des actrices, elle était au septième ciel. Jamais elle n'aurait espéré attirer encore dans son lit un homme de cet acabit. Et Réal était doué. Légèrement violent certes, avec ses petites morsures qui la faisaient crier de douleur et de plaisir, mais doué pour rendre la louve, brebis. Pauline était tellement chevauchée, tellement abusée, qu'elle n'eut même pas la force de lancer son cri de jouissance. Et Réal, après un ou deux rappels, l'avait laissée sur le lit, ivre morte… de volupté. Ayant terminé, étant assouvi, Réal insista pour allumer la lampe et boire une bière qu'il avait dans un sac. Pauline protesta, mais le déclic de la lumière se fit entendre. Elle s'empressa de se cacher sous les draps, mais Réal l'avait vue. Nue! Avec ses bourrelets, ses énormes seins, ses fortes hanches, son cou en sueur, ses vergetures et plus encore. Cachée par le drap, elle ne lui offrait que son sourire, sa tête frisée et, le bras rond en direction du plancher, elle tentait de ramasser du bout des doigts une boucle d'oreille brisée lors des ébats.

– D'après c'que j'ai pu voir, Pauline, j'suis pas l'premier!

– Qu'est-ce… qu'est-ce que tu veux dire?

– Ben… C'est pas la virginité qui t'étouffe si tu comprends c'que j'veux dire.

– Réal! J'ai vingt et un ans, pas quatorze! Pis, à part ça, j'ai presque eu un enfant. Je l'ai perdu un mois avant l'accouchement. C'était une fille… Alors, pour la virginité…

– T'étais mariée?

– Non, pas encore, juste fiancée. Mais la fausse couche a tout changé…

– Il t'a laissée tomber?

– Non, non, pas ça… Pis, parlons plus d'ça, veux-tu? C'est le passé, c't'histoire-là! J'veux l'oublier, j'veux plus en parler…

– Pourquoi t'as ouvert ta trappe, alors?

– Parce que tu m'as forcée à l'faire en parlant d'ma virginité! Pis toi, Réal, viens pas m'dire que c'est la première fois qu'tu viens icitte! Le gars semble te connaître, t'as sûrement tes habitudes…

– Ben sûr, Pauline. Pensais-tu qu'à mon âge, j'avais pas fait l'tour du bloc? Aïe! T'as pas affaire à Gabriel! J'dis pas mon chapelet chaque soir sur la même graine, moi!

Pauline avait ri de la dernière remarque de Réal, même si elle l'avait trouvé vulgaire de parler de la sorte de son frère.

Il était évident que les deux frères n'avaient rien en commun, qu'ils n'avaient rien à se dire et que leur différence d'âge les distançait l'un de l'autre. Mais Gabriel, malgré son manque d'éloquence, malgré son apparence chétive, était loin d'être bête. Avec le temps, il allait certes supplanter Réal, parce qu'il serait un homme instruit et que l'aîné ne resterait qu'un éternel fier-à-bras. Mais, pour le moment, c'était devant Réal que les femmes se pâmaient, mademoiselle Pinchaud incluse. Toujours dans la cabine louée, alors qu'elle remettait ses chaussures et qu'elle s'emparait de son sac à main, Pauline se pencha pour s'enivrer d'un autre baiser ardent de son «amant», mais ce dernier se déroba et lui dit en déverrouillant la porte:

– Il faut partir d'ici, Pauline. J'ai pas loué pour la journée.

– Quand même! C'est pas ton ami qui va t'reprocher une demi-heure de plus, y reste juste deux cabines d'occupées si j'en juge par les chars qui sont encore parqués d'not'côté.

– Non, j'sais bien, mais j'veux pas ambitionner... Pis, tu penses pas qu'après deux heures au lit, on doit avoir not'quota, toi pis moi?

– Toi, peut-être, mais moi, j's'rais restée dans tes bras jusqu'à demain, Réal. Pour moi, c'est pas rien qu'du vice, j'ai des sentiments...

– Aïe! Tu m'arrêtes ça drette-là, Pauline Pinchaud! Si toi, tu tombes en amour après une botte, ben, moi, ça fait juste me soulager.

– Maudit qu't'es mal engueulé, Réal! Tu pourrais choisir d'autres mots! Tu viens pas d'faire l'amour avec une traînée, tu sauras!

– J'ai jamais dit ça, pis j'parle comme j'parle, Pauline. Pis l'amour, faire l'amour comme tu dis, c'est des grands mots. Pour moi comme pour toi, ç'a été l'occasion d'avoir du *fun*, de s'lâcher lousse un peu. La servante avec le fils de la patronne...

Tu sais, moi, j'ai vu ça souvent dans les films de fesses des gars d'la *shop*, pis j'te jure que c'était encore moins *hot* que toi pis moi, Pauline.

Honteuse, boudeuse, insultée d'être à ses yeux une «servante» de films à l'index, elle préféra se taire sur le sujet et lui demander d'un ton sec et autoritaire:

— Ramène-moi, Réal, j'veux rentrer, j'ai plus rien à faire icitte!

— C'est-tu un ordre, Pauline? Avec le ton qu'tu prends...

— Réal! J'veux juste rentrer, j'veux pas qu'ça finisse mal, nous deux.

— Veux-tu ben m'dire à quoi tu penses, toi? J'sais pas si tu l'sais, mais c'est déjà fini, Pauline. Pensais-tu qu'on était pour aller aux vues après ça? Penses-tu que j'veux sortir avec toi, moi?

— Non, j'pense rien, mais dis plus rien, ça m'crève le cœur.

Et comme Pauline sanglotait dans son mouchoir, Réal reprit le pont et se rendit jusqu'à la rue Mont-Royal où il voulut la déposer.

— Pourquoi ici? Où veux-tu que j'aille dans c'coin-là?

— Ben, tu s'ras plus proche de la maison. J'ai pensé que c'était mieux que le bas d'la ville.

Stationné au coin d'une rue mal éclairée alors qu'il faisait déjà noir, Réal voulut s'amender en lui prenant la main. Surprise, elle lui serra les doigts en guise de tendresse, mais lui, peu intéressé par les mièvreries, attira la main de Pauline jusqu'à la bosse de son pantalon. Se dégageant, humiliée, le regardant avec rage, elle lui lança:

— Me prends-tu pour une truie, Réal Crête? Me prends-tu pour une fille de joie à qui tu donnes deux piastres pour faire ça?

– Ben non, j'pensais juste que t'en avais encore envie. En pleine noirceur, dans l'char, parqués un peu plus loin si tu veux…

Pauline ouvrit la porte et la referma violemment sur ces dernières paroles. N'attendant que d'en être libéré, Réal démarra à toute vitesse et Pauline, tel un piquet sur le coin d'une rue, n'eut d'autre choix que de trouver un restaurant pas cher et de se payer un souper avec la soupe, le thé et le dessert inclus. Le soir, de retour à Rosemont, regagnant sa chambre, elle était heureuse et malheureuse à la fois. Heureuse d'avoir enfin revécu le plaisir de la chair avec un homme comme elle les aimait, et malheureuse d'avoir été rejetée comme un torchon dès l'acte terminé. Malheureuse aussi de savoir que cette histoire ne serait que d'un soir. Déçue de Réal qui la verrait désormais comme une traînée. Et encore plus malheureuse de n'avoir eu aucune nouvelle de Jovette depuis son départ.

Le lendemain, dernier jour d'octobre, alors qu'elle disposait des tires et des bonbons dans un bol pour les enfants qui viendraient passer l'Halloween le soir même, elle eut la chance d'être seule avec Réal dans la maison. Monsieur Crête était reparti pour la semaine, madame Crête était chez sa sœur pour la journée et le jeunot était à l'université. Et comme Réal ne travaillait qu'en après-midi, il en profitait pour faire la grasse matinée. Vers onze heures, il se leva et se dirigea vers la salle de bain en sous-vêtement, les yeux pochés, en passant devant Pauline comme si de rien n'était. Il savait qu'il n'y avait personne d'autre dans la maison et peu étouffé par la pudeur, surtout avec elle, il se gratta même une fesse… Le voyant passer devant elle, Pauline eut un autre sursaut… charnel. En proie à un vif désir malgré «l'abondance» de la veille, elle s'approcha, attendit qu'il sorte de la toilette et l'encercla de ses deux bras

57

tout en lui signifiant ses «intentions» d'un coup de genou... maladroit. Réal, pris par surprise, ne l'ayant pas vue venir, se dégagea prestement en lui disant d'un ton désagréable:

— T'as rien compris, toi, à c'que j'vois! Écoute, Pauline, hier t'as eu ton *fun*, j'ai eu l'mien, on s'est rhabillés, fini l'*party*!

— C'est pourtant pas c'que tu m'laissais savoir dans l'char au coin d'la rue...

— Ça, c'était juste une p'tite vite pour te faire plaisir.

— Une p'tite vite pour toi, Réal, pas pour moi. Penses-tu que j'savais pas c'que tu voulais? Tandis que là, seuls tous les deux...

— Pas intéressé, Pauline! J'te l'ai dit hier, une fois, pas d'récidive! J'm'engage pas, moi! Si tu t'es fait des idées, c'est ton problème!

— Pas des idées, mais tu penses pas que toi pis moi, si on sortait ensemble... C'est-tu parce que j'suis servante que tu m'repousses, Réal?

— Pas une miette, j'suis pas un avocat, moi, j'suis juste un gars d'la construction. Ç'a rien à voir avec ta job, tu m'intéresses pas, Pauline, j't'aime pas, tu m'attires pas, c'est-tu assez clair?

— C'est pas c'que tu disais hier, dans la cabine, Réal Crête!

— Pauline! C'était juste un *score!* Un *in and out*, rien d'plus!

— Pis pourquoi ça continue pas, Réal? T'as quand même aimé ça...

Ne sachant où regarder, ne voulant pas trop la blesser, il baissa les yeux, s'alluma une cigarette, enfila un pantalon et lui dit:

— J'ai aimé ça jusqu'à c'que j'te voie... J'ai-tu besoin d'aller plus loin?

— Oui, j'comprends pas! Tu l'savais qu'j'étais grosse, ça s'voit, non?

— C'est pas ça, Pauline. J'aime les rondeurs, j'aime les gros seins...

— Ben, c'est quoi d'abord? J'm'étais pourtant lavée...

— C'est pas ça... Pis fais-moi pas parler, Pauline, t'aimeras pas ça!

— Parle! Si tu penses que tu vas t'en tirer comme ça! Parle si ça t'gêne pas!

Réal, mal à l'aise, inhalant une touche de nicotine, lui marmonna:

— C'est c'que t'as aux cuisses pis c'que j'ai vu aux mollets qui m'font reculer, Pauline. Même le ventre, mais j'veux pas aller plus loin...

Sidérée, choquée même si elle l'avait cherché, Pauline garda son calme et lui répliqua:

— Ça paraît qu'tu connais rien aux femmes, toi! C'que j'ai sur le ventre, c'est des vergetures, ça va partir, j't'ai dit qu'j'avais été enceinte! Toutes les femmes ont ça après une grossesse!

Réal ne parlait pas. Voyant qu'il attendait la suite, elle demanda:

— Pis, j'suppose que tu sais c'que j'ai aux cuisses pis aux mollets?

— Oui, des varices, Pauline!

Rouge de honte et de colère, prise au piège, elle balbutia:

— T'es... Ben, t'es pas instruit à c'que j'vois! Des varices à mon âge! T'es-tu tombé sur la tête, Réal Crête? C'que j'ai là, c'est des allergies, c'est du sucre que j'ai d'trop dans l'sang qui m'donne ces veines-là. Ça aussi, ça va partir, c'est de saison, c'est juste l'été que ça s'manifeste, le docteur le sait...

— On est à la fin d'octobre, Pauline.

– Pis après? Ça part pas du jour au lendemain, ça! C'était ben plus mauve en juillet! D'ici un mois...

– Écoute, Pauline, allergies ou pas, maladie ou pas, moi, ça m'intéresse plus d'sortir avec toi. J'ai quelqu'un d'autre dans ma vie, une fille d'la *shop*...

– Pis tu l'avais pas dit! Maudit hypocrite! T'as une blonde pis tu viens coucher avec moi un dimanche? Elle était où, elle? À messe, j'suppose?

– Non, chez ses parents à Saint-Donat. Pis ça t'regarde pas, Pauline.

– T'es un bel écœurant, Réal Crête! On abuse d'une fille, on l'invite pour des saletés, on lui fait accroire...

– Pousse mais pousse égal, j't'ai rien fait accroire, Pauline! Pis là, avec tes airs hautains, tes mains sur les hanches... T'es mieux de r'prendre ta moppe, toi! T'es icitte comme servante, la Pinchaud!

– N'empêche que t'es un beau salaud comme tous les autres, Réal Crête!

– Ben, si c'est comme ça, la job icitte vient d'finir pour toi! J'te donne jusqu'à demain pour remettre ta démission à ma mère, ou j'lui dis c'qu'on a fait ensemble. Moi, ça la dérangera pas, elle sait que j'couraille, pis j'suis un homme, son gars. Mais toi, c'est ta perte! Si tu démissionnes pas, c'est elle qui va t'crisser dehors sans références!

– T'es pas sérieux, Réal, tu veux pas que j'fasse ça. On peut oublier...

– Non, décampe, Pauline, j'veux plus t'voir! Juste à savoir que tu s'rais encore dans la maison... Tu t'en vas ou j'vide mon sac!

– Ben, t'es encore plus chien que j'pensais! J'vas partir, Réal Crête, j'vas m'trouver une autre place juste pour plus t'voir la face! Mais, j'vas emporter ton portrait dans ma tête pis, si jamais j'te croise quelque part, tu vas avoir ma façon d'penser devant tout l'monde, prends ma parole!

– Pis toi, mon poing s'a gueule, prends ça au sérieux, la grosse!

Outrée, Pauline tourna du talon et, sous la menace de Réal, elle n'eut d'autre choix que d'appeler Jovette à son travail. Cette dernière, affairée, s'empressa quand même de prendre le récepteur.

– Allô, Pauline? C'est toi?

– Oui, Jovette! J'voulais pas t'déranger, mais j'savais pas où t'rejoindre. Tu m'as laissé ni adresse ni téléphone, pis tu m'as pas donné d'nouvelles depuis.

– Comment voulais-tu que j'le fasse? J'pouvais quand même pas t'appeler chez madame Crête, j'suis supposée être ton ancienne patronne. Moi, j'attendais que tu m'appelles icitte, à la manufacture. Ça t'a pris du temps pour le faire, c'est un peu d'ta faute, Pauline.

Au bout du fil, l'autre, la rejetée, se mit à sangloter.

– Bon! Qu'est-ce qui t'arrive encore… T'as des problèmes?

– Ben, j'perds ma job, Jovette. Faut que j'démissionne.

– J'comprends pas, on t'sacre à' porte ou tu démissionnes? C'est pas clair ton affaire…

– C'est trop long à t'expliquer, mais j'vais partir avec des références. Mais… j'sais pas où aller, Jovette, ajouta-t-elle en pleurnichant.

– Ben, c'est ben simple, tu paquetes ta valise pis tes boîtes, tu sautes dans un taxi pis tu t'en viens chez moi. Prends mon adresse, c'est sur la rue Guizot… Tu comptes partir quand, Pauline?

– Vendredi, le temps de donner ma notice pis d'prendre mes gages.

– Vendredi? La veille de ta fête? Tout un cadeau…

– Bah! Pour c'que ça change, ma fête, tu sais…

– T'en fais pas, Pauline, on va la fêter, ta fête. Tu vas te détendre…

– T'es ben fine, Jovette, mais… mais Carmen?

– Laisse faire ça, j'te dis d't'en venir, c'est tout c'qui compte.

– Si tu savais comme tu m'enlèves un poids, Jovette. Sans toi…

– Dis rien d'autre, pis à vendredi, Pauline. T'as noté l'adresse pis l'numéro d'téléphone comme y faut?

– Oui, oui, j'ai tout ça sur un papier. Merci, Jovette, merci encore.

Ayant raccroché, Jovette se rendit compte que Carmen, derrière elle, avait tout entendu. L'air bête, en rogne, celle-ci s'écria:

– Dis-moi pas qu'on va l'avoir encore dans les pattes, c'te grosse-là!

Ahurie, se retournant d'un trait, la fixant dans les yeux, Jovette lui répliqua:

– Aïe! T'as rien à dire, toi! On laisse pas un chien dehors! Pauline, c'est mon amie, c'est une pauvre fille. Alors, ta gueule, Carmen! Une fois pour toutes!

Le lendemain, seule avec madame Crête, Pauline l'avisa de sa décision de quitter dès le vendredi. Elle prétexta qu'elle retournait chez son ancienne patronne, «Madame Biron», que les corvées étaient moins lourdes et qu'avec son problème d'essoufflement, son embonpoint, elle ne pouvait plus travailler aussi fort. Elle fut si loquace qu'elle parvint à atteindre madame Crête qui, peinée de la perdre mais compréhensive, lui promit de lui rédiger une très belle lettre de références. Mais Pauline remarqua que madame Crête ne fit rien pour la retenir. C'était comme si son départ la soulageait quelque peu. Depuis le retour de son mari, elle s'était rendu compte que Pauline mangeait comme un ogre et que, de plus, elle n'était pas des plus propres. Elle faisait les «coins ronds» comme le lui disait son mari qui n'appréciait pas trop la grosse fille… gourmande.

Le soir venu, madame Crête avisa Réal du départ de Pauline et ce dernier, sans sourciller, lui dit: «La prochaine fois, engage donc une plus vieille, la mère, elles sont plus fiables.» La semaine s'écoula vite et Pauline, peu encline à travailler avec ardeur, laissait plus que les «coins ronds». Mais elle mangea énormément et ne se retint pas de prendre, quand elle le pouvait, la dernière pointe de tarte que la mère Crête gardait pour son mari. Elle évita Réal de plus en plus. Elle le voyait se dandiner le matin, étirer ses muscles, et malgré le tort qu'il lui avait fait, elle ressentait encore des… pulsions! Mais dès qu'elle repensait à ce qu'il lui avait dit, aux insultes concernant son ventre, ses cuisses et ses jambes, elle le haïssait au point de vouloir lui arracher la langue et… les couilles!

Elle partit enfin le vendredi vers trois heures, avec sa valise, ses sacs et sa lettre de références. Sans omettre de s'emparer, par habitude, d'une petite broche en argent avec des pierres givrées roses. Une broche en forme de marguerite que la mère Crête gardait au fond d'un tiroir. Le taxi arriva, le chauffeur rangea tout dans le coffre et lui ouvrit la portière. Il démarra et, jetant un dernier regard vers la maison de Rosemont, Pauline aperçut Gabriel qui, de la fenêtre de sa chambre, lui faisait un signe de la main. Le seul à sembler triste de la voir les quitter. Elle regrettait presque de ne pas s'en être fait un allié. Le taxi roulait et Pauline, ajustant une bague à «trente sous» qu'elle

portait à l'auriculaire, tressaillit. S'informant auprès du chauffeur si l'odeur du *remover* l'incommodait, elle s'empressa
d'enlever le *cutex* «grenat» de ses ongles.

Chapitre 3

C'est avec le sourire aux lèvres que Pauline sonna à la porte de Jovette qui était rentrée plus tôt de son travail pour l'accueillir. La valise et les sacs encore sur le perron, les deux amies s'étreignirent et Jovette s'empressa de lui dire: «Rentre vite! On gèle! Ça nous traverse de bord en bord, c'vent-là!»

Pauline entra, retira ses couvre-chaussures et son manteau, regarda un peu partout et s'écria:

— Viarge! T'es pas à plaindre, Jovette! C'est toute une cabane que t'as là! Mais tu m'avais pas dit qu'y'avait deux étages, un logis en haut.

— Non? J'ai sans doute oublié. Oui, on a des locataires. Un couple de personnes âgés qui ont élevé trois enfants dans c'logement-là pis qui veulent pas l'quitter. Du bon monde, le loyer payé rubis sur l'ongle, on peut s'compter chanceuses...

— Carmen est pas encore arrivée? A fait-tu d'l'*overtime*?

— Non, non, a va rentrer d'une minute à l'autre. C'est moi qui est partie plus tôt pour te recevoir. J'ai pris un taxi pour pas t'faire attendre.

Passant outre au mérite de son amie, Pauline tira le rideau et dit:

– J'sais pas si c'est une idée que j'me fais, mais ç'a l'air plate dans c'boutte icitte. Y'a pas un chat qui passe, y'a pas trop d'action…

– Écoute, Pauline, le nord d'la ville, c'est pas l'bas d'la ville, mais on respire mieux. Ça sent moins l'fond d'ruelle, tu comprends? Pis d'l'action, y'en a! C'est un quartier rempli d'enfants! Toutes les femmes sont en baloune dans l'coin! Depuis qu'la guerre est finie qu'elles font des p'tits. Pis, comme elles ont de bonnes maisons pis qu'la job manque pas pour les maris… Moi, j'aime ça vivre ici. Pis Carmen aussi. Y'a d'bons commerces sur la rue Saint-Denis, y'a une boulangerie, y'a plein d'commodités. Pis l'monde est mieux élevé qu'en bas d'la ville. Plus distingué…

– Ben, tant mieux, mais si ça t'fait rien, j'aimerais déposer mes sacs dans ma chambre, vider ma valise… C'est où, Jovette?

Tout était en place dans le vaste placard de la chambre «d'invitée». Pauline avait eu le temps d'aligner ses vêtements sur des cintres, de ranger ses choses dans les tiroirs de la commode et de regarder, ébahie, cette belle chambre bien meublée qu'elle aurait bien aimé habiter si… Elle eut à peine le temps d'en rêver qu'elle dut revenir sur terre, Carmen venait d'arriver. Sa grosse voix ne pouvait la tromper. Retouchant sa coiffure, son rouge à lèvres, ajustant une boucle d'oreille, Pauline se dirigea vers le salon et se trouva face à face avec Carmen qui, cigarette à la main, se versait un Cinzano blanc en guise d'apéritif. Apercevant Pauline, elle esquissa un sourire de commande, un regard à peine aimable:

– Bonjour, Pauline. Ça va? Contente de te revoir.

– Moi aussi, Carmen. Vous avez une maudite belle maison! J'en parlais justement à Jovette…

– Oui, c'est pas mal, mais on a dû faire un grand ménage... Dis donc, Jovette, t'as pensé à quoi pour souper?

– J'ai pensé à rien, Carmen! Ça t'arrive d'avoir des idées, toi?

– Qu'est-ce qui t'prend? Qu'est-ce que j'ai dit encore?

– Rien, Carmen, on a d'la visite. Dis-moi, Pauline, ça t'intéresserait-tu un ragoût d'boulettes avec des patates pilées? J'en ai fait hier, j'aurais juste à l'réchauffer pendant qu'les patates vont cuire.

– Ben sûr, voyons! Pis j'vais t'aider, Jovette, j'vais éplucher...

– Non, non, t'es une invitée, Pauline. Carmen va s'occuper d'ça. Nous autres on va jaser en mettant la table. Tu prendrais pas un p'tit verre de quelque chose en attendant?

– Ben... pas d'boisson, j'en prends pas encore, j'peux pas m'habituer. Mais si t'as un verre de *Coke* ou de *cream soda*, j'dirais pas non.

Pendant que Carmen bardassait les chaudrons, les deux copines mirent rapidement la table et prirent place sur le divan du salon.

– Comme ça, t'en pouvais plus d'la maison d'Rosemont?

– C'est pas ça, Jovette, mais j'ai fini par avoir des problèmes. Des fois, j'ai envie de dire comme toi: «Maudits hommes!»

– Bon! Encore un homme! J'savais qu'ça pouvait pas être aut' chose.

– Pis c'est pas d'ma faute, Jovette, j'te l'jure! C'est lui qui m'a couru après... Moi, j'l'évitais, j'voulais pas perdre ma place...

– Tu parles-tu du mari? Explique-toi mieux qu'ça, j'comprends pas...

Et Pauline, plus que talentueuse dans l'art de mentir, lui narra une longue histoire qui était loin de celle qu'elle avait vécue. Elle parla de Réal, elle admit même l'avoir suivi dans une chambre «d'hôtel» parce qu'il s'intéressait sérieusement à elle. Elle lui fit part de récidives dans sa chambre, à la maison, pendant que les autres n'étaient pas là, et elle lui apprit que Réal l'avait même attirée dans les toilettes, fermé la porte à clef pour ensuite profiter d'elle.

– C'était un maniaque, Jovette! Un fou furieux avec les femmes!

– Tu l'as quand même suivi la première fois, Pauline.

– Oui, parce que j'ressentais une certaine sympathie, une forme d'amour. Y'était pas beau, y'était maigre comme un clou, y'avait même un problème de surdité, mais je m'disais qu'avec un peu d'compassion… Mais là, quand j'ai viré mon capot d'bord, y'a menacé de m'dénoncer à sa mère, lui dire que c'est moi qui avais sauté dessus. J'avais deux choix, sacrer mon camp ou continuer à le… tu sais c'que j'veux dire… chaque matin. J'ai préféré partir, Jovette, parce qu'y m'a dit qu'y avait une autre servante en vue pour sa mère. Une qui s'laisserait faire. Un gars mûr pour l'asile, Jovette!

– Ben, si c'était comme ça, t'as mauditement ben fait! Mais, t'es vraiment pas chanceuse, Pauline. Tu pourrais pas tomber sur une maison où y'aurait pas d'hommes pour une fois? Ou, du moins, un homme respectable, un homme distant avec les servantes.

De la cuisine, jubilant, ayant tout écouté, Carmen lança:

– C'est une question d'comportement, itou! Y'a pas rien qu'des loups!

Offensée sans trop comprendre, Pauline répliqua:

– Qu'est-ce que tu veux dire par là, Carmen? Ça m'concerne?

Jovette, qui voulait à tout prix éviter la moindre dispute, trancha:

– Ben non, c'qu'a veut dire, c'est qu'y a sûrement des hommes qui s'comportent bien. Faut juste les trouver, Pauline. Dis donc, Carmen, ça s'en vient-tu l'souper, j'ai l'estomac dans les talons, moi!

– Tu m'entends pas piler? T'es-tu sourde, Jovette? On sait ben, avec la jacasse de Pauline, t'as pas d'oreilles pour celle qui bardasse.

– Aïe! Change d'humeur, toi! J'ai pas envie d'avoir une face de beu à table devant moi! C'est pas d'ma faute si t'as pas eu ta promotion!

– Ma promotion n'a rien à voir avec mon caractère, Jovette Biron! Pis tu l'sais à part ça! J'étais pas prête à prendre la place du gros Courville, j'ai pas assez d'expérience pour ça. Pis, si j'suis pas toujours d'humeur égale, questionne-toi donc un peu! Mais fais-moi pas parler! Surtout pas devant Pauline!

Jovette ne répliqua pas, s'alluma une cigarette et demanda à Pauline:

– T'as-tu vu mon *pick- up*? J'viens d'l'avoir! Pis j'ai des disques de Judy Garland pis de Perry Como. Viens, Pauline, choisis-en un pis fais le jouer pendant qu'j'vas aller remplir les assiettes.

Jovette rejoignit Carmen et, restée seule, Pauline posa l'aiguille du phono sur la chanson *But not for me* que Judy rendait si bien. Fière de s'en être si bien sortie avec ses «menteries», fière de ne pas avoir eu à avouer que c'était elle qui avait eu «faim» de Réal avant même qu'il s'en approche, elle se demandait bien, néanmoins, ce qui se passait dans «le couple» de son amie. Si peu de temps et déjà un début de pagaille. Elles qui avaient donné l'impression de «s'unir» pour la vie avec une auto, une maison, des projets… Elles qui, quelques semaines plus tôt, semblaient inséparables. Qu'avait-il pu se passer? Il était évident que Pauline ne comprenait pas encore ce que Jovette avait trouvé d'attirant dans cette… femme-homme! Mais comme Jovette était impulsive… Elles passèrent à table et la conversation entre les trois femmes fut un véritable coq-à-l'âne. En sourdine, Judy Garland chantait, Perry Como suivait et Jovette regardait Carmen, mais sans plus. Ce que Pauline ignorait et que Carmen, abattue, démolie, démoralisée, ne pouvait lui dire, c'était que, depuis deux semaines, sans savoir pourquoi, Jovette lui refusait ses faveurs. Pas même le moindre geste tendre ou la main de «l'amante» dans la sienne. Elle avait eu beau la questionner, Jovette n'avait rien répondu d'autre que: «Toi, tu penses qu'à ça!» Carmen était songeuse et Pauline, tout en se bourrant de boulettes, de patates, de betteraves et de pain croûté, se rendait compte que Jovette menait la barque. Jovette Biron qui avait été si longtemps à la merci de son père et … des autres.

Le soir venu, assises toutes les trois au salon, Pauline buvait une tasse de thé alors que Carmen, une Molson tablette dans une main, avait préparé un *gin gimlet* à sa bien-aimée, et c'est Jovette qui ouvrit le bal de la conversation.

– C'est pas d'mes affaires, Pauline, mais avec le type… Réal, tu dis?

– Oui, c'est son nom, qu'est-ce que tu veux savoir?

– Ben, t'as couché, t'as été loin… T'as pas peur des conséquences?

– T'en fais pas, j'ai mes règles depuis hier, Jovette. Mais j'y ai pensé, tu sais. J'ai même eu la chienne! Astheure que j'sais que j'suis capable, tu comprends… Faut que j'me guette, mais les hommes s'en sacrent eux autres! Si tu penses qu'y vont mettre des capotes! Non, à fret pis au fond, les cochons!

— Ben, t'as juste à pas t'laisser faire, Pauline. C'est toi qui mènes...

— Oui, pis là, j'le sais, viarge! Le prochain...

— Dis-donc, j'ai r'marqué ça depuis queq' temps, où c'est qu't'as pris c'patois-là, toi? Tu disais pas ça, «viarge» avant?

— Ben non, je l'ai adopté, j'ai pris ça d'la manufacture, j'pense... Faudrait ben que j'me corrige, c'est pas trop poli pour la Sainte Vierge.

— Oui, pis ça sonne mal, ça sonne dur, ça fait *cheap*, Pauline.

Carmen qui n'avait rien dit, s'ouvrit la bouche pour lancer:

— C'est pas pire que quand tu sors un «ciboire», Jovette!

— Ça, ça m'arrive juste quand tu m'mets en crisse, Carmen! lui répondit-elle avec des flèches dans les yeux. Pis là, si tu veux pas qu'j'en sorte un, va t'chercher un verre! Moi une femme qui boit à même la bouteille! Tu l'sais qu'ça m'fend l'... Un vrai gars d'taverne!

Carmen se leva d'un bond, déposa sa bouteille et se rendit à sa chambre où elle ferma la porte en la claquant. Pauline, troublée, marmonna:

— Tu penses pas être un peu trop raide avec elle, Jovette?

— Pantoute! A va changer, Pauline! J'en ai assez d'nous faire regarder dans la rue pis d'entendre chuchoter. A va changer, j'te l'jure, sinon c'est moi qui décampe. On n'est pas sur la rue Saint-André icitte! Deux femmes qui vivent ensemble, y'a rien là, Pauline. On pourrait être des cousines... Mais j'ai dit deux femmes et, pour ça, Carmen a la tête dure...

— Ça m'surprendrait qu'tu la changes. T'as du travail à faire...

– Ben a va changer, Pauline, a va même se raser en d'sous des bras! Parce que des hommes, y'en a des vrais, pis ça, ça m'répugne pas, a l'sait!

Samedi, 5 novembre 1949. Une fois de plus, Pauline se levait sur un autre anniversaire de naissance. Vingt-deux ans! Vingt-deux ans pour cette jeune personne qui donnait l'impression d'en avoir vécu le double. Une si jeune vie tellement remplie. Une enfance malheureuse, sans gâteau de fête, sans presque rien sauf, parfois, un baiser furtif de sa mère. Puis, quelques cadeaux à quatorze et quinze ans, de la part des débardeurs du port à qui elle offrait «gracieusement»… son corps. Le seul anniversaire dont elle n'oublierait jamais le faste, c'était celui de l'an dernier. Le faste… de la butte! Elle revoyait encore Sam lui offrir le cœur en argent, elle revoyait le coussin de la veuve, la présence de Jovette, Ti-Guy, beau comme un ange dans sa salopette… Elle revoyait le gâteau, les bougies… la magie. Et comme elle venait d'être majeure, elle revivait ce moment qui la consacrait femme, non plus enfant. Puis, elle revit Marcel, le trèfle en or sur chaîne orné d'un diamant, la nuit sordide pour mériter un tel présent… Comme il était difficile pour Pauline Pinchaud d'oublier, un an plus tard, l'un des plus beaux jours de sa vie. Portée aux nues par un homme qui l'adorait, un homme auquel elle se donnait avec ardeur, avec passion, avec remords… Un homme au crâne dégarni, au torse bombé, aux muscles… Un homme déjà mort, qu'elle avait tué d'un dard… au cœur.

Frissonnante à la seule idée… Déjà repue d'avoir revécu ce cinquième jour de novembre dans le shack, elle eut peine à enfiler sa robe de chambre, et à se diriger vers la salle de bain où l'attendaient les huiles parfumées et le moussant aux violettes. Chantonnant, fermant les yeux sur hier, les rouvrant sur Réal et son dernier «assaut», elle fut prise d'un désir charnel. Mais, rêvait-elle seulement qu'elle fut vite tirée de son songe par la toux rauque de tabac de Jovette.

– Comme tu sens bon! Bonne fête, Pauline! s'exclama son amie en la serrant dans ses bras.

Puis, après le timide «merci» de celle qui s'asséchait encore le cou, elle lui dit:

– Va vite t'habiller, je te prépare un déjeuner de princesse.

Pauline, ravie, regagna sa chambre juste au moment où Carmen, sortant de la sienne, se dirigeait vers la cuisine. Les deux femmes ne se croisèrent pas, ce qui arrangea Pauline, encore sous le choc des propos de la veille. Elle colla discrètement l'oreille à sa porte et entendit Jovette dire à Carmen:

– Prépare au moins le café, moi, j'vais faire tout l'reste.

– Oui, oui, minute, y'a pas l'feu! Laisse-moi m'ouvrir les yeux!

– Pis tu fumes encore à jeun, Carmen? Avec ton haleine de chien?

– Aïe! Ça va faire! Si tu penses que tu vas m'chier s'a tête à matin!

– C'est pas ça, mais prends au moins un jus d'orange ou lave-toi les dents! Tu t'lèves comme tu t'couches, pis tu t'demandes pourquoi j'prends l'sofa d'la chambre…

– Aïe! Si c'était rien qu'ça, ça f'rait longtemps qu'tu m'l'aurais dit! Prends-moi pas pour une folle, Jovette! Toi, t'as quelqu'un d'autre!

– Jalouse en plus? Ben là, t'es encore plus cruche que j'pensais!

Jovette allait ajouter autre chose, lorsqu'elle entendit la porte de chambre de Pauline s'ouvrir et cette dernière arriver à la cuisine. Pauline s'était dépêchée, elle avait même oublié de s'asperger de Fresh Wind pour éviter que l'affrontement des deux femmes tourne au vinaigre. Surtout le jour de sa fête! Retrouvant son sourire, Jovette lui dit:

– *Wow*! Un peu plus, pis tu mettais une robe du soir! On déjeune, Pauline! Le souper, c'est pour plus tard…

– Bah! C'est juste une robe de taffetas, j'en ai une autre pour à soir. Pis, comme tu m'as dit que tu m'préparais un déjeuner de princesse, j'étais pas pour arriver en Cendrillon, non?

Jovette éclata de rire et Pauline s'émerveilla de la table garnie. Des jus dans des coupes, du pain doré, des œufs brouillés, des fruits frais, du jambon, des rôties, de la tête fromagée, une cafetière qui sentait bon et une théière d'argent juste pour elle. Jovette avait même disposé quelques fleurs séchées dans un petit vase de faïence. Affamée, attirée par les odeurs, Pauline fit honneur à ce déjeuner sans omettre de répandre sur ses œufs de la confiture et de la cassonade. Carmen, la voyant manger comme une ogresse, en eut un haut-le-cœur. Mais, juste avant, c'était Pauline qui avait senti le cœur lui monter au bord des lèvres alors que, Carmen, lui offrant ses vœux d'anniversaire, l'avait embrassée sur la joue avec son haleine… d'la veille!

Le soir même, Pauline avait revêtu une robe de soie bleu nuit, elle s'était maquillée et portait un collier de cristal acheté à rabais. Jovette, plus féminine que jamais, avait tiré ses cheveux blonds pour en faire un chignon et, maquillée à outrance, elle arborait de longues boucles d'oreilles ciselées. Sa robe, très moulante et au décolleté plongeant, était d'un tissu luisant dans les tons or et argent. Des souliers à talons hauts dorés et, aux doigts, trois bagues de qualité. Pauline, peu soucieuse de ses mains potelées, affichait un vernis à ongles d'un

rouge cerise. Le sien, cette fois. Carmen, cheveux à la gar-
çonne, sans maquillage ou presque, avait fait un effort pour se
mettre un tantinet de rose aux lèvres. Que ça! Et elle se présenta à la salle à manger vêtue d'un chemisier blanc et d'un
pantalon noir. Dans les pieds, des souliers lacés de cuir noir
à gros talons plats. Et ce, sous le regard désapprobateur de
Jovette.

Elles réussirent quand même à festoyer avec le poulet rôti
que Jovette avait préparé, le vin blanc, les pâtisseries, les fro-
mages et le gâteau de fête en forme de losange, orné de vingt-
deux chandelles que Pauline éteignit en quatre souffles et demi.
On l'applaudit, on trancha le gâteau à la vanille garni de sucre
blanc et de roses vertes, et Pauline fit honneur aux desserts
beaucoup plus qu'au vin dans lequel elle ne trempa que le
bout des lèvres. Ce qui n'empêcha guère Jovette de boire plus
que de coutume et d'invectiver son «amante» en lui reprochant
sa tenue, son allure d'homme et ses souliers de sœur grise.
Carmen fulminait, bien sûr, mais éprise de Jovette qui, ce soir-
là, était plus «femme» que jamais, elle préféra se taire et avaler le fiel dans l'espoir que, la nuit venue… Jovette, dans son
ébriété, dans son euphorie, dans la joie de fêter, invita Pauline
à partager leur maison le temps qu'il faudrait. Pire encore,
elle l'incita même à faire le ménage en échange de ses repas
et du gîte, en plus de cinq dollars de gages par semaine. Ce
qui mit Carmen en furie. Pauline, heureuse, voyait en cette
invitation la chance de sa vie. Travailler à son gré, être avec
son amie, se sentir en sécurité et, de plus, être payée, c'était
presque le paradis. Et au diable si ça dérangeait Carmen! Elle
finirait bien par la mettre à sa main, cette face d'homme-là!

Vers minuit, alors qu'elle avait regagné sa chambre, elle pouvait entendre des bruits de voix venant de celle du «couple». Prêtant l'oreille, entrebâillant sa porte, elle put saisir distinctement:

– Si ça fait pas ton affaire, Carmen, dis-moi-le pis j'm'arrange pour partir d'ici dans l'temps de l'dire!

– C'est pas ça, Jovette! Mais la payer en plus… A mange pour dix!

– Pas grave! Là où a travaillait, on la nourrissait pis on la payait!

– Oui, mais on avait besoin d'elle, tandis que nous, ensemble, ici…

– Moi, j'en ai plein l'cul d'faire du ménage! J'haïs ça! J'ai jamais été à l'ordre! Pis toi, dans une maison, à part le marteau, le tournevis pis l'*wrench,* tu vaux pas d'la marde, Carmen! Tu fais même pas la vaisselle!

– On pourrait faire un effort, se partager les tâches…

N'entendant plus rien, Pauline allait refermer lorsqu'elle perçut:

– Lâche-moi! Touche-moi pas! J'veux rien savoir à soir!

– À soir? Tu veux plus rien savoir depuis longtemps, Jovette! C'est pas normal…

– Ben, trouves-en une autre normale! Là, j'suis fatiguée, j'suis saoule…

– N'empêche que tu sens bon… J'ai tellement envie… J't'aime, Jovette.

– Moi, j'ai pas envie, Carmen, j'suis brûlée, j'ai mon quota…

– M'aimes-tu au moins? Ça s'demande-tu, ça? M'aimes-tu, Jovette?

– Toi pis tes questions! Non, ça s'demande pas! Pas entre femmes…

Et Jovette se laissa tomber tout habillée sur le divan au fond de la chambre. Elle ferma vite les yeux et le sommeil qu'elle souhaitait l'emporta. Ce qui lui permit de ne pas répondre à la question embarrassante de celle... qu'elle n'aimait pas.

Le lendemain, dégrisée, café sur café, Jovette regrettait l'offre qu'elle avait faite à Pauline. Carmen avait raison, avec un tel arrangement, Pauline allait être dans leurs «pattes» pour un bon bout de temps. Laissant Carmen faire la grasse matinée après l'avoir déçue et sans doute fait pleurer, elle fut ravie de voir Pauline arriver en robe de chambre, le ventre lui criant déjà famine. Elle la laissa se préparer un bon déjeuner et manger sans lui parler. D'ailleurs, Pauline ne parlait jamais quand elle «dévorait» ses plats. Puis, la voyant se verser du thé, elle lui dit:

— J'm'excuse, j't'ai rien donné pour ta fête, j'ai pas eu l'temps...

— Voyons, Jovette! Avec un souper pareil pis le gâteau... C'était déjà trop!

— Écoute, j'veux faire un peu plus, pis j'pense que ça va t'faire plaisir. Y'a un petit théâtre pas loin d'ici qui présente deux films de suite pis, le deuxième, c'est *Saigon* avec Alan Ladd pis Veronica Lake. L'as-tu vu, Pauline?

— Ben non que j'l'ai pas vu! J'en ai entendu parler par exemple. Tu sais, moi, ces deux-là. Lui pis ses beaux yeux «crasses»...

— Ça t'dirait qu'on aille là à soir? Juste pour le deuxième film? Si ça t'tente, ce sera ton cadeau d'fête! Pis j'paye tout, le taxi pis les deux *tickets!*

— Jovette, tu pourrais pas m'faire de plus beau cadeau... Mais... Carmen?

77

– Ça lui fera rien, tu verras. De toute façon, elle, Alan Ladd… Pis la Veronica, ça l'excite pas. A s'morfond pas pour les actrices américaines. A préfère les françaises comme Simone Signoret, Ginette Leclerc pis Viviane Romance. Des femmes dures, tu vois l'genre?

– Ben, si c'est comme ça, j'ai hâte à ce soir en… Excuse-moi, j'allais encore dire «viarge». Faut que j'me corrige, c'est un sacre que d'prendre le nom d'la Vierge comme patois.

– Pauline, j'ai autre chose à t'dire. Quelque chose que tu vas aimer moins…

– Quoi? Parle, j'suis là, j't'écoute.

– Ben… Hier, avec le vin, j'me suis un peu trop avancée. J'veux dire avec c'que j't'ai offert. J'ai pas besoin d'servante, tu sais, on s'arrange… Par exemple, j'suis prête à t'garder jusqu'à c'que tu t'trouves une job ailleurs. Pis, c'est pas c'qui manque, *La Presse* est pleine!

Pauline avait froncé les sourcils, elle avait la mine basse, elle était déçue.

– C'est Carmen qui veut pas d'moi ici, hein? J'suis dans ses jambes…

– Non, faut pas tout lui mettre sur le dos, Pauline. Carmen a rien contre toi, mais dans son jugement, elle a raison des fois. On n'a pas d'place pour toi à longueur d'année. Pis, avoue entre toi pis moi que d'payer une servante quand on a quatre bons bras pour tout faire…

– Oui, t'as raison, mais j'aurais pu rester sans être payée.

– Non, Pauline, ça t'rendrait pas service. Tu vas être encore dépendante, tu feras jamais ton chemin. Y faut qu'tu sortes de ta coquille, que t'avances, que tu t'débrouilles, que tu rencontres… Tu comprends, Pauline? Même avec Sam, c'était encore aller dépendre…

– Jovette! Parle pas d'lui! Prononce pas son nom! J'ai peur! J'le sens la nuit! J'fais tout pour l'oublier pis tu m'le rappelles… Pis comme j'l'ai encore sur la conscience…

Pauline se mit à trembler, à pleurer, et Jovette la serra contre elle.

– Excuse-moi, j'savais pas, mais t'as pas à t'sentir coupable, Pauline. C'qui est fait est fait… T'étais pas là…

Pauline pleurnichait de plus belle.

– Bon, ça va, arrête! T'es quand même plus une enfant… J't'en r'parlerai plus, promis, mais faudrait pas trop charger la barque…

– Qu'est-ce que tu veux dire?

– Ben dis-moi pas qu'ces larmes-là sont toutes pour Sam! Y'en a sûrement une bonne douzaine de rage parce que j'ai changé d'idée.

– Non, non, j'vas m'débrouiller…

Puis, s'essuyant les yeux avec sa manche, elle demanda:

– Tu m'donnes combien d'temps pour me caser quelque part?

– Penses-tu être capable de l'faire en une semaine?

Pauline baissa la tête, ne répondit pas et vit apparaître Carmen dans la cuisine, avec un air moins bête. Évidemment, elle avait tout entendu. Elle savait que Pauline n'allait pas moisir dans leur maison. Voyant sa mine presque réjouie, Pauline, hargneuse, vilaine, lui lança:

– Jovette pis moi, on va aux vues à soir. C'est mon cadeau d'fête.

– Pas d'problème, Pauline, tant mieux pour toi… répondit l'autre.

– Un film avec Alan Ladd pis Veronica Lake. Un très beau film…

– Ben oui, vas-y, allez-y, qu'est-ce que tu veux qu'ça m'fasse?

– On sait ben, toi, Alan Ladd... Toi pis les hommes, Carmen!

Carmen n'eut pas le temps d'intervenir. Cette fois, juste et intègre dans ses positions, c'est Jovette qui coupa court à la conversation en s'écriant:

– Pauline, ta gueule! Ça va faire!

Médusée, surprise, mal à l'aise devant la réprimande, honteuse face à Carmen qui la regardait la tête haute, Pauline se leva et se dirigea vers la salle de bain. Chemin faisant, elle cria à son amie Jovette:

– Oublie ça pour le film à soir, Jovette! J'vais rester icitte, j'vais fouiller dans *La Presse*, pis j'vas trouver une job plus vite comme ça!

Espérant un quelconque remords de la part de Jovette à la suite de l'insulte, anticipant des excuses, désireuse de voir Alan Ladd à l'écran, Pauline eut la désagréable surprise d'entendre son amie lui répondre évasivement:

– Comme tu voudras... Ça m'dérange pas.

Le soir venu, tête dure, Pauline soupa sans trop parler et disparut ensuite dans sa chambre avec le journal entre les mains. Se rendant compte que Jovette ne revenait pas à la charge, elle regretta amèrement son geste de défiance. Elle aurait tant souhaité voir Alan Ladd, ses beaux yeux bleus, ses cheveux blonds... Elle l'imaginait déjà, posant ses lèvres sur celle de Veronica Lake, comme s'il s'agissait... des siennes. Entendant une porte se refermer, elle ouvrit, prêta l'oreille, n'entendit rien et, se rendant à la cuisine, elle vit une note laissée en évidence sur la table. *Carmen et moi, on est parties chez une amie. Bonne soirée. Jovette.* Elle aurait voulu crier. Sa colère lui sortait par le nez, par les oreilles; elle froissa la feuille et la jeta par terre. Puis, retrouvant son calme, elle mit son plan à exécution. Elle ouvrit le journal à la page des petites annonces et scruta une à une les offres d'emploi dans les maisons privées. Oh, non! Jamais plus Jovette n'allait lui dire: «Ta gueule!» Pas à elle! À Carmen, oui, mais pas à elle! Pas à Pauline Pinchaud qui s'était toujours fermé la «gueule» au sujet de son père ainsi que de sa vie anormale avec la face d'homme. Non, on ne disait pas «Ta gueule!» à Pauline sans qu'elle réagisse. Là, tout ce qu'elle voulait, c'était «d'sacrer son camp» au plus vite et laisser Jovette avec le regret de l'avoir perdue comme amie.

Pauline fouilla dans les longues colonnes et laissait échapper des soupirs de découragement. C'était trop loin, les maisons étaient trop grandes, il y avait des enfants… Elle cherchait quelque chose de moins épuisant. Puis, ô surprise, une annonce plutôt étrange de la part d'une dame qui cherchait une aide-malade pour elle. Pour lui tenir compagnie en plus de faire de légers travaux. Une femme seule selon l'annonce. Pauline téléphona et la dame parut surprise d'un tel appel un dimanche soir. Elle s'identifia, Ninon Marceau, et lui avoua avoir quarante-neuf ans. Seule, célibataire, paraplégique, elle avait hérité de la maison de ses parents. Son père était décédé depuis des années, sa mère depuis quelques mois, et là, sa sœur unique, mariée et mère de famille, ne pouvait lui venir en aide. Refusant d'aller dans une institution, passablement à l'aise, mademoiselle Marceau cherchait une espèce de «dame de compagnie». Une aide pour la mettre au lit, pour l'amener aux toilettes, pour lui faire ses repas, pour l'accompagner dans des sorties, pour pousser son fauteuil, quoi, et veiller sur elle. Elle offrait le gîte, les repas, tout le nécessaire et des gages de cinq piastres par semaine. Pauline parlementa et fit monter le salaire d'un dollar même si la dame prétendait que, dans les sorties, c'était elle qui payait. Pauline, de son côté, lui fit remarquer que la charge d'une personne en fauteuil pouvait lui sembler lourde. D'autant plus que Ninon lui avait avoué être corpulente, espérant de ce fait que la candidate ne soit pas… une chenille à poils! Elles prirent rendez-vous pour le lendemain et Pauline lui promit de belles références de la part de «madame Biron», sa patronne actuelle, qui comptait déménager à l'extérieur de la ville. Lorsque Carmen et Jovette revinrent vers onze heures, Pauline se fit une joie de leur annoncer d'un ton sarcastique qu'elle avait trouvé un emploi de «garde-malade» chez une personne paralysée. Puis, disant à Jovette qu'elle comptait sur ses références, elle se leva pour regagner sa chambre tout en lançant aux deux femmes à la dérobée: «Pis, si ça marche, j'serai pas là quand vous allez rentrer demain soir!» Carmen attendit que Pauline ait fermé sa porte pour laisser échapper un soupir de soulagement et Jovette, orgueilleuse, se sentant quelque peu ridiculisée, marmonna en regardant Carmen: «Pourvu qu'ça marche! Pis, des bonnes références, a va en avoir, compte sur moi! Bon, on s'couche-tu astheure? On a une dure journée demain…» Outrée, se sentant vite délaissée par celle qu'elle avait hébergée, Jovette regrettait presque de lui avoir parlé comme elle le faisait à Carmen. Et, se rendant compte qu'on pouvait perdre facilement ce qu'on croyait en sa possession par un geste ou un mot de trop, elle éprouva, soudain, une certaine crainte et se glissa mielleusement dans le lit de Carmen.

C'est à Montréal-Nord, dans une petite rue peu habitée, que Pauline se retrouva deux jours plus tard, valise à la main et sacs à poignées à ses pieds. La veille, elle avait rencontré Ninon Marceau qui, sans être aussi grosse qu'elle, avait de bonnes rondeurs et un double menton. Pas laide, pas belle, les cheveux frisés «à vie» par une permanente de qualité, elle avait les yeux verts, une bouche charnue et portait des robes amples pour ne pas se sentir prisonnière dans sa chaise roulante. Son petit bungalow était bien meublé, agréable, avec une cuisine ensoleillée, et Pauline sentit que le ménage de cette maison ne serait pas une corvée. D'ailleurs, selon ses dires, Ninon semblait plus qu'indulgente… sur la propreté. Les sorties avant et arrière de la maison avaient été aménagées avec des planches pour y glisser le fauteuil. Et comme Ninon pouvait se lever et effectuer quelques pas en s'appuyant sur l'épaule et le bras de Pauline, cette dernière n'aurait pas à l'assister jusque dans ses besoins… personnels. Ce qui la soulagea! Elle voulait bien qu'on la titre «d'aide-malade», mais elle n'était pas une infirmière. Elle voulait bien aider la forte Ninon à s'asseoir dans son bain, mais de là à la laver… Non! Pauline n'avait pas la vocation.

Il avait suffi d'un bref coup de fil à Jovette pour que Pauline soit engagée. Sa «grande amie» avait été plus qu'éloquente dans «ses» références. Valise entrée, sacs déposés, Pauline remarqua qu'elle avait une fort jolie chambre, une radio pour elle et que, dans la cuisine, la glacière était remplie de victuailles. Mais elle pressentait qu'elle n'allait pas être heureuse sous ce toit. Elle sentait que Ninon, en plus d'une aide-malade et d'une servante, se cherchait aussi une amie. Et Pauline, avec ses vingt-deux ans, se voyait mal être la confidente d'une «infirme» de près de cinquante ans. Elle aurait plutôt souhaité tomber dans une maison où un bel homme libre, le fils de la famille, la remarque et s'éprenne d'elle au détriment de ses parents. Pauline rêveuse! Comme toujours! Comme au temps de Marcel Marande qui l'appelait «la p'tite», ou même de Sam avec son «Minoune» à tour de bras… Elle aurait même préféré, à la maison de Ninon, une dans laquelle elle aurait croisé un autre Réal avec des biceps, des cuisses fermes… et la main baladeuse. Parce que Pauline, charnelle, se sentait déjà presque cloîtrée avec une corpulente vieille fille handicapée.

Une semaine qu'elle était là à servir celle qui acceptait qu'on l'appelle Ninon, mais qui insistait pour qu'on la vouvoie. Elle qui, sans façon, tutoyait Pauline tout en lui donnant des ordres à tour de bras. Voyant venir peu à peu le temps des fêtes, Pauline se disait: «Oh, non! J'vais pas moisir dans cette maison! C'est pas ici que j'vais accueillir le père Noël, moi!» Ninon passait la majeure partie de ses journées à lire des romans classiques. Ceux de sa jeunesse, ceux de Zola, Balzac, Hugo, Flaubert. Le genre de roman que Pauline n'aimait pas et dont la bibliothèque était remplie. De plus, Ninon écoutait des disques à longueur de journée. Toujours les mêmes. Ceux de Chopin dont elle avait la collection complète. Parce que mademoiselle Marceau, enfant, avait déjà appris le piano. Mais impossible de savoir ce qui l'avait rendue handicapée à ce point. Ninon, sur ce sujet, se voulait circonspecte. Elle avait répondu à Pauline: «Un accident lorsque j'avais quinze ans, mais ne m'en demande pas plus, je n'ai pas envie de revivre le drame.» Alors, pour une maison «calme», c'en était une. Pour une maison «plate», c'en était toute une. Selon Pauline, bien sûr, qui trouvait les journées longues, même si sa patronne ne lui donnait guère de répit. Et pas trop «sorteuse», la Ninon. Un seul petit déjeuner au restaurant du quartier où Pauline, contente de voir du monde, souriait à des livreurs de marchandise, tout en se gavant de beurre de caramel qu'elle mélangeait avec la marmelade pour en beurrer ses rôties.

Par malheur, Ninon, en plus de son grand handicap, en avait un autre qui horripilait Pauline. Ninon Marceau pétait! N'importe où, n'importe quand, avec un bruit digne de son derrière sans cesse écrasé dans sa chaise rembourrée. Et ce n'était pas que les flatulences qui gênaient Pauline, mais l'odeur immonde qui les accompagnait. Ninon lui avait dit: «Ne compte pas sur moi pour m'excuser, Pauline, j'y peux rien, je ne les sens pas venir. Et avec aucun exercice, il faut que ça sorte, tu comprends?» Pauline lui avait suggéré de surveiller sa nourriture, d'éviter les fèves, les féculents, et Ninon, rouge de colère, lui avait répliqué: «Tu crois que j'vais m'priver, toi? J'ai pas assez d'être privée d'mes jambes?» Pauline s'était excusée, elle avait même rougi, mais elle savait qu'elle n'allait pas être capable d'endurer trop longtemps les «coups de canon» et l'exécrable odeur qu'ils laissaient. Et s'il fallait qu'un jour ou l'autre, après un pet violent, Ninon s'échappe...

En ce premier dimanche de congé, Pauline ne savait que faire et où aller. Désemparée, elle ne s'imaginait pas prendre le tramway et compter deux heures avant d'être en ville. Elle opta donc pour un petit cinéma du quartier et fut surprise de constater que les enfants, accompagnés de leurs parents, étaient admis. Le cinéma était rempli, bruyant avec les voix aiguës des enfants et les *chips* qu'ils croquaient à belles dents. En sourdine, avant la projection, on faisait tourner des disque de Ray Ventura et son orchestre suivis des succès de... Pauline ne se souvenait plus du nom de celle qui, de sa petite voix claire, chantait: *C'était un porte-bonheur, un petit cochon avec un cœur...* Tohama, peut-être? À moins que ce soit Jacqueline François... Mais non, pas cette dernière, la voix était trop haute... Qu'importe! Le rideau s'ouvrit et un dessin animé précéda, évidemment, le film principal. Puis, un court métrage avec le cow-boy Gene Autry que les petits applaudissaient. Et, enfin, la «grande production» à l'affiche, *Le signe de la croix*, un vieux film de 1932 avec Claudette Colbert et Fredric March. Pas surprenant que le prix d'entrée ne soit que de vingt-cinq cennes! Un film biblique en noir et blanc, avec un son mauvais, que Pauline trouva fort ennuyant. Sans parler du désarroi… des enfants! Ça parlait, ça mangeait, ça riait, et d'autres, plus petits, dormaient. Pauline ne comprenait pas qu'on puisse attirer des enfants avec un film comme celui-là. Heureusement pour eux, ils avaient eu Mickey Mouse et Gene Autry! Avant de bâiller, elle sortit vite du cinéma, emprunta une rue qui semblait plus animée et trouva un restaurant où l'on servait des repas complets à cinquante-neuf… cennes! Et même s'il n'était que trois heures et qu'elle avait dîné d'un sandwich aux tomates avec frites, elle se gava d'une soupe au macaroni, d'un foie de porc avec sauce et patates pilées et termina avec un pudding au pain garni de raisins. Un pudding sur lequel on avait versé un sirop très… sucré! Une tasse de thé, un pourboire de cinq sous à la serveuse, et Pauline regagna tranquillement la petite maison «morte» où l'attendait une Ninon assise et endormie dans un gros fauteuil du salon, un livre par terre et le tic tac de l'horloge pour toute musique. Une Ninon qui se réveilla dès que Pauline tenta de s'éloigner pour lui dire, un jour de congé: «Tiens! J'suis contente que tu sois déjà rentrée. J'ai pas encore mangé!»

Début décembre, il avait neigé la veille et Ninon, levée tôt, avait dit à Pauline:

— Ça t'dirait qu'on aille magasiner, aujourd'hui?

— Avec d'la neige au sol? Vous y pensez pas! Avec le fauteuil?

– Bah! Ça fond déjà, regarde. À deux heures, y restera plus rien.

– On pourrait pas y aller en taxi?

– Non, les taxis veulent plus venir, ils disent que j'suis trop pesante. Pis ils aiment pas s'bâdrer d'un fauteuil.

– Ben, j'pourrais vous lever, moi, vous installer, si y sont trop sans-cœur pour le faire.

– Non, oublie ça, Pauline. C'est pas si froid pis on ira pas loin. J'veux juste me rendre au «quinze cennes» à quelques coins de rue. Tu sais lequel, celui où…

– Oui, j'sais, j'ai arrêté en passant l'aut' jour, j'avais besoin d'un fard à joues. Ben, si c'est juste là qu'vous voulez aller…

– Oui, pas plus loin. J'veux juste acheter un p'tit cadeau d'Noël pour ma filleule, la plus jeune des filles de ma sœur.

– Voyons, Ninon! A vous appelle jamais, vot' sœur! A vient jamais vous voir! Vous pourriez mourir qu'a l'saurait pas!

– Oui, j'sais, mais c'est pas d'la faute d'la p'tite. Au moins, avec un cadeau, elle va savoir que j'existe, elle! Puis, plus tard…

– Comme vous voudrez, mais quant à moi, à vot' place…

– Pis toi, Pauline? T'as pas d'famille? T'as rien à acheter?

– Heu… non. J'ai une sœur qui est sœur, j'veux dire en religion. J'la vois jamais pis a veut rien savoir de moi. J'ai une autre sœur à la campagne qui a une gang d'enfants. J'la visite pas. J'avais un fiancé, mais y'est mort, pis… rien d'autre.

– Un fiancé? Il est mort comment, Pauline? Si jeune!

– Ben… un accident… Mais j'aime mieux pas en parler, ça fait même pas deux ans. On devait s'marier, j'ai pas été chanceuse…

– Lui non plus, Pauline… Si jeune! Ah! ces automobiles!

Pauline n'alla pas plus loin. Elle ne voulait pas faire de Ninon sa confidente. Elle voulait attirer sa compassion, rien de plus. Elle souhaitait qu'avec cette «épreuve» déformée, Ninon la ménage sur le plan du travail. Elle s'était vite aperçue que, aide-malade reléguée au second plan, elle était avant tout une servante. Une vulgaire servante que Ninon n'épargnait pas pour compenser le gîte et les gages qu'elle lui donnait. Croyant l'avoir touchée avec la mort de son «fiancé», Pauline perdit quelque peu toute espérance lorsque «mademoiselle Marceau», retrouvant son aplomb, lui dit:

— Bon, va chercher mon manteau pis mon béret, on n'a pas d'temps à perdre!

Et ce, accompagné d'une rafale de… gaz intestinaux!

Pauline était épuisée lorsqu'elle poussa la porte du magasin. Un fauteuil roulant dans des traces de neige pas fondue, c'était lourd, c'était crevant! Surtout avec une Ninon Marceau «calée dedans»! Il y avait passablement de monde dans ce magasin qui vendait de tout. Un *blind* de chambre à coucher pouvait aussi bien traîner à côté d'un *toaster* ou d'une pile de *Cracker Jacks.* C'était un véritable fouillis! Et les gens semblaient aimer dénicher des *bargains* dans ce bric-à-brac. Ninon mit la main sur un petit set de vaisselle en plastique rose et le cadeau de sa filleule était trouvé. Pas cher à part ça, parce que le coin de la boîte était aplati. Plus loin, elle demanda à Pauline de tourner le dos et s'empara d'un objet en lui disant: «Tu peux pas l'voir, c'est ton cadeau.» Mais Pauline, pas bête, avait vu du coin de l'œil que Ninon lui avait acheté une brosse à cheveux. De plus, le manche dépassait de la poche de son manteau dans laquelle elle l'avait enfouie. À peine avaient-elles tourné le bout d'une allée que Ninon, sans s'y attendre, se soulagea de deux énormes flatulences. Deux bruits si forts que plusieurs têtes se tournèrent. Au même moment passaient près d'elles deux voyous, deux *bums* de dix-huit ou vingt ans. Croyant que l'affront venait de Pauline, l'un d'eux s'écria en la regardant: «Les truies sont pas toutes à l'abattoir!» Puis l'autre, pressant un peu le pas, ajouta pour que tout le monde l'entende: «Pis, y'a-tu vu l'derrière? Ça décharge un cul comme ça!» De là, les rires, les sourires moqueurs de certains enfants et la réprimande d'une dame âgée qui les traita de mal élevés. La jeune caissière pouffait de rire, sans doute pour attirer l'attention d'un des vauriens qu'elle avait dans l'œil. Pauline était rouge de honte et de colère. Et comme il fallait s'y attendre, une senteur écœurante suivit... la délivrance! Une odeur si forte que Pauline, sans demander la permission, poussa le fauteuil roulant jusque dehors en disant à la caissière: «J'reviens avec les choses pis l'argent.» Ninon, surprise, mais pas fâchée de se retrouver à l'air frais, lui dit:

– Pauline, j'suis pas sûre, mais j'pense que j'me suis lâchée...

– Ben, y manquerait plus qu'ça! J'comprends qu'c'est pas d'vot' faute, Ninon, mais vous les avez entendus? Y'ont pensé qu'c'était moi!

– Bah! Des polissons! Ça vaut même pas la peine d'en parler. Va payer pis reviens vite, on décampe, y fait froid pis avec c'que j'pense...

Pauline rentra, paya les articles, son cadeau de Noël inclus, et dit à la caissière:

– Tu peux r'fouler ton sourire, la p'tite, c'était elle, pas moi. Elle est malade, tu vois pas? Pis avec des *bums* comme ça, t'iras pas loin, ma fille!

Laissant l'autre abasourdie, Pauline sortit et retrouva Ninon qui grelottait dans son fauteuil. La poussant, maugréant, Pauline lui dit:

– J'vous l'avais dit qu'c'était pas une journée pour sortir! R'gardez! Y r'commence à neiger! On aurait pu attendre...

– Aïe! C'est-tu moi ou toi, la patronne? questionna Ninon d'un ton vexé.

– C'est vous, mais n'empêche que j'suis pas une garde-malade, moi. Pour c'qui vous est arrivé, j'espère que vous allez pouvoir vous arranger...

– Ben, si tu m'enlèves mes bottes pis mon manteau, pis si tu m'amènes jusqu'à la toilette, oui! J'suis infirme, Pauline! L'as-tu oublié?

Pauline ne répondit pas et, de retour à la maison, c'est avec des haut-le-cœur qu'elle dirigea «mademoiselle Marceau» jusqu'à son «siège» adapté. L'odeur était insoutenable! La puanteur était telle que Pauline ouvrit toutes les fenêtres malgré la neige et les bourrasques de vent froid.

Seule dans le silence de sa chambre, alors qu'un 78 tours de Line Renaud tournait à la radio, Pauline se remémorait sa triste journée. Ce n'était pas que les voyous avaient pensé que les flatulences venaient d'elle qui l'avait insultée. C'était le commentaire du plus vieux des deux qui avait fait état de son embonpoint, de son gros derrière. C'était là ce qui l'avait fait rougir de honte. Parce que, pour la première fois, en public, elle avait pris conscience de sa corpulence. Et parce que, peinée par ce fait, elle s'était sentie doublement humiliée en voyant le sourire moqueur de la caissière. Une fille d'à peu près son âge, mince et bien tournée. Vingt-deux ans et déjà la risée des garçons de sa génération! Des gars qui l'avaient regardée comme si elle avait eu... l'âge de leur mère! Chagrinée, offensée, encore sous l'effet du choc, Pauline Pinchaud se sentait loin du temps où Sam et son doigt-fesses... Loin du temps où elle était la «maîtresse» du beau Marcel... Et loin du temps où Ti-Guy lui disait qu'elle était «ragoûtante». Avec, pourtant, les mêmes rondeurs, les mêmes bourrelets, le même «derrière». Découragée, quelque peu déprimée, elle ne se voyait pas poursuivre sa vie dans cette maison avec Ninon. Il lui fallait en sortir, partir, mais pour aller où? Il y avait sûrement d'autres endroits… Il lui fallait fouiller dans *La Presse* à l'insu de sa patronne. Il y avait aussi Jovette… Mais non, jamais plus! Elle se devait d'être indépendante, sortir de là sans l'aide de personne. Pauline songeait, Pauline pleurnichait. À bout de nerfs, «encabanée» avec l'handicapée qui, demain, allait encore péter, elle se devait de partir, quitte à coucher dans un banc de neige. Noël venait et elle ne voulait, pour rien au monde, le passer sous ce toit. Non, pour rien au monde, mais chez qui? Soudain, un éclair, un éclair de génie. Raymonde!

Il était tombé plus de neige à Saint-Lin qu'à Montréal, et les plus vieux de Raymonde souhaitaient qu'elle reste au sol en vue d'une patinoire. Léo était au boulot en ce mardi 13 décembre lorsque le téléphone à ligne double sonna vers dix heures. Raymonde, occupée à laver le petit dernier, répondit de sa main libre:

— Oui, allô?

— Raymonde? C'est moi, Pauline!

— Tiens, tiens, toi… Tu devais pas m'rappeler dans la semaine des quatre jeudis, toi? T'as la mémoire courte à c'que j'vois!

— Écoute, Raymonde, tiens-moi pas rancune, j'savais pas c'que j'disais. J'm'excuse…

— Après m'avoir écœurée devant ton *chum*? Après m'avoir r'gardée de haut? Après m'avoir fait chier, Pauline? Pis tu voudrais qu'j'oublie? Aïe! À d'autres les excuses!

Puis, sentant que la partenaire de la ligne double était à l'écoute, Raymonde lui cria:

– La ligne, Madame Petit! La ligne, pis plus vite que ça! C'est pas parce que vous mettez la main su'l' récepteur que j'entends pas vot' souffle!

Un déclic assez brusque et Raymonde comprit par la netteté des ondes que la Petit avait raccroché... en beau maudit!

– Bon, qu'est-ce qui t'arrive encore, Pauline... Ton Marcel...

– J'l'ai plus, Raymonde! C'était un pas bon! Y'est en prison...

– Pis là, t'es dans la rue, j'suppose? C'est pour ça qu't'appelles?

– Non, j'ai une place, j'travaille à Montréal-Nord pour une dame seule, mais j'aime pas ça. J'suis pas heureuse icitte, j'veux partir...

– Pour aller où? Pas chez nous, au moins! J'ai accouché d'un autre p'tit, ça m'en fait cinq, Pauline. C'est pire qu'avant!

– Écoute, Raymonde, écoute-moi pis tu m'diras c'que t'en penses après.

– Vas-y, j't'écoute, mais Léo...

– Raymonde, j'ai des économies. J'suis pas riche, mais j'ai mis assez d'argent d'côté pour vivre jusqu'à la fin d'janvier. C'que j'te propose, c'est de m'prendre pour les fêtes pis de m'garder un peu après jusqu'à c'que j'me trouve une job ailleurs. Pis, t'en fais pas, tu vas pas m'avoir sur les bras, j'te l'jure. En retour, j'suis prête à t'donner cinq piastres par semaine pis à payer mon manger. En plus, j'vais t'aider avec les p'tits, Raymonde. Si tu veux en parler à Léo, fais-le, mais moi, chez vous ou ailleurs, j'serai plus ici pour le temps des fêtes. Pis, crois-moi ou pas, j'suis plus la même, Raymonde. J'ai changé, j'ai vieilli... Pis là, j'peux pas t'parler pendant des heures, j't'appelle d'un restaurant pis t'entends, j'arrête plus de mettre des «trente sous» pour continuer d'jaser.

— Y paraît qu'on parle en mal de toi à Saint-Calixte. Qu'est-ce que t'as fait, Pauline?

— Rien pis j'comprends pas. C'est l'vieux chez qui j'travaillais qui s'est tué, mais j'étais même plus là, Raymonde, j'vivais à Montréal. On m'blâme de l'avoir laissé... On pense que lui pis moi... Un bonhomme de soixante ans, Raymonde! Y s'est quand même pas tué pour moi, y'avait sa blonde sur la butte! Pis y'avait pas toute sa tête...

— Ouais, j'veux ben t'croire, mais tu m'as tellement bourrée...

— Plus astheure, Raymonde, j'ai changé, tu vas voir. Pis à Saint-Lin, c'est pas à Saint-Calixte. Pis c'est pas pour la vie...

— Penses-tu qu'tu pourrais t'contenter du sofa dur du salon?

— À terre, s'il le faut! N'importe où, Raymonde, mais j'sens que j'passerais un ben plus beau Noël chez vous avec les enfants, les chants...

Attendrie, heureuse de l'avoir à ses pieds, Raymonde lui dit:

— Ben, amène-toi, Pauline, arrive, on t'attend!

— Comme ça? Sans en parler à Léo?

— Aïe! C'est moi qui mène icitte, pas lui! Arrive que j'te dis!

— Écoute, j'avertis ma patronne, j'finis la semaine, pis j'arrive par le premier autobus qui s'rend à Saint-Lin. Sinon, j'vais faire du pouce, mais j'arrive le plus vite possible, Raymonde. Pis, tu vas voir, on va avoir du bon temps, toi pis moi. On a fini de s'chicaner nous deux... Y'est temps qu'on s'rapproche un peu.

Le lendemain matin, après le déjeuner, c'est avec un visage quasiment triste, au bord de l'émotion, que Pauline, encore à table, lança d'un trait:

– Ninon, ça m'fait d'la peine, mais faut que j'vous donne ma notice.

– Quoi? tu veux pas t'en aller? T'es pas bien ici?

– Oui, c'est pas ça, mais ma sœur a besoin d'moi. Elle vient d'accoucher d'un cinquième enfant, elle est malade, elle en a plein les bras…

– J'comprends ça, Pauline, mais moi? J'ai pas besoin d'toi, moi?

– Sans doute, mais la famille, ça passe avant tout, Ninon. Vous, vous l'savez pas parce que vot' sœur… Mais Raymonde pis moi, c'est comme les deux doigts d'la main! On a vécu bien des malheurs ensemble…

– Allons donc, tu m'disais qu'tu la visitais pas!

– Oui, parce qu'elle avait pas les moyens d'recevoir, mais je l'aimais quand même.

– Pis là, avec un autre bébé, elle a les moyens de t'recevoir?

– Écoutez, j'ai des économies… Pis, ça m'regarde, Ninon, j'ai pas d'comptes à vous rendre. J'donne ma notice pis ça devrait être assez.

– Et tu veux partir quand?

– Lundi qui s'en vient. Ça vous donne quatre ou cinq jours pour trouver quelqu'un. Pis, comme c'est pas les servantes qui manquent…

– Oui, j'sais, mais toi, t'étais jeune, t'étais forte… C'est pas une p'tite vieille qui va être capable de rouler mon fauteuil.

– Commencez par chercher… Pis, à bien y penser, vous avez été deux semaines toute seule avant qu'j'arrive. Comment avez-vous fait?

– Ben, j'me suis débrouillée! J'ai pas quatre-vingts ans, c't'affaire!

– Bon, ben... vous vous débrouillerez encore jusqu'à c'qu'une autre arrive!

– Si c'est comme ça, j'ai pas l'choix, Pauline. J'vais trouver quelqu'un d'autre, mais compte pas sur le cadeau que j't'ai acheté.

– J'y tiens pas, Ninon. Vous l'donnerez à la suivante, y sera déjà payé.

Ninon tourna son fauteuil et, le roulant elle-même de ses mains fortes, elle se rendit à sa chambre tout en laissant une traînée de «pétards» en chemin.

Lundi, jour du départ, Pauline avait déjà sa valise et ses sacs bien «paquetés». Ninon Marceau, sans être tout à fait impolie, n'était que courtoise envers celle qui la quittait si brusquement.

– Si tu l'regrettes, Pauline, pense pas à moi, j'te reprendrai pas.

– Faites-vous-en pas, j'reviendrai pas, pis c'est pas les places qui manquent.

Pauline avait appelé un taxi et elle s'y faufila en jetant un dernier regard sur Ninon dont elle avait quand même pitié. Cette dernière, dans l'attente d'une autre «servante» dès le lendemain, descendit son *store* sans même lui rendre son signe de la main. Pauline sourit; handicapée, à la merci des autres, Ninon avait gardé toute sa fierté. Et, de son fauteuil, trônant comme une reine, elle pouvait regarder les gens de «haut», mademoiselle Marceau. Pauline suivait du regard les rues tristes de Montréal-Nord. Elle aperçut le petit cinéma et sourit, elle vit le magasin où on l'avait insultée et elle détourna la tête. Puis, assise sur un banc de terminus, elle attendit l'autobus qui allait quitter la ville pour s'arrêter en chemin à Bois-des-Filion, avant de se rendre à Saint-Lin, Saint-Calixte et plus loin.

La veille, dans un sursaut d'orgueil, elle avait téléphoné à Jovette pour lui apprendre qu'elle s'en allait vivre chez Raymonde. Jovette, n'en croyant pas ses oreilles, lui avait dit:
– Es-tu folle, Pauline? Si proche de Saint-Calixte? Tu cours après l'trouble, toi! Et Pauline, altière, n'ayant pas oublié les vilenies de son amie, lui répondit:
– Non, j'ai toute ma tête, Jovette! J'sais c'que j'fais, j'ai mon idée. Pis ma vie là-bas s'ra pas pire que la tienne ici…
À ces mots, sans rouspéter, Jovette raccrocha non sans lui avoir dit:
– Bonne chance, Pauline!

C'est avec un semblant de joie que Pauline se jeta dans les bras de sa sœur. Pour l'une comme pour l'autre, c'était l'hypocrisie la plus flagrante. Pauline ne voulait que se rapprocher de son passé, et Raymonde, avec cinq enfants sur les bras, aurait de l'aide pour un certain temps, en plus d'encaisser une petite pension hebdomadaire. La bonne affaire! Les enfants, dont les âges variaient de trois mois à dix ans, regardaient cette femme entrer dans la maison sans vraiment savoir qui elle était. Raymonde, se rendant compte de leur stupeur, leur cria: «C'est ma tante Pauline, voyons! Donnez-lui un bec, elle va rester icitte avec nous autres.» Les enfants obéirent et Pauline les embrassa un à un en serrant davantage le gros bébé sur son cœur. Ce beau poupon qui lui faisait penser à sa petite «Orielle», la princesse de son roman… qui n'avait jamais vu le jour.

Les enfants étaient bruyants mais Pauline s'en accommodait. Chez sa sœur, elle se sentait comme de «la visite» et non comme une servante. Elle aidait, bien sûr, mais à son gré. En s'occupant surtout du p'tit dernier. Puis elle mangeait à sa faim ce qu'elle payait de son sac à main. Elle partageait même ses *cup cakes* avec les plus vieux et ses chocolats avec la petite du milieu. Raymonde était aimable avec elle, Léo, discret. Son beau-frère, encore bel homme à quarante ans, la regardait souvent. Surtout lorsque, le soir venu, Pauline surgissait au salon dans sa robe de chambre de satin noir. Un vêtement acheté à rabais du temps de son emploi chez madame Crête. Léo la regardait, Pauline lui souriait. Non pas qu'elle n'aurait pas souhaité, voulu, mais Léo était son beau-frère, le mari de Raymonde. Lui, les yeux parfois vitreux, les aurait certes fermés sur le lien de parenté... par alliance. En pleine veille de Noël, alors que Tino Rossi chantait *Petit Papa Noël* à la radio, Pauline remit à chaque enfant un bas de Noël rempli de friandises. Puis un hochet et des mitaines pour le bébé. Bien vêtue, aspergée de Fresh Wind, elle s'était démêlé la «crinière» avec la brosse que Ninon lui avait achetée et refusée. La brosse pour la «suivante» qu'elle avait subtilisée et foutue dans sa valise. Elle offrit du tabac à pipe à son beau-frère et un petit colis à Raymonde qui, ravie, s'empressa de le déballer. Quelle ne fut pas sa surprise! Un petit flacon d'un parfum de Dior dans sa boîte originale.

– C'est de la pure folie, Pauline!

Heureuse, cette dernière marmonna:

– C'est rien, Raymonde, ça vient d'chez Morgan à Montréal. Pis ça vient du cœur!

Sans lui avouer, bien sûr, que ce joli flacon encore dans son emballage «venait» plutôt du dernier tiroir de la commode de... Ninon Marceau!

Chapitre 4

Mardi, 3 janvier 1950 et Pauline, à Saint-Lin, avait fêté la nouvelle année avec Raymonde, Léo, les enfants et des voisins qui avaient apporté des tourtières et de la bière. 1950! La moitié du siècle! Les gens n'en revenaient pas! Raymonde plaisantait et disait: «J'me d'mande qui d'entre nous va voir l'an 2000! À part les enfants, bien sûr…» Et Pauline, debout, fière, les deux mains sur les hanches, avait répondu: «Moi, c't'affaire! J'vais juste avoir soixante-douze ans! Mais toi, Léo, à quatre-vingt-dix ans, ça m'surprendrait!» Tous avaient éclaté de rire sauf Léo qui ne prisait guère que sa jeune belle-sœur, qu'il avait dans l'œil, se paye ainsi sa tête. Mais, tout en étant joyeuse, Pauline éprouvait certaines inquiétudes. Ses petites économies fondaient d'une semaine à l'autre et elle sentait que, bientôt, il lui faudrait se trouver un boulot, se caser quelque part. Ce qui la désolait, elle qui s'attachait de plus en plus à Saint-Lin et qui s'entendait de mieux en mieux avec Raymonde. De plus, fibre maternelle délivrée de ses ficelles, elle s'était vivement attachée au petit dernier, Édouard, qu'elle appelait affectueusement «mon gros». Parce que ce bébé joufflu, avec un air triste, la manipulait en lui tendant constamment les bras. Elle le cajolait, l'endormait et lui passait tous ses caprices. Parce qu'il était son «gros bébé triste». Au point que sa sœur lui avait dit: «Fais attention, Pauline, les autres observent. Pis la p'tite s'rend compte que tu la délaisses pour Édouard.»

Le vendredi 13, mauvais présage pour les superstitieux, surtout pour Raymonde qui secouait la salière derrière son épaule lorsqu'elle la renversait ou qui disait qu'une femme viendrait si elle échappait une fourchette, un homme si elle échappait un couteau. Vendredi 13, et c'est Léo qui, la mine basse, rentra le soir, soucieux, jongleur.

– Qu'est-ce que t'as, mon homme? T'as-tu perdu ton portefeuille?

– Non, ma job! J'ai été sacré dehors, y'a plus d'travail au camp.

S'appuyant contre le mur, blanche comme un suaire, Raymonde marmonna:

– T'es pas sérieux, Léo... Qu'est-ce qu'on va faire? En plein hiver...

– J'sais pas, mais ça va être dur... On va encore s'endetter, ma femme, pis va falloir couper sur le manger, sur le chauffage... Pis, reste à savoir si on va nous faire crédit jusqu'à c'que j'me trouve une autre place. La construction, y'en a pas pour l'hiver, pis les hommes de main, tu sais...

Raymonde était nerveuse, anxieuse. Elle se retenait pour ne pas éclater. Pauline, d'abord sidérée, s'immisça dans la conversation pour leur dire:

– Paniquez pas, on va s'en sortir. On va y penser demain.

– Demain, demain... On s'ra pas plus avancé demain, Pauline! lança Raymonde. T'as d'l'argent, toi, pour passer l'hiver? T'as assez d'argent pour faire manger «ton gros» chaque jour, Pauline?

– Non, j'en ai presque plus, mais j'vas en trouver, viarge! J'ai deux bras, deux jambes, j'vas m'en servir, Raymonde. On va pas vivre richement, mais on va pas s'endetter jusqu'au cou. J'vas chercher une job, pis pas comme servante! J'vas rester ici, j'vas prendre soin du «gros» avec mon argent, toi tu t'occuperas des autres. Tu sais tricoter, Raymonde? La propriétaire de la boutique, la chiante, va t'acheter tes foulards pis tes tuques, j'en suis certaine. J'ai déjà été sa cliente, j'vas lui parler. Pis moi, ben, j'vas essayer du côté du restaurant ou d'l'hôtel. Quitte à laver la vaisselle, Raymonde!

– Voyons donc, un *snack-bar* qui marche juste les fins d'semaine! Pis, à l'hôtel, y'a pas d'femmes sauf celles qui vont s'asseoir au bar… C'est pas à ça qu'tu penses, au moins?

– Non, non, j'me respecte, moi, j'me vends pas! Mais comme y faut s'débrouiller et qu'ça presse, r'garde-moi ben aller, Raymonde. Pour une fois que j'fonce, que j'me fie sur personne, laisse-moi faire. On n'a rien à perdre, mais vous r'mettre dans les dettes, d'la marde! Pas avec cinq p'tits à vos trousses!

Dès le lendemain, Pauline se rendit au *snack-bar* de la rue Principale où le propriétaire, Bob, qui l'avait reconnue, lui demanda:

– Si j'me trompe pas, t'étais avec Marande, l'année passée, toi.

– Oui, mais pas pour longtemps! J'savais pas qu'Marcel avait fait d'la prison, pis comme ça s'est pas arrêté là, qu'y'a recommencé pis qu'y'est retourné en tôle, j'l'ai vite oublié, moi. J'l'ai pas revu depuis, pis là j'reste chez ma sœur, Raymonde…

– T'es la sœur de Raymonde, la femme à Léo?

– Ben oui, vous l'saviez pas?

– Non, t'es venue juste une fois icitte... Faut dire qu'une fois...

– J'peux m'compter chanceuse que vous m'ayez reconnue. Là, Monsieur...

– Appelle-moi Bob, tout l'monde m'appelle Bob. Pis ma femme, c'est Fleur-Ange. A s'en vient d'une minute à l'autre, j'vais t'la présenter. J'peux t'servir quelque chose?

– Heu... oui. Un *Coke*, mais pas trop froid. En hiver, vous savez...

Bob, sympathique quinquagénaire, se débrouillait avec son commerce depuis des années. Fleur-Ange, sa douce moitié, lui donnait un coup de main lorsque leurs trois filles la laissaient en paix. Elle rentra en coup de vent, elle était gelée, elle n'avait pas beaucoup de chair sur les os. Plutôt maigre et fort agitée, Fleur-Ange était tout le contraire de Bob, calme, gras, bedonnant. Une fois les présentations faites, Pauline ne perdit pas un instant et demanda au patron:

– J'me cherche une job... Vous n'auriez pas quelque chose pour moi?

– Icitte? En plein hiver? C'est pas une place pour se faire un salaire. Pis, comme j'ai ma femme...

Fleur-Ange qui écoutait, qui attendait depuis longtemps un tel moment, s'avança vers Pauline et lui demanda:

– Juste les fins de semaine, ça t'arrangerait?

– Pourquoi tu lui demandes ça, Fleur-Ange? Tu sais bien...

– Écoute, Bob, les p'tites me réclament de plus en plus. Les fins de semaine, y'a quand même des touristes et une fille comme elle, ça peut aller s'chercher de bons *tips*. Si t'acceptes un petit salaire à l'heure Pauline, ça pourrait peut-être marcher. Tu penses pas, Bob?

– Heu... oui, mais vivre juste avec des *tips* pis l'peu que j'vais lui donner, elle ira pas loin...

– Juste c'qui m'faudrait, Bob! Si vous m'prenez, j'accepte! J'pourrais même commencer en fin d'semaine pis libérer vot' femme.

Fleur-Ange, plus qu'heureuse de sortir de cette «binerie» les fins de semaine, lui demanda:

– Tu sais faire cuire des œufs? Faire des sandwiches? D'la soupe?

– Oui, j'sais faire tout ça! J'ai été servante dans ben des maisons, pis j'ai souvent eu à faire la mangeaille. Vos clients s'ront pas désappointés… Pis, j'ai une belle façon!

– Dans c'cas-là, arrive samedi, Pauline, lui lança Bob. On va voir c'que ça va donner pis, si ça marche, c't'été, j'te prendrai à' semaine longue.

Fleur-Ange, savourant déjà ses deux jours de congé, soupira d'aise.

Boulot trouvé, traversant la rue, Pauline se rendit à la boutique «huppée» pour sa sœur, mais elle fut vite rabrouée par l'extravagante commerçante. «Madame» ne vendait que des «importations». À Saint-Lin! À des crève-la-faim! Elle avait sans doute une clientèle «particulière»… Levant le nez sur elle, Pauline se dirigea vers le magasin général et là, la patronne, une dame âgée, accepta d'emblée d'acheter tous les tricots de Raymonde en autant que ce soit bien fait. Mais elle voulait des tricots simples d'une seule teinte, des tricots pas chers pour une clientèle qui n'avait pas beaucoup d'argent. Pauline sortit et sautilla presque pour annoncer la bonne nouvelle à sa sœur et à son beau-frère. Sans même se douter que c'était à ce magasin général que Sam avait acheté les alliances en cachette. Et sans savoir que c'était la même vieille dame qui, prise de compassion, lui avait accordé un rabais.

La première fin de semaine fut profitable pour Pauline. Des trappeurs de passage avaient dîné chez Bob et avaient laissé à l'aimable serveuse de généreux pourboires. D'autant plus que le décolleté plongeant de la jeune femme incitait les «voyeurs» à aller plus creux dans leurs poches. Or, en une fin de semaine au *snack-bar*, Pauline fit, à un dollar près, autant d'argent qu'en une semaine de travail chez son ex-patronne, Ninon Marceau. Et comme elle était libre de manger à sa guise durant ses heures de travail, c'était autant d'économisé pour elle et pour Raymonde qui, de ce temps, tirait le diable par la queue. Bob, affairé à ses chaudrons, ne se rendait pas compte que Pauline se servait deux assiettes de spaghettis, trois petits pains au four, pour ensuite avaler une pointe de tarte et un beigne en guise de dessert. Car Pauline, en dépit de la poitrine généreuse qu'elle arborait, avait toujours le même «bedon» rond qu'elle camouflait. De son côté, Raymonde tricotait à longueur de journée et, durant la semaine, c'était Pauline qui s'occupait de la marmaille. Les enfants mangeaient à leur faim et, maintes fois, plus qu'à leur faim puisque Bob faisait parvenir à Pauline les surplus invendus de certaines journées qu'elle s'empressait de réchauffer.

Léo, fort aise de ces arrangements, ne se pressait guère pour se trouver du boulot dans les parages. Plus souvent couché que debout, peu vaillant par ces froids de janvier, il regardait les femmes se débrouiller et faisait mine de s'occuper des enfants. Un soir, alors que Raymonde était chez une voisine et que Pauline avait couché les enfants, il s'approcha de sa belle-sœur et, d'une main timide mais résolue, lui tapota une fesse. Furieuse, elle se retourna et lui cria: «Tes mains chez toi, l'beau-frère! Pis, dis-moi pas qu'ça va r'commencer icitte, ça, viarge!» Penaud, gêné, il s'excusa et lui promit que plus jamais il n'oserait, à la condition qu'elle n'en parle à personne, surtout pas à Raymonde. «Une folle dans une poche!» lui avait crié Pauline. «Avec ma réputation, c'est moi qu'on blâmerait!» La tentative en resta là mais Pauline, seule dans le salon ce soir-là, avait des «chatouillements» entre les jambes. Depuis sa nuit charnelle avec Réal Crête, aucun autre homme ne s'était approché d'elle. En manque, le vice au corps, elle se surprit à songer que le geste osé de son beau-frère l'avait troublée. Léo avait réveillé en elle ce qu'elle croyait avoir anesthésié. Mais le mari de sa sœur? Jamais! Même si elle devait à Raymonde «un chien de sa chienne» pour l'avoir foutue à la porte le jour où elle était arrivée chez elle, déchue et démunie. Et dès le lendemain, pour oublier les impuretés qui la rongeaient, elle jeta toute son affection et sa tendresse sur Édouard, le «gros bébé triste» qu'elle choyait.

Dans le patelin voisin, à Saint-Calixte, une semaine plus tard, Gertrude, la maîtresse de poste, se rendit en vitesse chez Gaudrin pour y voir son amie, Emma. Le magasin était vide de clients, et seuls Ti-Guy et son père s'affairaient dans le réapprovisionnement des conserves sur les tablettes.

– Gertrude! Quel bon vent t'amène? T'as l'air tout essoufflée, toi!

– Y'a personne? Vous êtes seuls tous les trois? Eh ben, j'en ai une bonne à vous apprendre! T'es mieux d'prendre une chaise, Emma!

– Ben voyons! Y'a-tu quelqu'un qu'on connaît qui est mort?

– Non, Emma, pire que ça! Croyez-le ou non, mais la Pauline, la saleté de la ville, la salope de la butte, est à Saint-Lin!

– Quoi? Tu veux rire, Gertrude… A peut pas r'venir dans l'coin!

– Ben oui qu'a peut! s'exclama Joseph Gaudrin. Sa sœur habite là, tu t'en rappelles pas? C'est elle qui l'avait sacrée dehors quand elle a abouti icitte!

– Raison d'plus pour ne pas la r'prendre! T'es sûre de c'que t'avances, Gertrude? C'est bien Pauline Pinchaud...

– Écoute, Emma, c'est l'père de l'hôtelier qui l'a vue. Elle travaille au *snack-bar* du village la fin d'semaine. Il l'a reconnue, il a entendu l'patron l'appeler par son p'tit nom.

– Ben, si c'est la Pinchaud, elle a du cran! R'venir icitte après tout l'mal qu'elle a fait! Attends qu'la veuve apprenne ça!

– Aïe! Pas si vite, ma femme! C'est à Saint-Lin qu'elle est, pas à Saint-Calixte. Tu peux quand même pas l'empêcher d'visiter sa sœur!

– Saint-Lin ou icitte, c'est pareil, Joseph, c'est à deux pas! Après tout l'grabuge qu'elle a causé, après c'que Sam a fait à cause d'elle... Moi, à sa place, c'est en Abitibi que j'me s'rais réfugiée!

Ti-Guy qui avait tout écouté sans dire un mot, sans même se prononcer, allait sortir par la porte arrière quand sa mère lui lança:

– Pis tu dis rien, toi! T'oublies qu'a t'a mis les pieds dans les plats, la verrat!

– Ça m'a pas fait mourir, la mère! C'est pas moi qu'on a r'trouvé...

– Dis-en pas plus, réveille pas les morts, toi! Juste à y penser, j'en ai encore des frissons dans l'dos.

Gertrude s'en alla, ravie d'avoir colporté la nouvelle et encore plus heureuse d'aller la répandre chez la veuve qui habitait maintenant au village. Pour ensuite se rendre chez la vieille Hortense, la servante du nouveau curé. Car, avec cette dernière, elle était certaine que la «rumeur» tremperait dans tous les bénitiers. Ti-Guy sortit sous le regard méfiant de son père et se rendit à la cuisine se laver les mains et retoucher sa crinière graisseuse. Souriant dans ce miroir qui lui rendait sa joie, il songea à Pauline, à ces soirs d'il n'y avait pas si long-temps… Aucune fille depuis, pas même la femme du conseil-ler du maire, n'avait réussi à «terrasser» ses pulsions. Aucune depuis… les violents soulagements de Pauline.

Lorsque Charlotte, dite la veuve, apprit que Pauline revenait dans les parages, elle faillit avoir une syncope. À Gertrude qui lui avait annoncé la nouvelle sans merci, elle avait répondu:

– Si a l'ose se montrer par icitte, j'lui tire en pleine face, j'te l'jure! J'ai gardé la carabine de Sam, pis c'est avec son arme à lui que j'vas l'abattre comme une corneille, la truie!

– Aïe! Pas d'folies, Charlotte! J'ai juste dit ça comme ça…

– Ben, fallait pas, Gertrude! Tu l'sais que j'suis rancunière, tu l'sais que j'vas l'attendre jusqu'à la fin d'mes jours, pis que j'vas l'avoir, la grosse chienne! A l'a fait mourir «mon homme», a fera plus mourir personne. Ah! que j'l'hais! J'suis même prête à brûler en enfer si l'diable me donne la chance de l'égorger! Grosse maudite! Oser r'venir par icitte! C'est assez pour que l'ermite se r'tourne dans sa tombe! Pis, dire qu'il l'aimait, l'épais!

Quelques semaines s'écoulèrent, tout allait pour le mieux au *snack-bar* où Pauline faisait pas mal d'argent. Raymonde, broches à la main, tricotait des bérets, des mitaines, des fou-lards que la vieille du magasin général lui achetait. Les choses allaient bon train, les enfants mangeaient, le poêle chauffait et Léo, sans l'avoir cherché, se vit offrir un emploi dans la cons-truction d'un pont qui traverserait une rivière. Pas loin, tout près, juste assez pour revenir souper à la maison et dévorer Pauline des yeux comme de coutume. Premier samedi de février et

Pauline était au *snack-bar* pour la journée, même si la clientèle se faisait rare. Bob en avait profité pour se permettre une sieste et Fleur-Ange, occupée avec ses filles, tentait de les aider dans leurs travaux scolaires. À quatre heures, alors que la noirceur commençait déjà à se faire sentir, la porte s'ouvrit et Pauline, levant les yeux, faillit tomber à la renverse. Devant elle, debout, en chair et en os, Ti-Guy Gaudrin, sourire aux lèvres, plus beau que jamais. Retirant son *wind breaker* de peluche et son foulard de laine, il prit place au comptoir et lui demanda d'une voix tendre:

– Surprise de m'voir, Pauline? Contente au moins?

– Ben… pour une surprise, c'en est toute une, Ti-Guy… Jamais j'aurais pensé t'revoir après… Mais ça m'fait plaisir, ben plaisir…

– T'as pas changé, t'es encore aussi belle… Pis t'as encore le nez de Jane Wyman, tu sais!

Elle éclata de rire, se redressa, ses seins prirent du volume, Ti-Guy les regarda et, s'en rendant compte, elle lui chuchota:

– Pis toi, p'tit verrat, toujours aussi cochon? T'as encore les yeux crasses… Pis si ça peut t'faire plaisir, t'es encore plus homme que l'année passée.

– Ça s'comprend, Pauline, j'm'en vas sur mes vingt ans! Pensais-tu qu'j'étais pour rester un p'tit cul, un p'tit gars à sa mère toute ma vie?

– Parlant d'ta mère… A doit pas m'aimer après… J'sais pas…

– Après tout c'qui est arrivé, Pauline? T'as peur des mots, hein? T'as peur de dire que l'ermite s'est tué par amour…

– Arrête, Ti-Guy! Mets-moi pas à l'envers! J'ai eu assez d'Jovette!

– Ben non, c'est pas mon intention, Pauline, c'est derrière toi, derrière nous, tout ça. On n'en parle même plus au village.

– Sois franc, Ti-Guy. On sait que j'suis ici, hein? Autrement, comment tu l'aurais appris, toi?

– Oui, on l'sait, tout l'monde le sait, mais ça, j'm'en sacre! C'est sûr qu'on veut pas t'revoir à Saint-Calixte pis qu'la plupart t'attendent avec une brique pis un fanal, mais pour ma part, j'suis ici, j'suis content de t'voir pis j't'invite à souper à soir.

– Voyons, j'travaille! J'finis mon chiffre juste à dix heures!

– Aïe! Y'a pas un chat, c'est tranquille pis y va neiger. Viens pas m'dire que ton boss te donnera pas congé. D'autant plus qu'ça fera ça d'plus dans sa poche…

Au même moment, Bob fit son apparition et Pauline lui présenta son ami, Ti-Guy Gaudrin.

– Gaudrin… Gaudrin, le fils du marchand de Saint-Calixte, c'est ça, hein?

– Oui, mon père passe par ici d'temps en temps. J'pense même qu'y déjeune ou qu'y dîne…

– Non, ton père soupe ici quand y r'vient d'la ville. Tu l'salueras pour moi. Pis dis-lui qu'ma soupe au chou est toujours aussi bonne!

Bob éclata de rire de sa farce et Ti-Guy s'efforça d'en sourire. Pauline, à l'écart, dévorant Guy Gaudrin des yeux, demanda à Bob:

– Patron, vous m'donnez congé pour la soirée? Mon ami aimerait m'inviter à souper. Ça fait un an qu'on s'est pas vus…

– Ben sûr, Pauline, prends ta soirée. J'aurai pas un chat à soir, y va neiger, y va poudrer. J'vas fermer d'bonne heure.

Pauline, heureuse, retira son tablier, ajusta son chandail dans sa jupe, mit ses bottes, son manteau, sa tuque et quitta le restaurant en tenant le bras de Ti-Guy qui remontait la fermeture-éclair de son coupe-vent. Assise dans le *truck*, transie par l'humidité, elle se colla contre lui et claqua des dents jusqu'à ce que la chaufferette se fasse sentir. Puis, regardant devant elle, voyant mal dans cette neige qui s'amplifiait, elle demanda: «On s'en va où, Ti-Guy?» Souriant, pressant sa main dans la sienne, il répondit: «Pas loin de Montréal. Un restaurant sur la grand-route.»

En chemin, quelque peu effrayée par la tempête qui s'annonçait, elle demanda à celui qui ne reculait devant rien:

– T'es sûr qu'on va pouvoir revenir, Ti-Guy? J'reste chez ma sœur...

– Je l'sais, t'en fais pas, un *truck* comme ça, ça passe partout.

Un silence s'établit et Ti-Guy, pour le rompre, demanda:

– Comment va Jovette? Qu'est-ce qui s'passe avec elle?

– Ben... j'sais pas si j'devrais te l'dire, mais t'as su pour Sam et son père? Tu sais, le fameux jour...

– Oui, j'l'ai su, parce que son frère me l'a dit. Y savait que j'savais pour Jovette. Lui, y s'en doutait, mais là, avec l'ermite...

– Y'a encore son garage, Biron? Y tient l'coup?

– Oui, parce que personne d'autre est au courant. À part moi, évidemment. Y'avait personne d'autre que son fils au moment des accusations de l'ermite. Pis moi, bouche cousue, j'ai jamais rien dit. C'est pour Jovette que j'me tais, parce que lui, l'écœurant, si c'était rien qu'de moi... Mais tu m'as pas encore dit ce que faisait Jovette.

– Elle vit dans sa maison avec Carmen. Une maison à elles qu'elles partagent. Jovette est plus la même, tu sais.

– Qu'est-ce que tu veux dire?

– Ben, c'est que... J'sais pas comment l'dire... C'est que...

– Elle pis Carmen, c'est... C'est ça, hein? Elle a viré aux femmes?

– J'sais pas, mais ça ressemble à ça pis j'comprends pas…
Tu d'vrais voir l'autre, Ti-Guy! Une face d'homme! Laide à
faire peur! J'comprends pas qu'une belle fille comme Jovette…
Pis j'aime mieux rien dire, ça pourrait s'tourner contre moi.

– Dis plus rien, mais comprends. C'est à cause de son
père que Jovette a changé d'bord. Il l'a écœurée des hommes,
Pauline! Lui pis tous ceux qu'elle a passés pour lui remettre
l'argent.

– Mais là, c'est pas mieux, Ti-Guy, elles sont toujours tirées
aux cheveux Carmen pis elle. Ça s'engueule, ça s'insulte… Pis
on dirait qu'c'est Jovette qui provoque.

– Ouais, elle est ben mélangée, celle-là, pis ça s'comprend!
Mais, peut-être qu'un jour… Peut-être que quand son père
s'ra plus là… Tiens, on arrive! Regarde, Pauline, c'est là le
restaurant.

– T'es sûr qu'on va pouvoir revenir, Ti-Guy? Ça poudre
en maudit!

– Bah, t'en fais pas, on n'est quand même pas en plein
bois.

Et Ti-Guy, souriant, entraîna sa «dodue» petite amie jusqu'à la porte du restaurant. Une petite amie rieuse, heureuse,
qui n'avait pas remarqué, derrière le restaurant, les dix ou douze
cabines… numérotées.

Ils mangèrent copieusement. Elle avait opté pour le poulet en sauce blanche avec patates pilées et macédoine et lui,
pour un steak avec frites précédé d'une bière, suivi d'un vin
rouge et d'un petit cognac. Pauline, toujours aussi sobre, reprit
une seconde orangeade et une pointe de tarte au citron avec
meringue. À l'extérieur, ça s'amplifiait. De la fenêtre, Pauline
pouvait se rendre compte que la poudrerie avait fait place à la
tempête, que le vent s'en mêlait et qu'il leur serait impossible

de retourner le soir même à Saint-Lin. Les pneus du camion n'étaient même pas munis de chaînes. Au bord de la panique, elle demanda à Ti-Guy:

– Qu'est-ce qu'on va faire? On n'est quand même pas pour passer la nuit sur une banquette de restaurant et encore moins dans ton *truck*... On gèle dehors! Je l'savais qu'on s'rait mal pris! On aurait dû rester à Saint-Lin, Ti-Guy!

La rassurant, lui prenant la main tout doucement, il lui dit:

– Attends-moi quelques minutes, j'reviens.

Puis, le suivant des yeux, elle le vit parler au patron qui jeta un regard en sa direction. Elle vit Ti-Guy sortir de l'argent, le remettre à l'homme, et ce dernier lui tendre quelque chose qu'elle n'avait pu déceler. Il revint, le sourire aux lèvres, calme, les yeux rieurs, et lui dit:

– On peut commander autre chose, on va passer la nuit ici, Pauline.

– Ici? Où ça? Dans l'restaurant?

– Ben non, voyons, ils louent des cabines juste en arrière. C'est pour les touristes ou pour des gens mal pris comme nous.

Fronçant les sourcils, elle le regarda droit dans les yeux et lui débita:

– Tu l'savais, Ti-Guy Gaudrin! T'as tout arrangé d'avance! T'as fait en sorte qu'on passe la nuit ici! Tu m'as joué dans l'dos...

– Tant qu'ça, Pauline? Ça t'déplaît d'passer une nuit avec moi?

– C'est pas c'que j'veux dire, mais c'est pas franc... T'avais prévu...

– Et pis après? J'aurais pu m'tromper, y'aurait pu pas neiger... Pis même à c'compte-là, Pauline, j't'aurais demandé d'coucher avec moi. J'te trouve si belle, si ragoûtante. J'ai jamais oublié mes nuits avec toi. Tu m'travailles, Pauline, tu m'rends fou!

– Exagère pas! J'suis quand même pas la Jane Wyman de ton mur de chambre, moi! J'ai peut-être son nez retroussé, Ti-Guy, mais pour le reste… J'ai vu son dernier film à Montréal, j'suis pas aveugle!

– Laisse faire les actrices, Pauline, c'est toi qui m'fais… Fais-moi pas dire des cochonneries, Pauline! J'ai envie d'toi, c'est-tu clair, ça?

Pauline, ravie de tous ces compliments après les humiliations des mois précédents, ne put que lui sourire et lui avouer en toute franchise:

– Tu sais, Ti-Guy, dès que j't'ai vu, j'ai eu l'sang à l'envers, moi aussi.

– J'suis juste inquiet pour ta sœur, on peut l'appeler…

– Non, j'ai pas d'comptes à lui rendre. A va s'informer à Bob, y va lui dire que j'suis partie avec toi, pis a va pas l'questionner. J'ai droit à ma vie, j'suis majeure, ça s'arrête là. Pis toi, Ti-Guy Gaudrin, ta mère, ton père, leur p'tit garçon..

– Niaise-moi pas, Pauline! J'ai dix-neuf ans, j'en aurai vingt cette année! Pis, depuis le grabuge de l'ermite au magasin, y savent que leur fils n'est pas un enfant d'chœur. Y savent pour Madeleine, y savent que j'ai rien pour être un évêque. Y m'questionnent plus, Pauline. Y sont habitués à m'voir sortir pis r'venir juste le lendemain. C'est sûr que la mère perdrait connaissance si a savait que j'suis avec toi, mais c'qu'on sait pas, ça fait pas mal. Pis l'père, y'a rien à dire. Y'a tellement peur que j'décampe…

– À t'entendre, j'suis pas la première que t'amènes ici, hein, Ti-Guy?

– Non, j'suis déjà venu avec Madeleine deux ou trois fois, pis avec une fille ramassée dans un bar. T'étais plus là, Pauline!

Mais astheure que t'es r'venue, y'en aura pas d'autres, j'te l'jure!

– T'es correct au moins? T'as pas attrapé d'maladie ou d'bibites?

– Voyons, Pauline, pour qui tu m'prends? J'me lave chaque jour, j'fais attention pis j'couche pas avec n'importe qui…

– Non? Pis la fille ramassée dans un bar, elle?

– Une touriste! La fille d'un médecin! Pas une guidoune, Pauline! Pis si j'te demandais avec qui t'as couché ces derniers temps, toi?

– Ben, la réponse va être courte, avec personne, Ti-Guy! Avec personne, j'sais plus depuis combien d'temps. J'aurais pu, mais j'me donne pas à n'importe qui, tu sauras. Faut qu'j'aime, moi!

Il lui sourit, lui prit la main, lui montra la clef, l'aida à enfiler son manteau et, par la porte arrière du restaurant, ils n'eurent qu'une douzaine de pas à franchir en pleine tourmente, pour se retrouver devant la cabine numéro 5. Celle en plein milieu des autres, la mieux chauffée. Et ce soir-là, seul un autre couple occupait la cabine numéro 10. Ti-Guy entra le premier, fit de la lumière et Pauline sentit une chaleur l'envahir. Celle du «calorifère»! Regardant à gauche, elle vit un lit double avec une table et une lampe de chevet. À droite, les toilettes avec un évier et deux serviettes. Mais c'était propre, ça sentait bon et il y avait un appareil de radio sur une tablette. Replaçant une mèche de cheveux devant le miroir au-dessus de l'évier, elle vit Ti-Guy s'approcher, l'enlacer par surprise et l'embrasser dans le cou. Toujours devant le miroir, se regardant et voyant derrière elle ce beau visage d'homme-enfant, elle sentit une main se glisser dans son chandail et le membre de son jeune amant se durcir sur une fesse. Et Ti-Guy, malgré le froid, malgré le cognac, malgré son haleine de mâle, dégageait encore l'arôme de l'eau de Floride dont il s'était aspergé le corps. Plus habile que naguère, plus subtil que lors des premiers essais, il l'attira jusqu'au lit et là, peu à peu, tout doucement, amoureusement, il la dévêtit tout en l'embrassant partout où la peau surgissait. À la radio, on pouvait entendre un succès de Doris Day et dehors, le vent soufflait la neige dans la vitre de l'unique petite fenêtre. Mal à l'aise, elle avait jeté une serviette sur l'abat-jour de la lampe pour que Ti-Guy ne voie pas ses bourrelets, ses vergetures, ses plis aux hanches et ses varices. Mais Ti-Guy, d'une main sinueuse, avait fait le tour de tout ce qu'elle tentait de dissimuler en vain. Oubliant ses complexes, attisée par cette main qui se baladait impudiquement sur son corps, elle détacha un à un les boutons de la chemise de son compagnon et, d'un geste adroit, précis, le libéra de son pantalon. Guy Gaudrin, presque nu, caleçon et rien d'autre pour contrer l'indécence, débarrassa Pauline de tout vêtement, culotte et bas inclus. Nue contre lui, appuyée sur sa poitrine, elle fermait les yeux alors que la main de son amoureux se faufilait dans l'entrejambe. En chaleur, plus que chatte, Pauline gémissait, Pauline s'agrippait, Pauline jubilait. Ti-Guy Gaudrin avait de ces préambules qui la rendaient… hors d'elle! Lui qui, un an plus tôt, maladroit, faisait l'amour comme un adolescent. Plus chaude que l'ampoule de la lampe, les yeux remplis d'extase et de jouissance, Pauline lui retira avec surexcitation le dernier vêtement qu'il portait. Nu sur le lit, couché sur le dos, Ti-Guy tenta de se lever mais elle l'immobilisa brusquement. Le voyant sourire puis rire, elle se glissa sur lui et, cessant de rire, il se mit à… gémir. Et Pauline ne le laissa que lorsque, agrippé à ses cheveux, il accusa un jet suivi d'un cri plaintif. Une chanson de Peggy Lee, une pièce instrumentale, et Ti-Guy, plus puissant que l'étalon de l'écurie de son père, la chevaucha jusqu'à ce qu'elle se noie dans une pluie d'orgasmes. Accrochée à ses reins, sa bouche sur sa poitrine à peine velue, elle se grisait de ce corps jeune et fort qui aurait pu être à toute autre qu'à elle. Elle, avec son embonpoint et sa couperose lorsqu'elle était nerveuse. Elle avec ses bourrelets, lui avec ses muscles. Mais sûre et certaine que c'était elle qu'il aimait, elle redevint bestiale sur ses parties génitales jusqu'à ce que le jour se lève. Assouvis tous deux, lui, meurtri, elle, repue, usée, honorée à outrance, ils s'endormirent l'un sur l'autre. Elle, la tête sur le drap, une main dans ses cheveux, l'autre sur une épaule. Lui, le front, les yeux, les lèvres, enfouis... dans sa toison.

Le lendemain matin, après un copieux déjeuner, ils reprirent tant bien que mal la route qui n'était pas tout à fait déblayée. Dès le premier tournant, collée contre lui, un bras autour du sien, elle avait glissé son autre main sur sa cuisse et Ti-Guy, se tortillant, lui dit: «Pauline! Pas pendant que j'conduis! Tu veux m'faire prendre le fossé?» Elle éclata de rire, retira sa main qu'elle remit dans sa mitaine, dégagea son bras du sien et répondit: «T'as raison, c'est quand même glissant. Faudra faire attention.» Puis, retrouvant son sérieux, elle lui demanda:

– J'aimerais qu'tu m'dises comment ça s'passe au village, depuis...

– Depuis.... Depuis qu't'es partie ou depuis qu'Sam...?

– Depuis lui, Ti-Guy. Qu'est-ce que la veuve a fait d'son shack?

– Tu l'savais pas? A l'a fait démolir, y reste plus rien qu'les traces pis l'arbre à côté. A l'a fait démolir pis brûler parce qu'a voulait plus l'voir. Ensuite, a l'a vendu son chalet à des touristes de l'Ontario, ceux qui voulaient l'avoir, tu t'rappelles? Pis après, la veuve a déménagé ses pénates au village.

A l'a loué une chambre chez la bonne femme qui a élevé l'enfant d'chœur.

– Pis l'curé est parti?

– Oui, le curé Talbert est parti prêcher dans une autre paroisse. Pas mal loin d'après c'que j'ai su, dans l'boutte de Rimouski.

– Y'avait pas la conscience claire, lui! J'l'ai toujours dit...

– Oui, paraît, mais y'a dû sentir l'eau chaude pis y'est parti avant. D'après la vieille Hortense qui avait l'nez fourré partout, paraît qu'Sam l'a pas mal apostrophé... À cause de c'que ben du monde pensait.

– Ta Madeleine, elle? Pis son p'tit pourceau d'mari?

– Y sont partis. Y se sont même séparés après le scandale. J'pensais que l'conseiller me chercherait pour me tuer, ben non, c'est elle qu'y a blâmée. Remarque qui m'faisait pas peur, c'te p'tit ventru! Madeleine a loué un beau logement à Montréal pis, lui, y'est parti j'sais pas où.

– Tu la vois encore, ta vieille avec ses bracelets en or?

– Ben là, vieille... Elle a juste quarante-trois ans...

– Ti-Guy! C'est presque l'âge de ta mère, viarge!

– Oui, mais c'est pas l'même genre. Madeleine est belle, a paraît pas son âge...

– Un mot d'plus sur elle pis j'te fais prendre le fossé, toi! Pis t'as pas répondu, mon p'tit verrat! Tu la r'vois ou pas?

– Ben, j'l'ai r'vue, j'la r'voyais assez souvent...

– Parce qu'a t'bourre encore, non? A t'entretient avec son foin pis toi, tu la culbutes de temps en temps. C'est ça, hein?

– Es-tu après m'faire une crise de jalousie, Pauline Pinchaud?

Surprise, retrouvant son calme, elle lui répondit en croisant les bras:

— Non, peut-être, j'sais pas... Mais on dirait que j'veux t'garder à moi toute seule...

— Es-tu en train d'tomber en amour avec moi, la p'tite Pinchaud?

— J'sais-tu, moi? Pis toi, Ti-Guy? T'as-tu au moins un *kick* sur moi?

— Moi, j't'aime, Pauline. J't'ai toujours aimée. J'te l'ai pas assez dit?

Feignant la surprise, heureuse de l'avoir à sa merci, elle marmonna:

— Ben, pas comme tu viens d'me l'dire... Là, ça commence à être plus sérieux.

— Écoute, Pauline, astheure que t'es là, finies les autres, Madeleine avec! À condition qu'ça s'fasse à deux! Pas d'autres, Pauline, même en passant...

— Ben, si t'es sérieux, j'vas l'être aussi. On sort ensemble? On va juste être l'un à l'autre. Et pis, entre toi pis moi, ça pourrait-tu être mieux avec quelqu'un d'autre que nous deux, Ti-Guy? On n'a pas d'*fun* ensemble? Moi, avec toi, j'repasserais pas souvent les draps...

— Oui, mais y'a pas rien qu'ça, Pauline. Être en amour, c'est en parler aux autres, être fidèle dans sa tête aussi.

— En parler aux autres? J'suppose que tu vas l'dire à ta mère, toi?

— Heu... pas aujourd'hui ni demain, mais avec le temps, laisse-moi ça. Le père pis la mère vont finir par l'apprendre, pis j'aimerais mieux qu'ça vienne de moi. C'est sûr qu'on s'verra pas au village pour le moment...

— Tiens! Ça commence déjà! On va s'voir où, Ti-Guy Gaudrin?

— Ben, à Saint-Lin, pis pour le reste, les cabines sont pas loin...

– Ouais, c'est mieux que rien… répondit-elle en lui effleurant la joue de sa mitaine de laine. Puis, songeuse, la tête encore ailleurs:

– Tu parlais d'la veuve, Ti-Guy. Sais-tu c'qu'elle a fait avec tout l'*stock* que l'ermite avait? Y'avait des choses à moi dans ça…

– Quelles choses? Pas grand-chose en tout cas! J'l'ai aidée à déménager pis j'te jure qu'elle a pas gardé grand-chose de lui. J'sais qu'elle a pris son dictionnaire pis des romans, mais elle a brûlé tout le linge qu'elle a trouvé, le sien comme le tien, Pauline.

– Maudite vieille poule! J'avais laissé une veste, une robe, des bas…

– Ben, penses-y pas, c'est plus là! Pis, as-tu vraiment besoin d'ça, Pauline? Si t'as pu t'en passer jusqu'à maintenant… Arrange-toi pas pour lui faire du trouble! La veuve t'haït assez comme ça!

– J'aurais aimé ça garder le dictionnaire… Ça m'aurait fait un souvenir…

– Écoute, on r'part en neuf, toi pis moi. As-tu besoin de t'retremper dans l'passé?

– Non, mais j'me demande c'qu'elle a fait avec les alliances…

– Les joncs pis la bague? C'était d'la tôle, Pauline, d'l'aluminium. Ça pliait en deux juste à les presser. Ça r'semblait à ceux qu'on donne dans les boîtes de pop-corn… La veuve a tout sacré ça aux vidanges, pis l'cœur d'argent avec!

– Ça, c'était à moi, par exemple! A l'avait pas l'droit, pas d'affaire…

– Pauline! Syncope! Tu te s'rais remis dans l'cou un cœur avec lequel Sam s'est pendu? Penses-y un peu! T'aurais été capable…

– Non, va pas plus loin, j'cherche des poux pour aller brasser d'la marde. Pis prononce plus le mot «pendu», ça m'donne la chair de poule. Pis, t'as raison, à partir d'aujourd'hui, toi pis moi, Ti-Guy!

Et, gentiment, Pauline retira sa main de sa mitaine pour enfoncer ses doigts dans la cuisse du jeune homme, descendre l'auriculaire sur sa fermeture-éclair... Un geste qui le fit quelque peu sursauter puis, amusé, il se pencha pour l'embrasser furtivement tout en lui murmurant: «Maudit qu'tu sens bon!» Pauline, enduite de Fresh Wind, lui sourit et, index pointé vers l'avant, lui cria:

– Regarde, on voit les premières maisons du village. Tu m'laisseras chez Bob, j'veux pas aller chez ma sœur avant d'être passée là. J'suis majeure, mais j'suis certaine qu'a s'est fait du mauvais sang en m'voyant pas rentrer. Pis Bob a peut-être besoin d'moi au restaurant...

Ti-Guy l'avait déposée et était reparti en lui disant: «J'vais revenir le plus souvent possible, ma poupée, j't'aime...» Surprise, elle lui fit répéter le qualificatif dont il venait de l'affubler. C'était gentil, c'était charmant, c'était même enfantin, selon elle. Mais dans son déclic de souvenirs, ce n'était pas aussi charnel que le «Minoune» de Sam, ni aussi viril que «la p'tite» de Marcel. Poussant la porte, Pauline s'était présentée à Bob qui servait un café à un client, avec un «bonjour» qui ne mettait guère en doute la très belle nuit passée dans la «tourmente». Il avait vu le fils Gaudrin l'embrasser avant de partir, il avait vu le sourire en coin de Pauline, bref, il avait vu «neiger». Heureux pour elle, pour eux, il l'avisa qu'elle pourrait prendre le dimanche de congé, que la clientèle ne serait pas nombreuse. Pauline en fut à la fois ravie et contrariée. Ravie de pouvoir s'écraser, lire, manger des chocolats et s'occuper d'Édouard, mais contrariée de perdre une journée de salaire et de pourboires. Pour elle, de ce temps, chaque sou comptait. Et comme elle n'avait pas la ferme intention de «crever» chez Raymonde… Regardant le soleil après la virulente tempête, elle se mit à songer à Ti-Guy, à son amour pour lui, à sa jeunesse, sans presser le pas pour rentrer chez elle. Puis, ce soleil, ces arbres enneigés, lui rappelèrent un autre hiver. Celui sur la butte où, avec l'ermite, elle se réchauffait près du poêle avant de se «tortiller» dans ses jambes. Samuel Bourque qui, depuis quelques jours, ne quittait guère ses pensées. Le souvenir de Sam qui, malgré sa nuit effrénée avec Ti-Guy, refaisait surface avec son sourire, son dictionnaire, son tronc d'arbre… Avec son corps d'athlète dans la cuve d'eau du shack… Ce corps inépuisable au creux du lit de leurs ébats… Que cela! Que ces images qui la hantait encore… Parce que Pauline ne l'avait pas vu nu… au bout d'une corde!

Elle allait rentrer lorsque les plus vieux de sa sœur l'interpellèrent.

— Ma tante Pauline! Ma tante! Regarde not' bonhomme de neige!

Elle leur sourit, leur lança une balle de neige et s'empressa d'entrer avant qu'on ne la mitraille de tous côtés. Raymonde, tricot à la main, son gros poupon à ses côtés, la regardait curieusement.

— Qu'est-ce que t'as à m'dévisager comme ça? J'ai-tu fait un mauvais coup?

— Écoute, Pauline, c'que tu fais, j'm'en sacre! Mais t'aurais pu m'avertir! J'étais inquiète, moi! Une chance que Bob m'a dit…

— Qu'est-ce qu'y t'a dit? Que j'étais partie en *truck* avec un gars?

– Ça, c'est pas d'mes affaires, Pauline! Tu peux faire c'que tu voudras! Mais si tu r'commences à putasser dans l'coin, j'te préviens, j'veux pas t'voir avec Édouard dans les bras. J'tiens pas à c'que mon p'tit attrape des microbes pis d'autres choses aussi!

– Raymonde! Viarge! Maudit qu't'es à pic quand tu veux, toi! J'me suis fait un *chum*... Un bon gars! Quelqu'un d'correct! Bob te l'a pas dit? Pis pour qui qu'tu m'prends pour...

– Arrête, Pauline, fais-moi pas parler! On change pas du jour au lendemain...

– Ben, c'est là qu'tu t'trompes! J'suis-tu sortie une seule fois depuis que j'suis icitte, Raymonde? J'ai passé toutes mes soirées à t'aider, à t'donner un coup d'main, à t'décharger du p'tit! Viens pas dire... Pis, laisse faire!

Raymonde, quelque peu pantoise, regrettant ses mots, lui marmonna:

– Dis rien d'plus, Pauline, j'suis juste au bord des nerfs... Léo est encore à rien faire, on arrête les travaux du pont... Quand j'suis anxieuse, j'm'en prends à tout l'monde, même aux enfants...

– Ben, si c'est ça, on va s'arranger pareil, Raymonde. On va encore couper dans l'gras, mais on n'en mourra pas. Pis, lâche ta laine un peu, décompresse! Quand «mon gros» va s'réveiller, j'vais m'en occuper, pis pour les autres, j'leur ferai leur souper. Étends-toi un peu, t'es fatiguée, t'es pâle. Léo... Léo est où?

– En haut, y dort, y s'remet d'avoir rien fait depuis hier! C'est pas qu'y'est paresseux, mais y'a pas d'nerfs! Ça fait depuis qu'on est mariés qu'c'est la marée haute pis la marée basse. Pis, chaque fois qu'on a la manne, ça s'évite pas, la marde suit! Bah, j'devrais être habituée... Pis toi, Pauline, c'est qui l'gars qu'tu...

— Mon *chum*? Ti-Guy Gaudrin! Le fils de l'épicier de Saint-Calixte.

— J'connais l'nom, mais pas lui. Un gars d'ton âge, au moins?

— Un an ou deux plus jeune que moi, mais ça paraît pas. Un bon gars pis pas mal beau, Raymonde! J'pense que tu vas l'aimer quand tu vas l'voir.

— Tu vas pas l'inviter dans not' soue à cochons, Pauline?

— Ben certain! C'est pas un gars avec le nez en l'air! Y vient d'la campagne lui aussi. Pis, chez eux, c'est pas l'diable plus beau qu'icitte!

— Parce que t'es déjà allée chez eux? Tu viens pas de l'connaître?

— T'oublies que j'ai été à Saint-Calixte pas mal longtemps, Raymonde. J'en ai connu du monde! Mais Ti-Guy, avant je l'trouvais ordinaire… Tu comprends, avec l'autre, le riche, le voleur… Ah! quand j'y pense! Toujours est-il qu'on s'est r'trouvés par hasard, Ti-Guy pis moi. Là, c'est plus l'même, pis moi non plus. En tout cas…

Pauline allait poursuivre, mais les pleurs d'Édouard lui firent oublier son «amoureux». Se penchant, elle le leva, le prit dans ses bras et le consola. À sa vue, l'enfant à demi endormi offrit un très joli sourire. Il savait que Pauline le garderait dans ses bras. Édouard, gros bébé chauve, feignant souvent d'être triste, sentait qu'il pouvait faire ce qu'il voulait avec elle.

Février se déroula en coup de vent. Si vite que Pauline, souvent confinée à la maison à cause des tempêtes, n'eut pas le temps de compter les jours, occupée par Édouard qu'elle cajolait et qui le lui rendait bien, ainsi que par Ti-Guy qui, à l'insu de ses parents, la fréquentait assidûment. Il était venu une fois à la maison, une seule fois, parce que Léo l'avait accueilli froidement et que Raymonde l'avait traité en jeune «flo». Il préférait de beaucoup s'évader avec Pauline, aller manger au restaurant de la «grand-route» et passer la nuit dans la cabine numéro 5, toujours propre, toujours au même prix. Et d'une fois à l'autre, pour Pauline, les élans du corps faisaient place aux élans du cœur. Elle aimait de plus en plus Ti-Guy. Elle était amoureuse, vraiment amoureuse, pour la première fois de sa vie. Amoureuse comme on le devient au fur et à mesure d'une belle fréquentation. Elle en vint à l'aimer follement et lui, s'en rendant compte, se gonfla la poitrine... d'orgueil. Parce que lui, Ti-Guy, l'aimait... bien. Il l'aimait comme tout gars de dix-neuf ans pouvait aimer une fille qui pouvait lui procurer d'aussi agréables moments. Il l'aimait charnellement. Au point de l'épuiser par ses requêtes lorsqu'ils se rendaient à ce qu'il appelait «la chambre nuptiale». Et pourtant, pour «épuiser» Pauline...

Le mois de mars s'annonçait plus clément. On sentait que la rigueur de l'hiver rendait peu à peu son souffle. Pauline travaillait encore pour Bob les fins de semaine, Raymonde vendait encore quelques tricots et Léo, se permettant de grasses matinées, attendait que le printemps vienne et que la construction reprenne. La «dépense» était certes moins remplie, mais Raymonde, bonne cuisinière, faisait des beignes et des gâteaux que Pauline glaçait de gelée en poudre pour épargner le sucre. Et lorsqu'elle quittait le restaurant, Bob se faisait une joie de glisser dans ses poches des *Coffee Crisp* et des *Malted Milk* qu'elle partageait forcément... avec les enfants. Et c'est encore Bob qui, le temps venu, la combla de sirop d'érable pour les rôties des petits. Le «gros bébé triste» qui tétait encore sa mère à onze mois, était assez brillant pour arracher des mains de Pauline un sucre à la crème ou un morceau de son beigne.

Mais Pauline aurait donné la lune à cet enfant tellement il la possédait. Elle aimait certes aussi les autres, mais son «gros», elle le vénérait. À la mi-mars, ses amours avec Ti-Guy semblaient fondre comme la neige de la cour arrière. Moins empressé, moins exigeant, il venait la voir, il couchait avec elle, il la laissait «s'effouarer» sur lui dans le lit, le «tripoter», mais il lui rendait de moins en moins ses caresses. Pauline crut qu'il avait une autre fille dans sa vie. Il nia avec véhémence. Elle le soupçonna de revoir sa «vieille» Madeleine, il protesta de son innocence. Outrée, confuse, elle lui cria à bord du camion qui les ramenait au village:

— Ben, qu'est-ce que t'as si c'est pas ça? Tu m'dis plus qu'tu m'aimes, tu m'fais l'amour sans même suer, tu détournes la tête quand j'te r'garde dans les yeux… Tout c'que tu veux, c'est la noirceur, la nudité, pis tout c'que tu m'demandes de faire! Pis, t'en as jamais assez! Un cochon! Un vrai cochon, Ti-Guy Gaudrin!

— C'est parce que tu m'excites, Pauline… Y'a pas une fille capable comme…

— Capable, mon œil! J'suis pas juste une langue pis une paire de mains, Gaudrin! Si c'est ça qu'tu cherches, y'a des filles en ville qu'on paye pour ça. Pis y'a ta «vieille»! J'gagerais ma chemise qu'elle enlève ses fausses dents!

— Pauline! Syncope! Prends-moi pas pour un maniaque! Des filles, y'en a partout pis, tu vois, j'couche juste avec toi!

— Tu l'as dit, Ti-Guy! Tu couches, rien qu'ça! L'amour, c'est pas…

— Pauline, arrête, cherche pas la chicane. On sort ensemble depuis deux mois, c'est normal qu'on s'habitue, qu'on soit pas toujours à genoux…

À ces mots, elle éclata d'un rire gras et lui lança:

— Aïe! J'le suis toujours à genoux, moi! Même après deux mois!

— J'comprends pas, j'te suis pas, Pauline…

— Épais! Maudit cave! À genoux… À genoux pour toi!

— Tu t'penses fine de sortir des choses comme ça? À t'entendre, on dirait que j'sors avec toi juste pour ça! Pourtant, à la Saint-Valentin…

— Ben oui, la boîte de chocolats en forme de cœur pis la cabine numéro 5 après! Me prends-tu pour une cruche? Penses-tu que j'ai un pois vert à la place du cerveau? Des fois, j'me d'mande si t'as l'nombril sec, toi!

— Ben, écoute, Pauline, si t'es p'us intéressée, si t'aimes mieux casser…

Apeurée, retrouvant ses esprits, perdant sa fière allure, elle s'écria:

— Aïe! Prends pas ça mal comme ça! J'tiens pas à t'perdre, j't'aime… Pis dis donc, j'suis plus ta poupée? Tu m'appelles plus comme ça…

— Non, ça faisait arriéré, c'te surnom-là. Juste Pauline, c'est mieux, pis c'est ton nom. Pis, sans casser, s'laisser pour un bout d'temps, le temps d'réfléchir… On s'voit peut-être trop souvent…

— Non, même pas! Moi, j'te verrais chaque jour qu'ça changerait rien!

À cet aveu, Guy Gaudrin préféra se taire pour ensuite changer de propos.

— Tiens! Déjà le village, Pauline! J'te dépose pis j'rentre vite à la maison. Le père a besoin du *truck* à soir.

Il s'immobilisa au coin de la petite rue pour ne pas voir Raymonde et Léo et, après un furtif baiser, il reprit sa route, nerveux, inquiet, songeur.

Le mois s'effrita et la chance de Pauline aussi. Bob, plus que timide, lui annonça qu'il ne pouvait plus la garder à son emploi, que son chiffre d'affaires baissait, que sa femme reviendrait sans qu'il ait à la payer. Pauline lui offrit de travailler sans gages, seulement pour les pourboires, mais Bob, penaud, lui avoua qu'il aurait autant besoin des pourboires de Fleur-Ange que des prix des repas. Bref, chaque «cenne» comptait. Bob était à deux pas de déclarer faillite et seul l'été qui viendrait pouvait lui offrir un sursis. Il avisa Pauline qu'il la garderait une dernière fin de semaine, pas davantage. Découragée, elle fit promettre à Bob de n'en rien dire à Raymonde ou Léo avant le dernier jour, qu'elle se chargerait elle-même de les aviser. Ce qui lui donnerait le temps de chercher ailleurs, d'aller voir à l'hôtel, ou même de nettoyer des «cabines».

Deux jours plus tard, alors que Raymonde tentait de vendre ses derniers foulards au magasin général et que les enfants jouaient dehors, Pauline, songeuse, marchait de long en large dans la cuisine avec son «gros» dans les bras. Soudain, sans s'y attendre, une grosse main se posa sur sa fesse et une autre tenta de se glisser sous son tablier. Insultée, hors d'elle, elle mit vite le bébé dans sa chaise haute, se retourna et, vive comme l'éclair, gifla Léo en pleine face en lui disant:

– J't'avais dit d'jamais t'essayer sur moi, maudit écœurant! Là, c'est assez, Raymonde va l'savoir! Si tu penses que tu vas essayer de m'tâter pis que j'vas toujours me taire, t'as menti, l'beau-frère! Pis t'as du *guts,* toi! Pour qui m'prends-tu?

Insulté par la taloche mais encore sous l'effet du charme, il répondit d'une voix doucereuse:

– Choque-toi pas, Pauline… On m'a dit qu't'avais la cuisse légère…

– On? Qui ça, on? J'te crois pas, Léo! Pas avec tes p'tits yeux vicieux! Tu t'es essayé sans même demander parce que tu savais qu'avec moi, c'était non! Mais là, tant pis pour toi, ma sœur va l'savoir! Ça va faire, les mains!

À ce moment, Raymonde surgit et tous deux, comme s'ils avaient été pris en flagrant délit, rougirent, ne sachant trop que dire.

– Qu'est-ce qui arrive? Y'a quelque chose de pas normal! Dites-moi pas...

– C'est ton mari, Raymonde! J'me promenais avec le «gros» dans les bras, pis y'a essayé de m'faire une passe. Une minute avant pis t'aurais tout vu!

Raymonde, rouge de honte et de colère, se tourna vers Léo qui, calme et détendu, lui dit:

– Prends pas cet air-là, ma femme. R'garde, j'suis même pas nerveux. Tu vois pas qu'c'est elle qui sait plus où r'garder? Je r'grette de t'l'apprendre, Raymonde, mais c'est elle qui s'pend après moi depuis qu'est icitte. Quand t'es pas là, ben entendu, mais elle a rien eu d'moi. Pis, d'mande-lui, Raymonde, c'est pas la première fois qu'a s'garroche sur moi... Si l'p'tit pouvait parler, y'a tout vu, lui.

– Maudit menteur! cria Pauline. J'espère que tu l'crois pas, Raymonde?

– C'est-tu vrai qu'c'est pas la première fois, Pauline?

– C'est vrai, mais j'la fermais pour toi! Y'a déjà essayé avant!

– Pis tu m'as rien dit! C'est drôle, ça... Pourtant, entre sœurs...

– J'l'ai averti, Raymonde! J'lui ai dit que si y recommençait, j'me tairais pas. J'voulais pas briser vot' ménage, moi!

– Ça prend une salope! s'emporta Léo. Ça paraît qu'ça vient d'la ville pis qu'à part les p'tits chars, tout a passé sur elle! J'ai-tu déjà essayé de t'tromper depuis qu'on est mariés, Raymonde? J'ai-tu pas toujours été là pour toi? J't'ai-tu négligée? On a fait cinq enfants, Raymonde, pis là, c'te catin-là, c'te grosse-là...

– Dis-en pas plus, je l'sais qu'c'est elle, Léo! Avant qu'elle arrive, on n'a jamais eu d'troubles, toi pis moi.

– J'peux pas croire c'que j'entends, Raymonde... Dis-moi pas qu'tu l'crois...

– Oui, parce qu'y a toujours été honnête, lui! Quand on peut sortir avec un gars d'prison, on est capable de tout, Pauline! T'as une réputation, tu sais. J'me suis fermé la gueule pour pas qu'tu crèves de honte, mais là, avec c'que tu viens d'faire...

– J'ai rien fait, viarge! R'garde-lui la face, r'garde-lui les yeux...

– Laisse-moi finir, Pauline! Pis prends-moi pas pour une folle! Léo a encore la *fly* ouverte! Pis comme j'te l'disais, avec c'que j'ai appris de c'qui s'est passé à Saint-Calixte... Un p'tit vieux à moitié fou, un bandit pis un p'tit vicieux qui t'relances jusqu'ici... T'as l'diable au corps, Pauline! Y'a rien qui t'gêne, pas même ton beau-frère! C'est peut-être pas d'ta faute, t'as peut-être la tête aussi folle que celle de la mère, mais ça fait depuis l'âge de treize ans qu'tu putasses! Depuis qu't'es p'tite que t'es pas capable de voir une paire de culottes sans sauter d'sus! N'importe qui, n'importe quand, Pauline! Quand t'es en chaleur! Comme la chatte du magasin général qui a toujours la langue pendante! Pis après ça, avec ta vie, tu vas m'dire que Léo, mon mari... Non, Pauline, pas à moi! Pas après douze ans d'mariage avec lui! Pis si ça t'dérange pas, j'aimerais qu'tu partes au plus sacrant! Pension ou pas, on va s'arranger, on va s'débrouiller, on l'a fait avant. Va où tu voudras, va où tu vas avec le p'tit Gaudrin l'samedi soir, va au diable, mais sors d'icitte au plus crisse, Pauline!

Au bord des larmes, regardant son beau-frère avec dédain, regardant sa sœur avec mépris, elle dit à celle-ci:

– J'pensais jamais qu'tu m'traiterais comme ça un jour, Raymonde! C'est pas la première fois qu'tu m'mets à porte, tu m'as déjà sacrée dans' rue! Mais c'te fois-là, me traiter comme tu viens d'le faire alors que c'est lui, le chien sale...

– Aïe! Pas d'insultes ou j'te r'mets à ta place, la sœur! Laisse Léo tranquille! Prends deux jours ou trois, mais pas plus, pis déguerpis! Pis là, j'te l'dis, j'veux p'us te r'voir de ma chienne de vie!

Ayant regagné son divan, Pauline pleurait. C'était trop injuste. Son dégoûtant beau-frère avait eu gain sur elle. Et Pauline, innocente, sans malice pour une fois, avait eu droit à une pluie diluvienne d'insultes. Sa sœur l'avait humiliée au point de lui faire revivre ses premières erreurs de jeunesse. Alors que, pour survivre en ce temps-là, Pauline devait gagner sa croûte en vendant... ses caresses. Les dés étaient jetés. Elle savait que Raymonde avait pris le parti de garder son mari. Et ce, même si la «braguette ouverte» créait un certain doute. Raymonde n'était pas bête à ce point mais, avec cinq enfants, Léo se devait d'être le mouton et Pauline, la louve. Seule dans le salon, sans même souper, elle qui avait faim, elle pleura à chaudes larmes. Parce que, pour la première fois, elle avait été un tantinet heureuse sous ce toit. Parce qu'elle avait Ti-Guy dans sa vie et le gros Édouard dans les bras. Ce «gros bébé triste» qu'elle adorait et qu'elle allait perdre de vue. Ce poupon «manipulateur» qui, dès lors, la chercherait des yeux pour lui tendre les bras. Un malheur n'attendait pas l'autre. Son emploi, son gîte, son honneur que sa sœur venait de lapider. Elle avait encaissé toutes ces injures telles les morsures d'un venimeux serpent. Elle qui, pourtant, ne méritait

pas… À moins que, de là-haut, une âme en peine se venge…
Non, c'était idiot! Comme si les élus du bon Dieu pouvaient
être méchants. À moins qu'en enfer… Est-ce là que vont ceux
qui s'enlèvent la vie avant que Dieu ne la reprenne? Foutaise?
Pauline s'allongea sur le divan puis, la tête entre les mains, les
yeux fermés, implora le ciel de venir la chercher. Puis, dans
son infinie tristesse, le sourire de Ti-Guy lui apparut. Elle
n'était pas seule, elle l'avait, lui… Ainsi que Bob et Fleur-
Ange… Elle passa une nuit blanche, s'habilla prestement, traversa chez Bob où on lui offrit un copieux déjeuner, puis,
ayant raconté son histoire, on la crut sur parole. Fleur-Ange
avait déjà vu Léo courtiser des femmes au village. On lui offrit
l'hospitalité le soir même et ce, jusqu'au jour près où, selon
Pauline, Ti-Guy viendrait la délivrer de ses chaînes et lui faire
oublier ses déboires.

Chapitre 5

A vril avait offert sa page du calendrier et Pauline, chez Bob et Fleur-Ange depuis quelque temps, se morfondait de gêne et de stupeur. Aucune nouvelle de Ti-Guy, aucun signe de vie, rien. Et sa sœur qui la croisait dans la rue ne la regardait même pas. Pauline pleurait; il était impossible que les malheurs s'abattent sur elle à ce point. N'en avait-elle pas déjà eu sa juste part? De plus, elle s'ennuyait à mourir de son «gros bébé triste» qu'elle adorait et dont elle allait être privée désormais. Qu'avait-elle donc fait au ciel pour être sans cesse la proie de tous les sévices de la terre? Payait-elle chèrement ce qu'elle avait fait subir à l'ermite? Était-ce là la punition de Dieu pour avoir pourri l'âme d'un élu au point qu'il se tue? Allait-elle payer tout au long de son existence, ce qu'elle avait de plus lourd sur la conscience? Non, le bon Dieu ne pouvait pas la punir à tout jamais. Pas avec sa jeunesse malheureuse, ses pleurs d'enfant, ses prières d'antan. Aussi coupable pouvait-elle être, elle avait, selon elle, expié tous ses péchés à venir, dès son enfance. Et Dieu qui était partout, qui voyait tout, s'en souvenait. Du moins, elle l'espérait.

Elle travaillait au restaurant de temps en temps, elle aidait Fleur-Ange avec le ménage, le lavage, le repassage… Bref, elle était entièrement dévouée sans être payée. Que pour compenser pour le gîte et la nourriture. Elle était cependant subtile; ce n'était guère le moment d'avoir les yeux plus grands que la panse. Bob joignait à peine les deux bouts de ce temps. Mais, bon comme du bon pain, il ne pouvait mettre à la porte cette pauvre fille sans soutien. Pauline n'avait de cesse de le remercier. D'autant plus que, depuis qu'elle était jeune, Bob était le premier homme à ne pas tenter d'abuser d'elle. Un homme à sa place, un père comme elle n'en avait pas eu. Un cœur d'or et un confident auquel elle se confia un certain soir alors que Fleur-Ange était chez une voisine.

— Bob, ça peut pas durer, faut faire quelque chose…

— Qu'est-ce que tu veux dire, Pauline? Qu'est-ce que j'peux faire?

— Ben, si c'était pas trop te d'mander, j'aimerais que tu ailles à Saint-Calixte parler à Ti-Guy. Y'a juste toi qui pourrais le convaincre de pas m'laisser tomber. Surtout qu'ma sœur m'a sacrée dehors!

— J'veux ben, Pauline, mais on peut pas forcer un gars à sortir avec une fille si ça l'tente plus. Surtout un p'tit jeune de son âge! C'est encore un mineur, Pauline… C'est pas comme de parler à un homme.

— Oui, j'sais ben, mais on n'aurait rien à perdre, moi du moins. J'peux pas rester à vot' charge ben longtemps, vous avez d'la misère à arriver, Fleur-Ange pis toi. Faut que j'débarrasse le plancher, Bob, j'peux pas vivre de vot' charité.

— Bah, tu sais, une bouche de plus ou d'moins. Pis comme t'es pas difficile… Par contre, j'sais c'que tu veux dire. T'as ta vie à faire, t'as ton avenir… C'est sûr que ce s'rait plus normal de sortir avec un gars, de préparer l'terrain, de penser à vous unir avec le temps, mais pour ça, y faut d'l'amour, Pauline. D'un bord pis d'l'autre! Pis si Ti-Guy a déchanté et qu'y s'est trouvé une autre blonde, j'peux pas l'forcer…

– Non, tout c'que j'voudrais, c'est qu'y vienne jusqu'icitte une fois, pas plus. J'trouverai les arguments pour le convaincre.

– Pourquoi tu lui téléphones pas? Au bout du fil…

– Es-tu fou? Heu… excuse-moi, Bob, c'est pas c'que j'voulais dire. C'est sorti d'un coup parce que si tu connaissais sa mère… A m'déteste pis a sait même pas que Ti-Guy pis moi, on a r'pris ensemble. Dans l'temps, a faisait juste me r'garder d'travers, mais là, après c'que…

– Après c'que quoi, Pauline?

– Bah… ce s'rait trop long à t'expliquer. Disons qu'y'a eu des mauvaises langues pour colporter que Ti-Guy pis moi, on a… Tu comprends c'que j'veux dire? Pour elle, c'est moi qui l'a débauché!

– Pourtant, dernièrement, ça avait r'commencé, non?

– Oui, mais cette fois, elle a rien su. Pis Ti-Guy, j'peux-tu t'dire que c'est pas avec moi qu'ç'a commencé… Y'avait fait sa p'tite école avec une maîtresse pas mal plus vieille que lui. Pis ça, tout l'monde l'a su à Saint-Calixte.

– J'en doute pas, c'est un beau p'tit gars, un bon p'tit gars, pis pas mal attirant à part ça. Tu sais, moi, j'l'aime bien, le p'tit Gaudrin. Y'a toujours été poli, avenant, j'peux pas faire c'que tu m'demandes, Pauline. J'peux pas aller l'forcer, c'est pas d'mes affaires pis j'ai aucune maudite raison…

– T'en veux une bonne raison pour qu'y r'vienne, le p'tit maudit?

– Ben si t'en as une, j'dis pas non, sors-la, vas-y!

– Ben, va dire à Ti-Guy Gaudrin que j'suis enceinte de lui!

Le soir même, Fleur-Ange et Bob discutaient des déclarations de Pauline. Abasourdi sans être surpris, Bob se demandait si Pauline disait la vérité ou si c'était là un guet-apens pour attirer Ti-Guy jusqu'à elle. Fleur-Ange, moins incrédule, avait dit à son mari:

— Moi, ça m'surprendrait pas qu'elle dise vrai. A dégage l'odeur d'une femme enceinte et ses seins semblent déjà plus volumineux.

— Voyons, Fleur-Ange, Pauline a une paire de seins si gros que je m'demande comment tu peux voir la différence. Non, fais-la parler, questionne-la quand les p'tites seront couchées. Moi, j'veux ben aller parler au p'tit Gaudrin, mais faudrait pas qu'a s'paye ma tête.

— A f'rait pas ça, mon homme, pas à toi. Pas après tout c'que t'as fait pour elle... Mais j'vais lui parler si ça peut t'rassurer.

Les trois filles du couple étaient à peine au lit que Fleur-Ange s'empressa d'aller rejoindre Pauline qui lisait un petit roman dans le salon.

— Tiens, c'est vous...?

— Laisse faire le vous, Pauline, j'te l'ai déjà dit. J'suis pas ta patronne, j'suis ton amie, pis Bob aussi. À propos, c'est de lui que j'veux t'parler.

— De Bob? Y'a-tu quelque chose qui va pas?

— Non, pas précisément, mais tu lui as demandé un service...

— Oui, j'lui ai demandé d'aller dire à Ti-Guy que j'étais enceinte de lui. Pis, j'mens pas Fleur-Ange, c'est vrai, j'ai déjà des nausées pis, d'après mes calculs, c'te p'tit-là va naître en décembre.

— T'es sûre que c'est ça, Pauline? Des fois, on s'imagine...

– J'imagine rien, j'ai déjà été enceinte, j'ai perdu l'enfant au huitième mois. C'était une fille... J'ai fait ma fausse couche à Montréal l'année passée. J'sais d'quoi j'parle, Fleur-Ange.

– Excuse-moi, j'savais pas... Mais l'père, lui...

– Juge-moi pas trop mal, mais j'savais pas de qui j'attendais l'bébé. J'avais pas mal sorti... Mais, c'te fois-là, le seul gars qui a passé dans mon lit, c'est Ti-Guy. Pis y l'sait à part ça! Pis où en plus! D'ailleurs, j'ai eu mes dernières règles chez ma sœur pis a peut l'prouver, j'avais pas d'Kotex ce jour-là, c'est elle qui m'avait dépannée.

– Bon, j'te questionne pas plus, j'te crois, Pauline, mais...

– Pis dis à ton mari que je l'mettrais jamais dans l'embarras. Si c'était pas l'cas, j'me servirais pas d'lui. Pas après tout c'qu'y a fait pour moi! Un vrai père, Bob, pis toi, t'es comme une mère. Plus que des amis, vous m'avez recueillie. T'allais dire quelque chose, Fleur-Ange, j't'ai coupée. Mais... quoi?

– Heu... J'voulais dire, j'veux dire, tu prends pas d'précautions, Pauline? Pis lui...

– Ben, j'suis l'calendrier, mais en amour, ça arrive qu'on l'oublie. Pis lui, y'avait rien dans ses poches... Y pensait pas à ça... Mais j'voudrais pas qu'y pense que j'ai fait exprès! C'est arrivé comme ça! On était en amour par-dessus la tête, lui pis moi.

Le lendemain, laissant le restaurant aux bons soins de Pauline, Bob se dirigea jusqu'à Saint-Calixte. Évitant d'être vu par Gaudrin ou Biron, le garagiste, il se rendit à l'hôtel et demanda au patron, son vieux copain, s'il voulait aller aviser discrètement Ti-Guy qu'il l'attendait l'autre bord de la rue. L'homme s'exécuta, fit mine de fureter sur les tablettes et, chanceux, aperçut Ti-Guy qui rentrait avec une caisse de fèves au lard en conserve. Discret, à l'insu de la mère qui jacassait avec une cliente à la caisse, il l'informa que Bob l'attendait à l'hôtel, que c'était urgent. Puis, pour justifier son intrusion chez les Gaudrin, il acheta une cire à chaussures qu'il paya en vitesse pendant que la mère Gaudrin commérait encore avec la même dame. Ti-Guy, inquiet, nerveux, se demandait bien ce que pouvait lui vouloir Bob pour arriver sans prévenir à Saint-Calixte. Il était sûr que ça concernait Pauline, il avait peur, il s'imaginait le pire… Pauline sans nouvelles de lui, dans un geste désespéré… Sa mère qui l'observait du coin de l'œil depuis le départ de la cliente lui lança:

– Qu'est-ce que t'as? T'es ben blême! Es-tu malade, Ti-Guy?

– Ben non, ça va, j'viens d'forcer après une caisse. J'suis pas Samson!

– J'comprends, défonce-toi pas, mais c'est pas une raison pour me répondre sur ce ton!

– C'est parce que tu m'impatientes, la mère! Toi pis tes questions! Pis là, faut qu'j'aille faire une course pis demande-moi pas où… parce que j'vas t'répondre que j'm'en vas pisser!

– Ben là, t'es pas mal effronté! On parle pas comme ça à sa mère! Coudon, t'as-tu mangé d'la vache enragée, toi?

Ti-Guy passa la porte sans répondre, fit mine de se rendre au bureau de poste mais, contournant le bloc, il traversa deux coins de rue plus loin, revint sur ses pas et se faufila dans l'hôtel par la porte arrière. Content de ne pas avoir été vu, il chercha Bob des yeux et l'hôtelier lui fit signe qu'il était à la table du fond, derrière le paravent. Ti-Guy s'y rendit, Bob se leva, lui serra la main et lui dit:

– J'peux t'offrir une bière, Gaudrin?

– Si d'bonne heure? Pis, pourquoi pas! Une Dow pour moi…

Voyant que Bob affichait un air calme, Ti-Guy soupira d'aise. Il but une gorgée de sa bière, allongea les jambes puis, les mains derrière la nuque, il regarda Bob et lui demanda timidement:

— T'es ici pourquoi, Bob? C'est elle, hein? C'est pour me parler d'elle?

— Ben, dans un sens, oui, mais j'suis pas sûr que ça va faire ton affaire. Pauline est plus chez sa sœur, y l'ont sacrée dehors. Là, elle habite chez nous, mais a sait plus où s'garrocher, tu comprends?

— Heu… oui, mais qu'est-ce que j'viens faire là-dedans, moi?

— Ben, t'es son *chum*, non? A connaît personne d'autre…

— Un ben grand mot, son *chum*! C'est fini, elle pis moi. On a sorti ensemble oui, mais depuis deux semaines, j'la vois p'us.

— Pourquoi, Ti-Guy? Tu semblais l'aimer quand tu venais chez moi?

— Oui, oui, pis c'est pas que j'l'aime pas, mais a veut trop s'engager. J'ai juste dix-neuf ans, Bob, j'suis pas prêt à sortir *steady,* moi. J'veux en connaître d'autres…

— Ben, là, même si j'te comprends, t'auras pas l'choix, mon gars…

— Pourquoi? Qu'est-ce que tu veux dire?

— Rien d'autre, mon homme, que la Pauline est en famille de toi.

Ti-Guy devint livide. Il avait pensé à tout sauf à ça. Pour un moment, Bob avait cru qu'il allait s'étouffer avec sa gorgée de bière. Retrouvant sa contenance, il marmonna d'une petite voix tremblante:

— Est-tu sûre de ça, elle? A dit-tu ça pour me ravoir? C'est peut-être…

– Non, c'est vrai. Pauline est enceinte, Ti-Guy, pis c'est toi qui es l'père de l'enfant qu'a porte. Pis j'comprends pas qu'ça t'surprenne avec les p'tits voyages dans les cabines...

– Maudit! J'en r'viens pas! Pis, a l'a pas fait attention...

– Pas plus que toi, mon homme, vous étiez en amour par-dessus la tête, paraît-il. Y'a pas un soir où t'avais pas envie d'la... Excuse-moi, j'veux pas t'manquer d'respect, mais dis-moi pas qu'j'ai tort, j'vois clair, Ti-Guy. Pis un enfant, ça s'fait à deux. Tu peux pas jeter l'blâme juste sur elle, astheure.

– Non, c'est sûr, mais qu'est-ce que j'vas faire? J'suis mineur... Mes parents sont sévères, mon père surtout...

– Fallait y penser avant, Ti-Guy. Là, pour le moment, tout c'que tu peux faire c'est d'venir la voir pis d'lui parler avant qu'ça s'ébruite. Pauline t'aime, elle, c'est toi qui l'as laissée tomber.

– C'est pas ça... J'voulais pas... *Shit*! J'suis dans d'beaux draps!

– Pis, y va t'falloir prendre tes responsabilités, Ti-Guy. Quand on fait un p'tit à une fille, c'est parce qu'on est un homme. Mineur ou pas, t'es pas un enfant d'chœur, mon gars. J't'ai vu aller, moi!

– Écoute, Bob, j'vais aller la voir, lui parler, mais j'veux qu'tu sois là...

– Non, toi pis elle, Ti-Guy. J'suis pas son père, moi, j'ai pas d'affaire là-dedans. J'ai rien contre toi, j't'aime bien, j'peux t'conseiller, j'peux vous aider, mais j'ai une femme pis trois enfants, moi. Pis, de c'temps-là, on gratte les fonds d'tiroir... Alors, va falloir que tu la sortes de chez moi, qu'tu la loges ailleurs, Ti-Guy. Elle pis ton p'tit qu'elle a dans l'ventre.

Bob se leva, Ti-Guy voulut lui payer une autre bière, éti-rer le temps, mais le restaurateur se désista en lui disant:

– Faut que j'parte, ma femme m'attend. J'avais une commission à faire pis je l'ai faite. Là, mon homme, c'est à toi d'prendre la relève. Viens la voir le plus vite possible.

– Ben, de c'temps-là, j'peux pas… On peinture, on travaille fort…

Bob, renfrogné, les sourcils froncés, se pencha vers Ti-Guy et lui dit:

– Arrange-toi pas pour que j't'aime plus, toi! Fais-moi pas virer mon capot d'bord, Gaudrin! Quand c'était pour aller coucher, t'avais l'temps de faire les douze milles avec ton *truck*, tu venais même dans les tempêtes. Là, c'est sérieux pis c'est urgent. Tu viens à soir, pas plus tard, tu pèses su'l' gaz, Ti-Guy, ou ben j'reviens avec elle demain.

– Aïe, Bob! Pas ça! J'vais être là à soir, t'en fais pas. Pis, j'veux pas qu'on soit plus des amis pour ça, toi pis moi.

– Ben, y'en tient qu'à toi! Salut, Ti-Guy, j'm'en vas.

Resté seul, Ti-Guy commanda une autre bière et puis… deux autres. Quelque peu éméché, il tentait de «noyer» la très mauvaise nouvelle. Il pensait à son père, à ses colères… Puis il songea à Pauline qui, seule, devait faire face à tout ce qui venait. Et il en eut pitié. Pas mauvais garçon, bon cœur, Ti-Guy Gaudrin, dans de «beaux draps», éprouva tout de même une certaine… compassion.

Le soir venu, après s'être dégrisé à l'aide de trois cafés, sans se changer pour ne pas éveiller les soupçons, il quitta le magasin vers six heures avec le camion et, sans rendre de comptes à ses parents, emprunta la route en direction de Saint-Lin. Il était songeur, il éprouvait même une certaine peur. Lui qui n'avait jamais été mêlé à rien, sauf lors de l'esclandre de l'ermite, avait les sourcils froncés juste à l'idée… Père d'un enfant! Lui! Alors qu'il aurait à peine vingt ans! Ce n'était pas possible… Il fallait que Pauline se soit trompée, qu'elle retarde… Mais non, selon Bob, elle avait déjà des nausées. Et, plus sérieux au volant de son camion que dans un lit, il s'en voulait à mort d'avoir été irréfléchi, de n'avoir pris aucune précaution, sachant fort bien que Pauline n'était pas une femme… infertile. Il aurait dû se contenter de ce qu'elle lui faisait lorsqu'il s'étendait sur le dos. De ce qu'il aimait le plus dans une «joute» sexuelle… Mais non, il avait fallu qu'il l'honore, qu'il la chevauche sur demande. Regard dans le vide, il ne savait trop ce qu'il allait faire… Il trouverait certes une solution… Et, village de Saint-Lin en vue, Ti-Guy avait déjà grillé une douzaine de cigarettes dans sa nervosité.

Pauline, assise sur un tabouret de comptoir du petit *snack-bar*, l'attendait avec une vive impatience. Dès qu'il entra et qu'elle le vit, ses yeux s'embuèrent de larmes. Des larmes d'émotion, d'amour et de tristesse. Voyant qu'il était mal à l'aise, Bob leur suggéra un boudoir où ils pourraient causer loin des quelques clients, de sa femme et de ses enfants. Seuls dans cette petite pièce avec deux fauteuils, un cendrier sur pied et un vaisselier, Ti-Guy s'alluma une Sweet Caporal et, les yeux partout sauf sur elle, il attendait que Pauline engage le dialogue.

– C'est gentil d'être venu, t'es ben *smart* Ti-Guy, mais j'pensais pas qu'c'était fini toi pis moi…

– C'est pas ça, Pauline, c'est pas qu'c'était fini, mais j'voulais pas qu'ça devienne trop sérieux… J'voulais réfléchir…

– Ben là, j'pense que t'auras pas à l'faire… Bob t'a mis au courant, y t'a tout conté, y me l'a dit… Alors, j'ai pas grand-chose à ajouter, sauf que j'attends un bébé, Ti-Guy.

– Ouais, j'sais! Moi qui pensais qu'tu suivais l'calendrier…

– J'le suivais, j'ai pas fait exprès, j'me suis fait jouer un tour…

– Tout un tour! Mais t'es certaine que t'es enceinte? As-tu vu un docteur? Tout d'un coup qu'ce s'rait juste un arrêt dû au fait que tu m'voyais plus…

– Quand même! Des règles, ça s'arrête pas juste avec d'la peine! Pis non, j'ai pas vu l'docteur, j'sais qu'c'est ça, c'est pas la première fois, j'ai les mêmes symptômes, j'suis malade comme une vache le matin. Pis Fleur-Ange qui a eu trois enfants m'l'a confirmé. Entre femmes, on sait c'qu'on a. Le docteur, ce sera plus tard.

– Pis… pis t'es certaine que c'est d'moi?

– Ben, viarge! J'l'attendais celle-là! T'as du cran de m'demander ça, mon p'tit maudit! Tu l'sais que j'ai couché avec personne d'autre que toi depuis que j'suis ici! Pis j'avais eu mes règles juste avant! Pis tu sauras que j'avais pas couché avec un autre homme depuis un an! Tu d'vrais l'savoir, j'me suis garrochée sur toi comme une affamée! La première fois, l'année passée, j'savais pas qui était l'père de la p'tite que j'ai perdue. R'marque que c'était peut-être toi, mais j'ai pas voulu t'écœurer avec ça. Pis j'l'ai perdue, c't'enfant-là! Mais, cette fois, cherche pas, c'est not' p'tit que j'ai dans l'ventre, Ti-Guy! Pis va falloir penser à quelque chose…

– Oui, j'sais, Bob m'a même dit qu'y fallait que tu partes d'ici…

– Tu vois? Fleur-Ange m'en a pas encore parlé, y sont sans doute gênés, mais y'ont raison. Y sont pas pour m'héberger, j'suis pas d'leur parenté.

– Pourquoi t'es p'us chez ta sœur, Pauline? Qu'est-ce que t'as fait encore?

– Moi? Rien! Tu vois, c'est encore moi qu't'accuses! Toujours moi! Pis j'suis p'us là parce que ma chienne de sœur m'a pas crue quand j'lui ai dit qu'Léo avait les doigts longs! Un autre qui voulait m'pogner l'… Ah! pis laisse faire, j'veux pas être vulgaire. Donc, a m'a sacrée dehors pis là, après Bob pis Fleur-Ange, à c'que j'vois, j'suis encore dans' rue.

– Ben non, t'en fais pas, j'vas pas t'laisser toute seule avec un p'tit sur les bras. J'vas trouver une solution…

– Laquelle, Ti-Guy?

– Ben laisse-moi y penser, Pauline! J'peux tout d'même pas t'ramener chez ma mère à soir! Laisse faire, j'vas trouver…

– J'demande pas mieux que de m'fier, moi, pis de t'laisser mon sort entre les mains. Mais, remarque…

– J'ai une idée, Pauline! Une sacrée bonne idée! J'vas aller trouver mon ami qui tient l'restaurant pis les cabines. J'suis sûr qu'en retour de p'tites tâches au restaurant, comme la vaisselle pis les comptoirs, y t'laisserait loger dans une cabine jusqu'à c'que j'trouve quelque chose de mieux. De cette façon, on pourrait délivrer Bob de ta présence pis tu s'rais mauditement plus à l'aise là-bas. Qu'est-ce que t'en penses? En attendant, Pauline…

– En attendant quoi?

– Ben, on sait jamais, tu commences juste ta grossesse…

– Aïe! Tu vas pas m'demander d'm'en défaire, toi! Si tu penses…

– C'est pas c'que j'ai voulu dire, Pauline, j'suis catholique, j'ferais jamais ça! Mais si jamais tu l'rends pas à terme, si en chemin…

– Tu penses à une fausse couche comme la première fois?

– Ben, des fois, c'est des choses qui arrivent…

– J'penserais pas, y semble bien collé, c'bébé-là. J'porte pas pareil, j'pars pas d'la même façon. J'ai mal au cœur juste le matin…

– Correct, parlons-en plus, mais mon idée, ça t'va pour le moment?

– Ouais… Quoique j'en avais une autre, moi…

– Parle, dis c'que t'as dans la tête. On sait jamais.

– Ben, on aurait pu s'marier, toi pis moi!

Ti-Guy faillit tomber à la renverse. Il se retint, mais Pauline remarqua qu'il avait pâli et qu'il était resté la bouche ouverte.

– Ben, quoi! T'as pas pensé une minute à ça, toi?

– Heu… non. J'veux ben prendre mes responsabilités, m'occuper d'toi…

– Pis le p'tit, lui? Ça t'dérange pas qu'un bébé vienne au monde orphelin d'père? As-tu pensé à lui, Ti-Guy? Ou à elle? Y'est pas coupable de c'qu'on a fait, toi pis moi. Y'a pas à payer pour ça, lui. Pis, penses-y, ça f'rait d'lui un bâtard. Un p'tit gars ou une p'tite fille pas d'père à l'école, c'est humiliant en maudit. Toi, t'as pas connu ça, moi, oui, pis quand j'disais qu'mon père était mort quand j'avais deux ans, on m'regardait d'travers. Même les sœurs! Tout l'monde pensait qu'mon père pis ma mère étaient séparés ou qu'ma mère était une fille mère. J'ai pâti, Ti-Guy, pis j'voudrais pas ça pour le p'tit. Y'a pas d'mandé à venir au monde, lui! On l'a fait sans y penser, c't'enfant-là, on l'a fait à travers nos vices pis not' *fun*… Pis, à ben y penser, j't'aime pis tu m'aimes, pourquoi ça marcherait pas?

– J'ai pas encore vingt ans, Pauline! J'suis encore un mineur, un enfant aux yeux d'la loi…

– Voyons, Ti-Guy, y'en a qui s'marient à dix-huit ans pis j'ai vu des filles se marier à seize ans. L'Église empêche pas ça! Tout c'que ça prend, c'est l'consentement d'tes parents. Pis, dans ton cas, j'sais pas, j'penserais pas, parce que tu t'maries obligé.

– Prends pas l'mors aux dents, Pauline, on n'est pas encore là! Si ça t'fait rien, on va commencer avec mon idée de la cabine...

– J'veux bien, mais pas longtemps! J'ai pas envie d'porter mon bébé dans une chambre quatre par quatre! Y'a ben assez qu'j'ai porté l'premier dans un shack!

– Pauline! Parle plus d'ça! Ça pourrait nous porter malheur!

– T'as raison, j'me suis échappée pis, r'garde-moi trembler, astheure. J'ai peur, Ti-Guy. J'ai peur chaque fois que j'pense à lui...

Et, sournoise, rusée, Pauline profita de la confusion du moment pour se jeter dans ses bras, faux sanglots dans la voix.

– Si... si tu savais comment j'serais bonne pour toi... Tu l'sais, on s'aime depuis la première fois, nous deux. Pis ça marche notre affaire...

Ti-Guy, mal à l'aise, mais secoué par ces aveux inattendus, la serra contre lui. Enivré une fois de plus par l'arôme de son Fresh Wind et par ses lèvres peintes en rose, il échangea avec elle, un baiser... passionné. Puis, en proie à ses pulsions, il lui dit pendant qu'elle avivait son désir d'une main habile:

– T'as raison, Pauline, j'peux pas reculer... J'ai fait un p'tit, j'suis un homme, j'vais te l'prouver. Dès demain, j'vais attaquer mes parents d'front. J'vais leur dire pour toi pis moi, j'vais leur parler du p'tit qui s'en vient, pis j'vais même leur dire qu'on va s'marier, Pauline. Pis, si ça fait pas leur affaire, on va décrisser en ville pis s'débrouiller comme on pourra. Mais sans savoir c'qui va arriver d'ici là, y faudrait ben qu'tu t'contentes d'la cabine pour un bout d'temps...

Soulagée, ravie, heureuse du dénouement, elle se laissa choir sur le divan. Puis, une main sur sa joue, l'autre sur sa poitrine dans un espace déboutonné, elle glissa les doigts jusqu'à ce qu'elle le sente durcir, pour ensuite lui dire, telle une gamine:

– Oui, Ti-Guy, tout c'que tu voudras… C'est toi qui mènes astheure!

Ils se quittèrent et Ti-Guy promit à Bob de prendre les choses en main dès le lendemain. Il lui avoua même, devant Pauline, qu'il comptait la marier pour que le bébé ne vienne pas au monde dans l'illégitimité. Ce à quoi Bob avait répondu avec soulagement:

– J'en attendais pas moins d'toi, mon homme. C'est c'que t'as d'mieux à faire. Pauline est une bonne personne, a va t'faire une bonne femme. Pis si tes parents comprennent pas ça, ben…

– Y'auront pas l'choix, Bob… C'est un Gaudrin qui s'en vient!

Ti-Guy sortit, sauta dans son camion et avisa Pauline qu'il allait de ce pas au restaurant de la grand-route. Heureuse, encore sous l'effet de sa conquête, de sa victoire, elle lui demanda doucereusement avec un filet de voix:

– Ça t'plairait que j'aille avec toi? On pourrait peut-être une heure ou deux… Pis moi, ça m'permettrait de t'prouver que j't'aime…

– Je l'sais qu'tu m'aimes, Pauline, t'as pas à me l'prouver! Pis à soir, non. C'est pas qu'j'ai pas envie, mais j'aime mieux arriver là en gars sérieux. J'aurai quand même à négocier.

– Correct, j'comprends, pis négocie donc un bain pour moi quelque part. Y'a juste un lavabo pis deux serviettes dans les toilettes.

Le jour suivant, durant la matinée, alors que sa mère était à la caisse et son père derrière son comptoir de viandes, Ti-Guy s'approcha de ce dernier et lui dit:

— J'aimerais ça qu'on dîne tous les trois ensemble à midi. Toi, la mère, pis moi.

— Pourquoi faire? On n'est pas pour fermer l'magasin…

— Oui, on va l'fermer pour une heure, on l'a déjà fait. Pis c'que j'ai à vous dire est important. J'fais pas ça pour niaiser.

— Ben, vois avec ta mère, Ti-Guy, c'est elle qui mène icitte. Surtout quand ça regarde le commerce…

Ti-Guy s'approcha de sa mère et la persuada en deux minutes de fermer le magasin pour un bon «pourparler». Intriguée, inquiète, elle avait juste demandé:

— T'as pas fait d'mauvais coup, au moins? Rien qui s'rapporte à la justice?

— Ben non, la mère… Comme si on pouvait mal faire dans un village quasi désert.

— Ça peut pas attendre à' soir? Si y fallait que j'perde une commande…

— Voyons, y vont r'venir, t'es la seule qui fais crédit par ici.

Emma se tut, compta l'argent de la caisse, mais sa tête était ailleurs. Elle ne présageait rien de bon de ce repas improvisé. Ti-Guy n'était pas du genre à dîner avec eux pour le… «portrait de famille».

Joseph Gaudrin était à un bout de la table, Ti-Guy à l'autre et la mère entre les deux, pas loin du poêle et des chaudrons. Emma avait à peine servi la soupe que le père, impatient, questionna:

— Qu'est-ce que tu peux ben avoir à nous dire, toi?

Ti-Guy, tout en avalant sa cuillerée de soupe, leur annonça:

– C'est ben simple, j'me marie! Pis dans pas grand temps, à part ça!

Joseph regarda Emma, estomaqué autant qu'elle, et c'est cette dernière qui, les traits assez durs, lança:

– Niaise pas, Ti-Guy! On n'est pas icitte pour tes farces plates!

Le jeune homme, nerveux, mais affichant un air calme, déposa sa cuiller, poussa son bol et, les deux coudes sur la table, enchaîna:

– Écoutez, j'suis sérieux, j'ai passé l'âge de niaiser, pis c'que j'vous apprends, c'est vrai, c'est dur comme fer! J'me marie, la mère!

– Ben, voyons donc, es-tu tombé sur la tête, toi? T'as même pas d'blonde *steady*, tu courailles d'un bord pis d'l'autre. Avec qui tu t'marierais? Avec la femme du conseiller, j'suppose?

Elle allait éclater de rire ainsi que son mari, lorsque Ti-Guy laissa tomber:

– Non, avec Pauline Pinchaud. C'est elle qui va devenir ma femme.

Ils faillirent s'étouffer tous les deux. Emma devint rouge comme un coq, Joseph, aussi blanc que la nappe. Ti-Guy les observa puis, avant qu'ils ne réagissent, il leur défila d'un trait:

– J'sors *steady* avec Pauline depuis qu'elle est revenue à Saint-Lin. C'est là que j'allais toutes les fins d'semaine. Pis, qu'ça fasse votre affaire ou pas, on va s'marier, elle pis moi.

– T'es-tu devenu fou braque? demanda le père. Tu penses vraiment me faire avaler ça? La grosse qui a fait mourir l'ermite? Pis, tu l'as r'vue! Sais-tu qu't'es un beau trou d'cul, Ti-Guy!

– Dis-nous qu'c'est pas sérieux, mon gars! poursuivit la mère. Dis-moi que j'rêve! Ça s'peut pas qu'un beau gars comme toi soit en amour avec... c't'affaire-là! Penses-y un peu!

– Si c'est juste pour le sexe, répliqua le père, t'as pas besoin d'la marier pour en avoir. Tous ceux avant toi...

– C'est assez, va pas plus loin, l'père, pis parle pas en mal d'elle, t'a connais même pas. Tu y'as juste donné un *lift* une fois l'année passée.

– Moi, j'la connais, par exemple! enchaîna Emma. Une grosse salope, Ti-Guy! Une fille de rien! L'ancienne blonde d'un bandit, pis la concubine d'un vieux cochon, Dieu ait son âme! Pis toi, t'es pas mieux, tu sors avec elle juste pour la bagatelle. J'te connais, mon p'tit torrieux! Mais là, j'suis ta mère pis j'te l'dis, ça s'arrête là! J'veux même plus qu'tu la r'vois, c'te grosse-là!

– Aïe! Ça va faire, la mère! T'es-tu r'gardée avant d'la traiter comme ça? Crache pas en l'air...

Ti-Guy n'eut pas le temps de terminer sa phrase que son père, à bout de nerfs, s'étirant le bras, le gifla en plein visage et, tout en le pointant du doigt, lui cria:

– Toi, parle plus jamais à ta mère comme ça, mon p'tit crisse!

Emma, à la fois blessée et désolée, en peine devant la joue rouge de son fils unique, semonça son mari:

– T'aurais pu garder ta claque, Joseph! J'suis capable de m'défendre!

Puis, surprise de constater que Ti-Guy n'avait pas bronché, elle lui demanda d'un ton plus câlin:

– Tu voulais pas reprendre tes études? Tu m'avais pas dit...

– Non, j't'ai rien dit, la mère, pis là, j'vais t'en apprendre une bonne. J'me marie parce que Pauline attend un p'tit pis qu'y est d'moi celui-là! C'est-tu assez clair, ça?

Emma faillit perdre connaissance et Joseph, la tête dans les mains, marmonna:

– T'as pas fait ça, toi? Pas avec elle? Pis tu t'es laissé avoir… Depuis l'temps qu'a cherchait un cave pour se faire vivre… J'peux pas croire que t'es tombé dans l'piège! J'te pensais plus brillant qu'ça! Un Gaudrin faire un p'tit à une grosse servante! Une grosse torche que tout l'monde a fourrée!

Ti-Guy, insulté, recula sa chaise violemment et se leva d'un bond.

– Assez, c't'assez! Là, ça va faire! J'la marie pis si ça fait pas votre affaire, j'ai pas besoin d'vous autres aux noces!

– Ah, ben, crisse! Tu penses que moi, ton père, j'irais aux noces? Pour que la paroisse me rie en pleine face? Pis, à part ça, t'es pas sorti du bois parce que, sans mon consentement…

– Je l'attendais, celle-là, l'père! Ben, tu sauras que j'peux m'en passer, j'me marie obligé. Pis si ça vous fait rien qu'un bâtard porte vot' nom, j'suis capable d'attendre un an, pis d'aller m'accoter avec elle! Tu dis plus rien, la mère?

– J'suis trop bouleversée, j'ai des rougeurs, ma pression a monté…

– Ben, descends-la! T'as juste à t'faire à l'idée!

À ces mots, Joseph Gaudrin se leva et toisa son fils avec mépris.

– Écoute-moi bien, Ti-Guy, ouvre grandes tes oreilles. Si tu la maries, si tu changes pas d'idée, j'vais l'signer l'papier. Mais, après, tu décrisses où tu voudras avec elle pis j'veux p'us te r'voir de ma vie! Pire que ça, j'te déshérite pis j'te renie! C'est-tu assez clair, ça aussi?

– Joseph! Pour l'amour du ciel, parle pas comme ça, on n'a que lui! Fais-moi pas mourir drette-là, pis pense à ton angine! T'es vert, tu *shakes*…

Joseph se rassit, s'épongea le front, puis, regardant sa femme:

— J'retire pas un mot de c'que j'ai dit, Emma. Qu'y fasse c'qu'y voudra, mais j'le renie, j'le r'dis! Pis l'p'tit qui s'en vient avec! Toi, si t'es encore intéressée, ma femme, ben, t'iras vivre avec lui pis la grosse en ville! Parce que j'veux pas les voir par icitte! J'serai pas la risée d'Saint-Calixte, ça, c'est juré!

Emma, pensive, la larme à l'œil, le mouchoir à la main, regarda son fils et, suppliante, murmura:

— Tu vas pas nous faire ça, hein, Ti-Guy? Tu vas pas détruire notre belle famille pour elle... Si tu veux, on peut lui offrir de l'argent...

Furieux, frappant du poing la porte de l'armoire, il s'écria:

— Vous avez rien compris? J'vais être père! J'veux prendre mes responsabilités! J'veux faire ma vie, la mère! A commence, la mienne! J'ai pas d'angine pis d'la haute pression, moi! J'suis pas à deux doigts d'partir comme toi, l'père! J'arrive!

— P'tit écœurant! Après tout c'que j'ai fait pour toi! Après l'commerce que j'ai bâti à la sueur de mon front pour te l'laisser rôti dans l'bec! Maudit ingrat! Crisse de sans-cœur! Va-t'en, Ti-Guy! Parle-moi plus, c'est fini nous deux!. Prends tes économies pis l'vieux *truck,* pis va la r'trouver ta... T'auras même pas à t'battre pour ma permission, j'vais t'la signer drette-là! Pis si tu pars aujourd'hui, emporte tes affaires, rentre pas coucher à soir. T'es dans' rue, comprends-tu?

— Joseph! Pas ça! Vous allez m'faire mourir tous les deux!

— Toi, ma femme, va r'prendre ta caisse, pis fais comme si de rien n'était. Ouvre le magasin, on a perdu assez d'temps pis assez d'argent. Moi, j'ai fini avec lui! Quand y partira c't'après-midi, tu l'cajoleras comme tu voudras, mais moi, j's'rai pas là. Pis là, Ti-Guy, c'est la dernière fois que j'te r'garde en pleine face! Juste pour pas l'oublier! Juste pour m'en rappeler quand j'penserai au p'tit morveux qu'j'ai mal élevé!

Sur ces mots, Joseph Gaudrin passa la porte et se rendit à sa chambre avaler une pilule avant de regagner le magasin. La mère aurait voulu insister, mais Ti-Guy, le regard dehors, les mains dans le dos, lui dit:

— Rajoute rien, la mère, va ouvrir ta caisse comme y t'l'a demandé. Pis, t'en fais pas pour moi, j'vas m'débrouiller.

— J'ai l'impression de vivre un cauchemar, Ti-Guy… J'ai l'cœur à l'envers…

— Ben, remets-le à l'endroit, la mère, pis pense un peu à elle. Pauline a l'cœur au bord des lèvres chaque matin. Elle est malade comme un chien… Pis, si toi t'as l'cœur à l'envers, la mère, moi, j'l'ai encore à bonne place!

Vers deux heures de l'après-midi, ce même jour, Ti-Guy avait rempli des boîtes et des valises de ses affaires et fourré le tout dans le vieux camion bleu que son père lui avait cédé. Pas celui qui servait aux livraisons, mais le plus endommagé, celui qui était rouillé et qui avait besoin de réparations. Qu'importe! Ti-Guy s'en accommoderait. Habile de ses mains, il finirait par le remettre à neuf. Sur la table, il trouva le papier signé de son père lui permettant de se marier étant mineur. Un papier dont il aurait pu se passer, vu les circonstances, mais qui lui évitait d'aller débattre la cause jusqu'à l'archevêché et de leur quêter la dispense pour… leur péché. Emma Gaudrin surveillait son fils d'un œil, les clientes de l'autre. Elle voyait Ti-Guy charger le camion, mais elle faisait tout en son pouvoir pour que les clientes ne le voient pas. Elle ne voulait pas avoir à expliquer un tel «déménagement» précipité aux commères du village. Surtout pas à Gertrude qui, elle le souhaitait, était occupée à vendre des timbres et non, les bras croisés, le nez dans la fenêtre, à «écornifler»! Lorsque Ti-Guy eut terminé et qu'il s'apprêta à rentrer, Joseph disparut par la porte derrière menant à la maison. Il ne voulait pas assister aux adieux de sa «folle de femme», comme il l'appelait souvent, à son «crétin» de fils. La dernière cliente venait de sortir et Ti-Guy, nerveux, dit à sa mère:

– J'm'en vas, j'pars, tout est chargé, mais pas d'scène, la mère. Pas icitte! Une cliente pourrait rentrer…

– Ti-Guy!

– Non, commence pas, j'm'en vas pas m'faire électrocuter, j'm'en vas juste me marier. Pis si jamais tu veux d'mes nouvelles, t'en demanderas à Bob au *snack-bar* de Saint-Lin, c'est là que Pauline reste pour l'instant.

– Elle était pas chez sa sœur, Ti-Guy? demanda-t-elle mielleusement.

– Oui, un bout d'temps, mais l'autre l'a sacrée dehors!

– J'y ai ben pensé… Heu… Fais semblant de rien pis mets ça dans ta poche, Ti-Guy. Ça vient d'moi, pas d'lui!

– Non, la mère, pas d'argent! J'veux pas être en dette avec personne!

– Ti-Guy, pour l'amour! Prends-le pour le p'tit! C'est ton père qui t'a renié, pas moi… T'es encore mon p'tit gars, tu sais…

– Un homme, la mère, pas un p'tit gars! J'vais avoir vingt ans, syncope! Ça fait longtemps qu'j'ai p'us mes culottes courtes!

– Choque-toi pas, j'parle comme une mère, pis j'ai eu rien qu'toi, moi…

Ce disant, elle glissa une enveloppe dans sa poche en lui murmurant:

– Fais pas l'indépendant, Ti-Guy, vous allez en avoir besoin. Dis-toi qu'c'est pour l'enfant. Ça vient d'mes économies, j'en ai pas besoin…

– Ben, si t'insistes, mais j'avais aussi mon argent, tu sais…

– On n'en a jamais trop. Pis là, si jamais j'veux t're-joindre, tu vas aller où à soir? Pis demain?

– Cherche-moi pas pour un bout d'temps, la mère. Je t'donnerai d'mes nouvelles, j'te ferai signe… Mais laisse-moi l'temps…

– C'est correct, va-t'en astheure, pars avant que j'pleure… J'pensais jamais vivre ça… Surtout pas avec elle!

Constatant que sa mère s'apprêtait à mépriser Pauline une fois de plus, il prit la porte et, en deux enjambées, il était dans son *truck*. Le pied sur l'accélérateur, il fit avaler la poussière en traversant la rue Principale en trombe. Au point que, Gertrude, de sa fenêtre, eut à peine le temps de le reconnaître dans ce nuage couleur de terre. Biron, de son garage, le vit passer et, se tournant vers un client, s'écria: «C'est l'jeune Gaudrin, ça? Y'a-tu attrapé la rage?»

En cours de route, alors que les terrains de chaque côté étaient vacants, Ti-Guy immobilisa son camion et sortit l'enveloppe de sa mère de sa poche. Une somme de cinq cents dollars! Tout un cadeau! En coupures de dix, vingt et cinquante. Ajouté à ses trois cents dollars d'économie, c'était un départ moins rocailleux sur la route de l'inconnu. Pensif, songeur, il ne regrettait pas pour autant d'avoir été frondeur. Il eut certes préféré que son père lui donne sa «bénédiction», mais il savait qu'à la seule mention du nom de Pauline, ce serait une guerre sans merci. Il s'attendait à être déshérité, mais de là à être renié… Fier devant eux, mais penaud lorsque seul, Ti-Guy éprouvait un chagrin face à tout ce qu'il avait encaissé de son père, la gifle incluse. Il le savait malade, il n'aurait pas voulu empirer son état… Mais son père, plus orgueilleux que lui, n'avait vu que le nom des Gaudrin traîné dans la boue. Sans même s'attarder sur l'enfant qui le rendrait grand-père. Tout comme sa mère qui, possessive, eût souhaité que Pauline perde le foetus avant qu'elle ne s'empare de son fils, pour le lui reprendre avec véhémence. Un égoïsme à outrance. Et ce, depuis qu'il était tout petit. Que «trois» dans son nid d'amour, Joseph, Ti-Guy et elle! Pas même un brin de paille pour un «oisillon» encore... dans l'œuf! Pauline était pour ses parents le diable en personne, mais Ti-Guy savait qu'il aurait sans doute eu à débattre, peut-être moins, mais à débattre quand même, s'il leur avait annoncé qu'il épousait, à dix-neuf ans, une brave fille du village. Mais avec Pauline, «la Pauline», ils avaient tout avantage à ruer dans les brancards. La mère Gaudrin la détestait et le père la dédaignait d'avoir, jadis, débauché son fils dans la grange. Alors, un mariage avec la «pute» de la butte... Tout un affront! Et Ti-Guy, revivant le drame dans sa tête, réentendant les mots orduriers de son père, retrouvait peu à peu le souffle qu'il avait retenu de peine et de misère. Seul sur la banquette du vieux *truck,* il eut presque envie de pleurer. La querelle familiale l'avait fortement secoué. Et là, regardant à l'horizon, tentant de discerner son avenir, il ressentait une certaine hésitation. Il voyait certes un visage d'enfant, des petits bras tendus, mais il voyait aussi Pauline, la plus grande «pécheresse» du fruit défendu qui deviendrait sa femme devant Dieu et les hommes. Non pas qu'il la condamnait d'être si ardente, si brûlante, il en tirait parti, elle comblait tous ses vices. Mais ce qui l'ennuyait, ce qui le torturait, c'est qu'il allait donner son nom et sa vie à une femme... qu'il n'aimait pas. Du moins, pas comme on doit aimer lorsqu'on échange les anneaux. Il l'aimait bien, il «adorait» faire l'amour avec elle, mais il ne l'aimait pas. Trop lâche pour le lui dire en invoquant une certaine délicatesse, il n'avait pas osé mettre les cartes sur table. Parce qu'elle avait déjà le ventre rond, qu'elle faisait pitié, et qu'elle n'avait que lui sur qui compter.

Pauline sauta de joie lorsqu'elle vit le camion se stationner en face du *snack-bar*. Ti-Guy sortit, lui sourit et lui dit: «C'est arrangé, Pauline, pis ça va être long à t'raconter.» Bob, qui s'était empressé de lui servir un café, remarqua que le camion n'était pas celui des jours précédents. Un vieux camion bleu usé…

– T'as changé d'*truck*, Ti-Guy? As-tu eu des troubles avec l'autre?

– Non, l'autre, c'est celui du magasin pis, celui-là, c'est l'mien. Y'est plus usé, mais y m'appartient. Pis, en plus, Pauline, j'ai tout mon *stock* dedans. Je r'tourne plus chez mes parents.

Perplexe, ne sachant que dire, elle regardait Bob qui regardait Fleur-Ange.

– Qu'est-ce que tu veux dire? T'as tout sorti? T'es libre?

– Oui, pis on va pouvoir s'marier, Pauline, j'ai même réussi à arracher l'consentement du père. Pour c'qui concerne l'âge, j'veux dire…

– Aïe! Ç'a pas dû être facile comme ça! T'en as sûrement long à m'dire, toi!

– Oui, c'est pas l'mot, mais juste avant, j'aimerais demander à Bob si y peut m'héberger pour la nuit. N'importe où, Bob, même sur un matelas à terre dans l'*snack-bar*, j'suis pas r'gardant. Pis demain, on va partir, Pauline pis moi. On va aller faire un tour ailleurs, on a assez dérangé comme ça.

– Voyons, Ti-Guy, prends ça *easy*, prends au moins deux jours. Tu partiras dimanche si tu veux… Mais respire, t'es ici chez toi, mon homme!

Pauline était fébrile. Elle avait hâte de savoir ce qui s'était passé. Et comme ça ne regardait ni Bob ni sa femme, ces derniers leur suggérèrent d'aller régler tout ça dans le boudoir et de ne leur répéter que ce qu'ils voulaient bien leur confier. Ils n'avaient pas l'intention de s'immiscer dans leurs affaires, mais puisque Bob avait été le conseiller de Ti-Guy et Fleur-Ange, la confidente de Pauline, il était quelque peu normal qu'ils sachent à quoi s'en tenir au sujet de leur avenir.

Pauline entraîna Ti-Guy dans le boudoir où il s'alluma nerveusement une cigarette.

– Ta main tremble, ç'a-tu été si dur que ça? Leur as-tu dit…

– Laisse-moi r'prendre mon souffle, Pauline, c'est arrivé y'a pas trois heures. Un dîner avec eux pis j'étais dehors!

– Comment ça? Y t'ont maudit à la porte comme un bandit?

– Pas tout à fait, mais c'est moi qu'y'a fait sortir le père de ses gonds. J'ai même eu droit à une claque sur la gueule!

– Quoi? Pis tu t'es laissé faire? À ton âge?

– Pauline, syncope! J'étais quand même pas pour sauter sur mon père, y'est malade, y fait d'l'angine. Pis pense pas qu'ç'a pas été un choc pour eux autres! Surtout quand ton nom est venu sur le tapis…

– Ouais, j'imagine… Avec tout c'qu'on a dit d'moi là-bas… Ben, là, raconte-moi tout, j'veux savoir où on en est astheure! Le printemps s'en vient, faudra faire des projets.

Ti-Guy, nerveux, s'alluma une autre Sweet Caporal avec le mégot de la précédente et déballa devant Pauline le paquet d'm… que lui avait causé la divulgation. Les cris de sa mère, l'humiliation de son père. Il lui épargna tout ce qu'ils avaient pu dire d'elle, se contentant de lui avouer qu'ils ne la portaient pas dans leur cœur et que leur maison leur serait interdite.

Surtout de la part de son père. Il lui raconta avoir été déshérité, renié, et être parti avec «ses claques pis ses boîtes» et son peu d'argent personnel. Et il omit volontairement de lui parler de l'argent de sa mère. Pour ne pas que Pauline, ravie, altière, se prenne pour une... millionnaire! Il lui montra le papier signé par son père attestant son consentement, ce qui allait leur éviter des embêtements.

– Ben, y'a pas été si pire, y'a signé. Y doit pas m'haïr, y'a même été aimable avec moi quand y m'a voyagée l'année passée. Pour moi, avec le temps, ça va r'venir...

– Fais-toi pas d'idée, Pauline, le père peut pas t'sentir, pis la mère, c'est pire!

– Ben, ça, j'm'en sacre, c'est l'fils que j'marie, pas la famille! À propos, t'as pas changé d'idée, au moins?

– Non, j't'ai dit que j'allais prendre mes responsabilités, j'vais l'faire, Pauline! On va même s'marier icitte un samedi en vitesse. Ça va être moins compliqué que d'faire ça en ville.

– M'aimes-tu, au moins? Tu fais pas ça juste pour le p'tit, hein?

– Toi pis tes doutes! J'suis là avec mon *stock* pis mon *truck*, ça répond-tu à ta question, ça?

– Ben... oui. Mais j'ai été tellement échaudée dans ma vie. J'peux pas croire que j'vais enfin voir le bout du tunnel.

– Demain, Pauline, faudra commencer à préparer tes affaires.

– Pour c'que j'ai, c'est encore dans mes sacs... J'aurais une faveur à t'demander, Ti-Guy, juste une avant d'partir en ville.

– Oui, laquelle? Qu'est-ce que tu veux?

– J'voudrais r'tourner à Saint-Calixte une dernière fois. Juste pour une heure ou deux demain matin. J'voudrais r'voir la butte pis j'voudrais déposer des fleurs sur la tombe de l'ermite.

– T'es pas sérieuse, Pauline! Le père risque de m'voir…

– Ben, si tu contournes, si tu passes par le chemin d'terre pour se rendre à la butte. On sera pas là longtemps…

– Oui, mais l'cimetière est au village, Pauline. On doit prendre la rue Principale.

– Pis! On n'est pas des hors-la-loi, Ti-Guy! On a ben l'droit! Pis, avec un peu d'chance, en passant derrière l'hôtel jusqu'à chez Biron, on n'aura pas à passer devant l'magasin.

– Ouais… T'es sûre de vouloir aller là, toi? Pourquoi?

– Pour m'faire pardonner, Ti-Guy, pour avoir la conscience en paix avec Sam. Juste une prière, pis j'sens que j'vais dormir plus tranquille après. Comme c'est là, j'l'ai toujours dans la tête, j'le vois partout. J'sens que l'bon Dieu va m'mettre en paix avec lui.

– Bon, si c'est pour te faire du bien, on va y aller, mais faudra pas flâner là. Pis les fleurs, où c'est qu'tu vas les prendre?

– Y vendent des fleurs en papier crêpé d'l'autre côté, des pivoines pis des roses. J'vais leur demander d'm'en faire un bouquet.

Pauline dormit à la fois bien et mal cette nuit-là. Bien, parce que Ti-Guy, sur le matelas du boudoir, allait être son mari. Ce beau garçon de dix-neuf ans dont toutes les filles des fermiers de Saint-Calixte rêvaient. Ce merveilleux jeune homme qui faisait si bien l'amour et qui ne serait qu'à elle, plus à Madeleine. Ce gars aussi séduisant qu'un acteur débutant, qui ne lui reprochait pas ses bourrelets, ses varices et ses vergetures. C'était inespéré pour une fille qui, dernièrement, avait été insultée par deux voyous devant une foule de clients. Inespéré pour celle qui, en plus de tous ses désavantages, avait maintenant de la couperose sur les joues. Une couperose causée par la nervosité et que Ti-Guy n'avait même pas remarquée. Ti-Guy qui la comparait encore à Jane Wyman à cause de son nez retroussé. Ce qui lui permettait de manger et d'engraisser sans subir le moindre reproche. Surtout avec un bébé dans le ventre! Ce qui allait permettre à Pauline, aux yeux de tous, de manger... pour deux!

Mais parce que le souvenir de Sam la hantait chaque nuit, elle avait aussi mal dormi. Elle avait eu beau se cacher sous l'oreiller, elle l'entendait quand même lui demander: «Pourquoi?» Et elle le revoyait, torse nu, fendre du bois pour l'hiver. Elle revoyait la bassinette qu'il avait faite de ses mains, la balançoire, la tasse verte, le doigt-fesses... Puis, sans l'avoir vu comme l'avait vu la veuve, elle le voyait au bout d'une corde qui se balançait. Il était bleu, il était nu, il avait éventré son ourson d'un coup de couteau. Sans doute dans une crise de rage... Et il était probablement mort en la maudissant, en lui jurant vengeance... Ce qui faisait que Pauline, en sueur, se levait maintes fois en tremblant, pour se délivrer de ce terrible cauchemar.

Puis, sortant de sa torpeur, se souvenant que Ti-Guy dormait dans le boudoir à dix pieds d'elle, elle eut envie de le rejoindre, d'amoindrir ses peurs sur son corps et de lui dire à quel point elle l'aimait, gestes à l'appui. Mais, refermant les yeux, elle préféra se rendormir sur ce suave rêve. Elle n'aurait pas voulu que Fleur-Ange ou l'une de ses petites soit dérangée par des bruissements de draps. Et elle savait que Ti-Guy n'aurait pas prisé la voir se déchaîner sur lui. Surtout pas après la pire journée de sa vie, pris entre le remords d'avoir quitté le nid et sa feinte d'amour envers elle. Pris entre le marteau et l'enclume, mais pour un enfant à naître qu'il aimait déjà.

Levée, lavée, habillée, coiffée, il était à peine huit heures lorsqu'elle alla réveiller Ti-Guy qui aurait certes dormi tout l'avant-midi. Elle voulait se rendre tôt à Saint-Calixte; elle voulait se délivrer du mal qui la rongeait et, dès l'ouverture du magasin d'en face, elle acheta trois pivoines blanches et une rose rouge de papier. Elle en fit un bouquet qu'elle scella d'un ruban et y inséra une petite carte sur laquelle elle avait inscrit: *Avec ma prière, Sam.* Et c'était signé *Pauline*, que cela. Prête, tournant en rond après avoir copieusement déjeuné de crêpes avec du sirop de «blé d'Inde» et de deux œufs pochés avec rôties et confiture, elle pressa Ti-Guy de manger. Elle le poussa tellement dans le dos que Bob, témoin de la scène, lui dit:

– J'sais pas si c'est une bonne idée d'aller là, Pauline…

– J'y tiens! C'est pour mon bien, pis Ti-Guy est d'mon avis!

Bob n'ajouta rien. Il n'avait guère prisé le ton qu'elle avait employé, mais, mine de rien, il se tut pour Ti-Guy. Il n'aurait pas souhaité que Fleur-Ange entende… Après tout ce qu'ils avaient fait pour elle, pour eux. Et pour ajouter à leur déception, Ti-Guy ne leur avait rien dit de sa confrontation avec son père. Comme s'ils avaient été de purs étrangers. Et comme Pauline n'avait pas la langue plus déliée, il en prit son parti, mais un goût amer lui resta sur le cœur. Et pourtant, ce malentendu, cet oubli de la part des tourtereaux n'était dû qu'à leur jeune âge. Ils n'avaient pas pensé, tout simplement, que Fleur-Ange et Bob avaient été du complot. Pour eux, c'était comme s'ils étaient au courant de tout ce qui s'était passé sans leur avoir rien dévoilé. Et ce n'était pas méchamment que Pauline avait répondu furtivement à Bob. Elle voulait tout simplement éviter de lui dire qu'elle tenait à ce retour à Saint-Calixte, afin d'implorer sur la tombe le pardon d'un homme qu'elle avait fait mourir. Elle n'avait qu'abrégé d'un ton sec, dans la crainte qu'il se doute et se méfie. Car Pauline, à l'instar de Ti-Guy, aimait de tout son cœur Fleur-Ange et Bob. Et ils allaient le leur prouver en leur demandant, quelques jours plus tard, d'être les témoins de leur discret mariage.

Mais, ce matin-là, à bord du camion, bouquet entre les mains, Pauline Pinchaud était nerveuse et agitée. Le seul fait de revoir Saint-Calixte lui donnait la chair de poule tout en lui mettant le cœur en boule. Tant de souvenirs, tant d'images, tant de passion, tant de… mensonges. C'était comme si elle allait se retrouver sur les lieux de son crime. Par un chemin rocailleux, peu emprunté, Ti-Guy contourna le village et atteignit la butte. Sur les lieux, l'Anglais, le nouveau propriétaire venu de l'Ontario, tira son rideau et sortit lorsqu'il aperçut ce camion bleu qui lui était inconnu. Puis, reconnaissant Ti-Guy qui effectuait souvent des livraisons, il lui sourit et lui demanda, en cassant le français, ce qui l'amenait de si bonne heure sur la butte. Ti-Guy lui présenta Pauline comme une cousine et lui dit qu'elle venait souvent se baigner au lac «dans l'temps» et qu'elle avait manifesté le désir de revoir son lieu de «vacances». Poli, courtois, l'homme les invita à entrer, mais ils refusèrent, prétextant être assez pressés. Pauline avait néanmoins remarqué que le «chalet» de la veuve avait pris un «coup d'jeune». Réparé, rénové, repeint, elle avait pu constater par la porte entrouverte que tout avait été modifié et qu'il ne restait plus aucune trace «d'elle» et de… Piquet. Ils allaient s'éloigner lorsque la porte se rouvrit et qu'une magnifique jeune fille de dix-sept ou dix-huit ans sortit, tout en brossant ses longs cheveux blonds. Une superbe petite déesse que Ti-Guy déshabilla des yeux. Il l'avait certes vue lors de ses livraisons, mais de loin, jamais en face de lui comme en ce matin. Une fille qui leur sourit et que l'homme présenta comme Betty, leur benjamine. L'épouse qu'on pouvait apercevoir quelque peu à l'intérieur, ne daigna pas sortir. Betty sourit à Pauline, regarda Ti-Guy avec plus d'insistance et poussa de ses mains sa longue crinière dans son dos, tout en surélevant sa poitrine. Ce qui n'échappa pas à Ti-Guy et qui mit Pauline franchement mal à l'aise. Sans oser le dire, elle avait l'impression d'être en face de… Veronica Lake! Tirant Ti-Guy par la manche, ils remontèrent dans le camion et se dirigèrent vers le lieu voisin où, hélas, il ne restait plus rien. Elle ne vit qu'une espèce de trou où les dernières neiges fondaient. C'était l'endroit où était érigé le shack, pas plus tard que l'année dernière. Elle descendit, fit quelques pas, scruta le sol, et son pied s'enfonça légèrement dans la boue. Prise de panique, elle remonta à toute vitesse dans le camion. Pour un instant, elle avait cru que c'était la main de Sam qui l'empoignait à la cheville pour l'attirer dans ce trou qui lui semblait mouvant.

— On part d'icitte et vite, Ti-Guy! J'en ai des frissons jusque dans l'dos!

— Voyons donc, Pauline! Tu m'as fait faire tout c'millage-là pour rester deux minutes sur place? R'garde! L'arbre qui soutenait ta balançoire est encore là! Y'a même un p'tit bout d'corde qui est resté après une branche…

— Ti-Guy, viarge! Fais-tu exprès? Tu l'sais qu'j'ai peur d'ces histoires-là! Pis, j'suis pas ben icitte! Recule, on s'en va, j'l'ai assez vue, la butte! Y m'semble le voir partout, lui! D'la même manière que j'voyais sa femme, Clarisse, partout, pendant qu'j'étais là! Moi, les fantômes, les esprits, j'crois à ça… Pis là, j'ai peur, j'tremble…

— Ça va, énerve-toi pas, on s'en va, mais j'me d'mande ben comment tu vas faire au cimetière, si t'as peur des r'venants….

— Ben, on va faire ça vite, on va pas moisir là… C'est drôle, mais juste le fait d'être à Saint-Calixte, ça m'rend plus malade que j'le suis! Mes nausées sont plus fortes... J'ai trop d'mauvais souvenirs ici.

Des mauvais souvenirs certes, mais aussi des bons car, dès que le camion recula, Pauline aperçut le lac Bellevue, la berge, la grosse roche sur laquelle elle se faisait «griller», la chute d'eau... Elle revoyait Piquet avec sa bière, la veuve avec son costume de bain jaune... Puis, elle se revoyait dans l'eau, alors que Sam lui apprenait à nager avec, d'abord, une main sur le ventre, le doigt-fesses sur la cuisse, tout près, tout près... Revivant ces moments, Pauline laissa échapper un soupir puis se surprit à sourire de... contentement.

— Pourquoi tu souris? lui demanda Ti-Guy, tu t'es r'vue avec lui?

— Aïe! Pas jaloux d'un mort, au moins, Ti-Guy Gaudrin? C'est moi qui devrais être jalouse! Penses-tu que j't'ai pas vu r'luquer la p'tite blonde d'la butte? Assez effrontée, la Betty, a t'faisait d'l'œil en s'sacrant d'moi!

— Ben, j't'ai présentée comme ma cousine...

— Pas grave! C'est une voleuse de *chum*, ça lui est marqué dans l'front! Est peut-être ben faite, mais a m'a pas l'air d'avoir du plomb dans' tête. Pis toi, tu la mangeais des yeux! Viens pas m'dire que tu l'avais jamais r'marquée en livrant tes commandes. Ça m'surprendrait même pas qu'tu l'aies plantée!

— Pauline, syncope! Tu parles comme une fille *cheap* du bas d'la ville! Tu devrais surveiller tes paroles, t'attends un enfant, tu vas être ma femme... Pis va falloir qu't'apprennes à m'faire confiance, j'couche pas avec toutes les filles que j'croise, moi! J'suis pas un dégénéré! J'suis pas Marande, moi!

— Tiens! Fallait qu'y r'vienne sur le tapis, lui! On arrête ça là, Ti-Guy, parce que si ça continue, on va finir par croire que c'est mal parti, toi pis moi.

– Bon, ça va, mais tu m'as toujours pas dit pourquoi tu souriais, Pauline…

– J'souriais, parce que j'revoyais la veuve descendre la côte avec sa serviette, son costume de bain jaune, la peau pis les os, la cigarette au bec. Mais j'devrais pas rire, parce que si j'ai peur des morts, j'ai peur aussi des… squelettes.

– Bon, on s'en va, Pauline, mais là, j'ai pas l'choix que d'prendre la rue Principale si j'veux m'rendre au cimetière. Y'est déjà neuf heures, les gens sont debout au village, on risque de s'faire voir…

– Pis? J'm'en sacre astheure! On n'a rien fait d'mal, Ti-Guy. On n'est quand même pas r'cherchés par la police, non? Alors, au diable la paroisse, on y va pis on s'fera voir par qui aura le nez assez long pour le mettre jusque su'l' trottoir!

Ti-Guy emprunta la route derrière l'hôtel pour éviter de passer devant le magasin de son père, mais déjà, plusieurs paroissiens qui revenaient de la messe l'avaient reconnu sans distinguer la personne à ses côtés. Ils arrivèrent au cimetière et Ti-Guy s'empressa de conduire Pauline jusqu'à la tombe où reposait l'ermite par-dessus Piquet qui, lui, était par-dessus le premier mari de Charlotte. On aurait pu le «détasser» puisque le petit bout de terrain contenait quatre places, mais la veuve préférait attendre d'aller tous les rejoindre, d'enfoncer le premier et Piquet au fond, et de dormir éternellement au-dessus, à côté de Sam, le seul qu'elle avait aimé… des trois hommes de sa vie.

Pauline jeta le bouquet sans même se pencher. Elle avait peur, elle «le» sentait si près, elle aurait juré l'entendre la vilipender… C'est Ti-Guy qui, à genoux, appuya les fleurs de papier sur la pierre tombale tout en y déposant la carte. Pauline, nerveuse, la tête de tous côtés, lui dit:

– Viens-t'en! On part d'ici! J'en ai assez... J'aurais pas dû venir!

– J'te l'avais dit, Pauline, mais t'as la tête dure...

– Oui, mais là, comme j'me sens moins fautive, pardonnée, j'aime mieux m'en aller pis oublier...

– T'as même pas fait une prière, t'as même pas fermé les yeux...

– J'en ai fait une dans ma tête, pis c'est assez! Viens-t'en, j'en peux plus d'être figée debout icitte, on dirait qu'la terre remue!

Prise de panique, elle tourna les talons et courut jusqu'au camion. Ti-Guy la rejoignit et, la prenant dans ses bras, lui dit:

– Calme-toi, Pauline! C'est pas bon pour l'enfant, d'l'énervement! Monte pis prends un grand respir. Pis, fie-toi sur moi, tu vas voir, tu vas être loin d'icitte dans pas grand temps.

Le camion descendit lentement la côte et, à la porte grillagée, s'immobilisant par mesure de sécurité, quelle ne fut pas la surprise de Pauline d'apercevoir en face d'elle la veuve et Gertrude qui se dirigeaient vers le cimetière. La veuve était devenue blême, puis rouge de colère. Elle semblait injurier Pauline qui ne comprenait pas ce qu'elle disait. Ti-Guy voulut démarrer, mais Pauline lui dit:

– Non, attends, j'descends ma vitre, j'veux l'entendre, la vieille chipie!

Et, ce faisant, elle entendit la veuve qui, se rapprochant, lui dit:

– J'pensais jamais qu't'aurais l'front de te r'montrer par icitte, toé! T'as même osé aller sur sa tombe après l'avoir tué? Ben, plus effrontée, plus vache... Pis toi, Ti-Guy, t'es son complice?

Ti-Guy n'eut pas le temps de répondre que Pauline partit le bal.

– Moi, vache? Pis toi, la veuve? Toujours aussi maigre, toujours aussi laide avec ta face de carême! Si Sam s'est tué pour moi, c'est pas d'ma faute! Dieu ait son âme, mais chose certaine, y se s'rait jamais tué pour toi, la veuve! Y pouvait pas t'sentir! Tu l'écœurais avec ton haleine de pourriture, tes dents jaunes pis tes pattes croches!

– Toé, si j'me r'tenais pas! Si j'avais su qu'tu t'montrerais la face, j'serais v'nue avec la carabine, grosse truie!

– T'as tout gardé d'lui, hein? Même le dictionnaire! Pis t'as jeté le cœur d'argent au feu, pis t'as mis les alliances en morceaux. J'ai tout su, la veuve, pis ça m'surprend pas d'toi! Tu r'viens d'la messe, hein? On t'prend pour une sainte femme au village, mais a l'sait-tu, la Gertrude, c'que tu faisais avec Sam avant qu'j'arrive? A l'sait-tu qu'ta langue était pas juste faite pour commérer? A l'sait-tu c'que tu mangeais avec?

– Pauline, arrête!

– Non, laisse-moi aller, Ti-Guy! On m'a assez fait passer pour la pute d'la butte, qu'y est temps qu'on sache qu'avant moi, c'était elle qui s'mettait à quatre pattes devant lui! Su'l' bord du lit! Y s'la passaient, Piquet pis Sam! C'est elle qui les soulageait, le dentier dans une main, le g'nou su'l'coussin!

Charlotte faillit s'évanouir face aux accusations. Devant Gertrude! Cette dernière avait fait mine de détourner la tête, de se laver les mains de tout ce qui se disait pour mieux s'ouvrir la «trappe» après, lorsque Pauline, l'apostrophant, lui dit:

– Pis toi, la Gertrude, ça t'arrive souvent d'ouvrir des lettres privées?

– Pas mal effrontée, toi! Tu m'dis «tu» pis j'suis assez vieille pour être ta mère!

– Moi, l'«vous», j'le garde pour les personnes respectables, pas pour celles qui ouvrent des lettres confidentielles pis qui les font circuler! Sais-tu qu'ça pourrait t'coûter cher une offense comme ça? Si j'te dénonce aux Postes Royales, tu viens d'perdre ton bureau d'poste, ma vieille!

Blême, tremblante, bégayant, Gertrude lui répondit d'un ton larmoyant:

– J'y ai pas pensé, Pauline, j'l'ai ouverte parce qu'y était mort... J'voulais pas la montrer à personne, mais c'est ta mère, Ti-Guy...

– Perds pas d'temps avec elle, Pauline, tu vois ben qu'a sait p'us c'qu'a dit...

Par ces mots, Ti-Guy, à cause de «l'argent», voulait protéger sa mère de la haine de Pauline. Car il était vrai, il le savait, que c'était sur les insistances d'Emma Gaudrin que la lettre avait circulé au village. Constatant que la veuve voulait s'éloigner pour ne pas en entendre davantage, Pauline lui dit d'un ton ferme:

– Pis là, j'ai une bonne nouvelle pour toi, la veuve! Pis pour toi aussi, Gertrude! J'suis sûre que l'téléphone va pas dérougir après! J'tiens à vous annoncer que Ti-Guy pis moi, on va s'marier. Pis, pas plus tard que dans deux semaines! Parce que j'attends un p'tit, pis qu'c'te fois-là, c'est d'lui!

– Pauline! Maudit, arrête! C'est pas nécessaire de mettre mes parents dans l'embarras...

– Quoi? Tu veux les épargner? Y t'ont renié, Ti-Guy! Ton père t'a déshérité pis ta mère a gardé la tête basse pour pas s'en mêler! Pis ton père t'a renié avec une claque sur la gueule, Ti-Guy! Faut qu'Gertrude le sache, voyons! Ta mère va pas emporter un si grand secret dans sa tombe!

La veuve, folle de rage, meurtrie de voir Pauline garder le haut du pavé, s'écria en regardant Ti-Guy:

– T'as pas fait ça, Ti-Guy? T'as pas fait un p'tit à c'te grosse-là? Si c'est l'cas, t'as l'cœur fort en maudit, toé! Elle pis ses démangeaisons... Y'as-tu r'gardé la face, au moins? Des boutons, d'l'urticaire... Pis l'reste, ses microbes...

Pauline faillit ouvrir la portière et ruer la veuve de coups, mais Ti-Guy la retint en répondant à Charlotte:

– J'ai pas besoin d'ton opinion, la veuve! Pis pour c'que tu viens de dire, t'as du cran en chien! Pauline, a s'lave elle, a prend sa douche, a porte du parfum! A l'attend pas qu'le lac dégèle pour aller s'tremper l'cul une fois par année, elle!

– P'tit mal élevé! P'tit vaurien! Tu vois, Gertrude, j'te l'avais toujours dit, chaque guenille trouve son torchon! Pis... chaque truie son cochon!

Les mots «gras» fusèrent, les «sacres» suivirent, mais Ti-Guy, agacé, riant tout de même dans «sa barbe», pesa sur l'accélérateur et reprit la route de Saint-Lin. Pauline, à ses côtés, jubilait encore.

– La vieille guenon! L'as-tu vue, Ti-Guy? Elle était si en maudit qu'elle avait d'la bave au menton! Vieille morue! Vieille ordure! Pis l'autre, la langue sale, j'l'ai r'mise à sa place, non? Elle a eu assez peur quand j'lui ai parlé des Postes Royales qu'un peu plus a chiait dans ses culottes!

– Pauline, change de vocabulaire! Tu parles comme un bûcheron!

– Oui, j'sais, mais moi, en maudit, j'oublie qu'j'ai été élevée avec des belles manières.

Revenues quelque peu de leur stupeur après l'altercation, la veuve et Gertrude se dirigèrent jusqu'à la pierre tombale de Sam et des... deux autres. Se penchant, la veuve se saisit du bouquet de fleurs, lut la carte et, dans un geste de colère, la déchira pour ensuite piétiner, de ses deux pieds remplis d'arthrite, les pivoines et la rose de papier crêpé. Puis, pour impressionner davantage la plus grande commère de la paroisse, elle sortit un briquet de son sac à main et fit brûler le tout jusqu'à ce que les cendres se dispersent sur l'inscription: SAMUEL BOURQUE 1888-1949.

– Grosse maudite! V'nir jusqu'icitte pour y garrocher des fleurs de papier! A pense-tu que l'bon Dieu va la pardonner avec ça? Après tout c'qu'a m'a dit d'vant toé, Gertrude, à deux pas du cercueil de Sam! C'est l'diable avec sa fourche qui l'attend, la truie! Pis son Ti-Guy avec! Pis j'me d'mande comment a l'a fait pour mettre la main sur lui! Y'est-tu aveugle, c'te p'tit morveux-là? Y'a-tu besoin d'lunettes? Est plus grosse que jamais, pis as-tu r'marqué, Gertrude, a l'a les deux joues brûlées! C'est pas d'l'urticaire, j'connais ça, c'est plutôt une maladie honteuse qui lui sort par là!

Puis, s'assurant qu'aucun pétale du bouquet brûlé n'ait subsisté, elle se tourna vers Gertrude pour lui dire:

– Viens-t'en astheure! Y reste plus d'traces!

Elles redescendirent la côte et, comme si de rien n'était, Gertrude regarda le ciel et les premiers nuages doux d'avril. Tout en s'imaginant dans sa tête, Charlotte, la veuve, sa pieuse amie, en train de soulager l'ermite comme l'avait si bien décrit Pauline. Puis, elle pressa le pas, elle avait hâte de rentrer chez elle et d'aviser tout le village, Hortense incluse, que le p'tit Gaudrin avait fait un p'tit à Pauline et qu'il allait la marier. Et elle avait surtout hâte de voir la réaction d'Emma lorsqu'elle lui dirait de vive voix ce que «dame Gaudrin» avait sans doute l'intention de lui cacher à tout jamais. Elle avait hâte, tellement hâte, de la féliciter d'être bientôt... grand-mère. Et, malgré les supplications de Charlotte, malgré sa promesse de garder le secret, de ne rien divulguer des «mensonges» de

Pauline concernant ses «indécences» avec Sam et Piquet, Gertrude se mourait de le murmurer discrètement, très discrètement, à Hortense qui, scandalisée, allait certes en faire part au nouveau curé.

Chapitre 6

De retour à Saint-Lin, sans divulguer quoi que ce soit de leur mauvaise rencontre à Saint-Calixte, Pauline et Ti-Guy acceptèrent le dîner que leur offraient Fleur-Ange et Bob. En début d'après-midi, ils se rendirent à pied chez le bijoutier du village et, en cours de route, Pauline aperçut les plus vieux de sa sœur qui promenaient son «gros bébé triste», son Édouard qu'elle n'avait pas revu depuis son départ. Elle voulut s'élancer vers eux mais, la voyant approcher, le plus vieux se mit à courir en tirant la marchette et en lui criant: «Non, maman veut plus qu'tu voies Édouard, ma tante! A l'a dit que t'étais du poison!» Pauline s'arrêta, s'agrippa à un arbre et une larme coula sur sa joue. Une larme de chagrin comme elle en avait rarement. Une larme suivie de plusieurs autres parce que «son gros», ayant reconnu sa voix, s'était étiré le cou pour la voir et avait même tendu un bras en sa direction. Ce qui lui avait crevé le cœur. Pauline sentait qu'Édouard s'ennuyait d'elle autant qu'elle de lui. Elle aurait juste souhaité le prendre dans ses bras, le serrer sur sa poitrine, l'embrasser sur la joue, sentir sa petite main potelée dans la sienne. C'était la première fois qu'elle s'attachait à un enfant de la sorte. C'était comme si ce petit garçon, avec à peine quelques cheveux sur le crâne, l'avait envoûtée de son divin charisme. Il s'était établi une telle complicité entre elle et lui… Ti-Guy, constatant que Pauline était bouleversée, la prit par les épaules et lui dit tendrement en la serrant contre lui:

– Fais-toi pas d'bile avec ça, Pauline. Je sais que tu l'aimes, ce p'tit-là mais, bientôt, t'en auras un juste pour toi et celui-là, personne te l'enlèvera. Une belle chipie, ta sœur! Dire à ses enfants qu'leur tante, c'est du poison! Elle, on la barre de not' liste à vie, Pauline!

– Oui, tu peux l'dire! Pis son écœurant d'Léo aussi! Mais si jamais le p'tit dernier est dans' misère… Lui, j'pourrai jamais l'renier, Ti-Guy.

Chez le bijoutier, ils trouvèrent deux joncs dépareillés, mais attrayants et de bonne qualité. De l'or marqué du sceau de 10 carats. Et, par bonheur, Pauline en trouva un qui se faufila autour de son gros annulaire. Deux pointures de plus que celui de Ti-Guy! Le bijoutier leur offrit les écrins et ses vœux et, voyant que le jeune marié était encore ou presque un adolescent, il lui accorda un rabais de dix dollars que Ti-Guy apprécia. Puis, anneaux dans sa poche, ils se dirigèrent vers le presbytère du village afin d'y rencontrer le curé. Un bon vieux curé qui, apprenant que Pauline attendait un enfant et qu'ils avaient tous deux les papiers nécessaires pour leur mariage, accepta de les unir le samedi suivant… dans la plus stricte intimité. Il était décidé que Bob allait servir de père à Pauline, mais comme Ti-Guy ne pouvait compter sur son propre père, le curé lui proposa le bedeau, un bon père de famille, pour tenir ce rôle auprès de lui.

En plein après-midi, ils se dirigèrent jusqu'au restaurant de la grand-route, celui avec les cabines, et Ti-Guy, parlementant avec le patron, son ami, obtint une cabine avec une douche, cette fois, pour la moitié du prix et ce, jusqu'à ce qu'il se trouve un gîte ailleurs. Pour ce qui était des repas, il leur offrit un léger rabais. Il aurait accepté de les nourrir en échange des services de Pauline à la cuisine, mais Ti-Guy s'y objecta. Il tenait à ce que sa future femme, enceinte, se repose et garde toutes ses forces. Ce à quoi Pauline ne s'opposa pas. Elle préférait de beaucoup s'étendre avec un petit roman à l'eau de rose plutôt que d'avoir les deux mains dans les plats graisseux des éviers. Et pour une fois, la future madame Gaudrin se sentait fort aise d'être traitée en... touriste! Ayant déposé leurs bagages dans la cabine numéro 2, Ti-Guy, songeur, quelque peu anxieux, lui dit:

— C'est ben beau tout ça, Pauline, mais on n'a pas les moyens d'passer un mois ici, *bargain* ou pas. Va falloir trouver une solution.

— Ben, pour ça, j'te fais confiance... J'ai aucune idée, moi...

— T'as pensé à rien? Tu penses jamais à rien, Pauline?

— Ben... non... J'connais personne pis j'suis pas un homme, moi!

— Bon, ça va, j'vais tout prendre en main. J'pense que j'ai déjà une idée, Pauline. Si ça pouvait marcher, ça s'rait une solution pis ça m'enlèverait un poids d'sur les épaules.

— Quoi donc?

— Tu vas appeler Jovette, tu vas m'la passer, pis j'vas prendre la relève. Avec ses connections, j'suis sûr qu'a peut m'trouver une job quelque part.

— L'appeler? J'y parle plus, Ti-Guy! A m'a traitée comme la dernière...

— Arrête ça! l'interrompit Ti-Guy. Jovette en a fait en masse pour toi, Pauline! Elle t'a eue sur les bras, elle t'a jamais laissée

Pauline Pinchaud, servante

dans la rue, elle. Compare pas Jovette avec ta chienne de sœur! Elle a bon cœur...

– Oui, c'est vrai, je l'sais, mais ça m'gêne de l'appeler... Pis va falloir que j'lui annonce pour le bébé. A va mal me juger, a va penser...

– Bon, arrête ça là pis donne-moi son numéro de téléphone. J'vais l'appeler, moi! J'vais tout lui dire pis comme j'l'ai souvent protégée...

– Aïe! Tu vas pas r'commencer ça, par exemple! lança Pauline, jalouse. Pis... maudit que j'suis folle de penser ça! A vit avec Carmen, a l'a changé d'bord... Son numéro, je l'ai dans ma sacoche, mais a sera pas là avant à soir.

– J'vas l'appeler pendant la soirée pis j'espère que ça va marcher... Sinon, on va en arracher pour un bout d'temps. Surtout en ville...

– Ben, si a peut rien faire, Ti-Guy, on louera une chambre pis j'irai faire des ménages dans des maisons privées. Pour un bout d'temps, au moins... En autant qu'on puisse bien manger, on s'privera sur le reste.

– Tiens! Pour une fille qui avait pas d'idées... T'en as, astheure?

– Ben, ça m'arrive... Mais, j'suis sûre que Jovette va pas nous laisser tomber!

Le soir venu, après que Pauline eut mangé pour «deux», et Ti-Guy, très peu, ce dernier demanda au patron s'il pouvait placer un appel privé à Montréal, quitte à le dédommager selon le temps alloué. Heureux de les aider, le commerçant accepta et c'est finalement Pauline qui composa le numéro de Jovette. C'est elle qui devait faire les premiers pas.

– Oui, allô?

– Jovette? C'est Pauline! J'te dérange pas, j'espère?

176

– Heu… non, mais j't'avoue qu'ton coup d'téléphone me surprend.

– Oui, j'imagine, mais sois pas rancunière, on a toujours été des amies…

– Rancunière? Moi? Pauline Pinchaud! C'est toi qui boudes pour un rien et qui donnes plus signe de vie pendant des mois! Tu m'appelles d'où, là? J'suppose que t'es encore mal prise? Ta sœur pis toi…

– Oui, c'est fini, elle pis moi, mais j'l'ai pas cherché! C'est son pas bon d'mari qui voulait m'faire une passe!

– Encore un autre? Dis donc, t'attires rien qu'ça, toi? Pourtant…

– Pourtant quoi? Qu'est-ce que tu veux dire par ça?

– Rien, Pauline, on va pas r'commencer… Mais tu m'appelles d'où? Tu m'as rien dit encore.

– J't'appelle d'un restaurant entre Montréal pis Saint-Lin. J't'appelle pour te dire que j'suis encore enceinte, mais tombe pas su'l' derrière, j'sais qui est l'père. Y'est avec moi.

– C'est qui, Pauline? Un autre coup d'foudre en passant?

– Non, Jovette, c'est Ti-Guy pis y'est juste à côté d'moi. De plus, on va s'marier samedi qui vient pis, astheure, si tu veux bien, c'est à lui qu'tu vas parler. Moi, j'voulais juste…

Jovette, qui n'avait rien dit mais qui avait failli échapper le récepteur dans sa stupeur, lui demanda avant qu'elle s'éloigne du cornet:

– Pauline! Tu l'as pas embarqué, au moins? Pis ses parents…

– C'est à lui qu'tu devrais poser ces questions-là. J'te l'passe, Jovette.

Guy Gaudrin, timide, maladroit, impressionné par Jovette même s'il avait déjà partagé sa couche, lui dit d'une voix à peine audible:

– Bonsoir, Jovette. J'suis content de t'parler... Ça va bien, toi?

– Oui, ça va, mais parle plus fort, c'est un longue distance.

– Écoute, c'que Pauline t'a dit, c'est vrai, on s'marie...

– Ti-Guy, fais mine de rien, pis réponds-moi par un oui ou un non, c'est elle qui est allée t'provoquer, hein? C'est elle qui s'est arrangée pour...

– Non! trancha Ti-Guy. Pis, devant Pauline, j'te dirai qu'c'est moi qui l'ai relancée jusqu'à Saint-Lin. A m'a pas tordu l'bras, Jovette.

– Ben, là, j'comprends encore moins...

– Mon père pis ma mère avec, y m'ont crissé dehors, Jovette!

Jovette aurait voulu lui demander s'il avait été en peine à ce point-là. Lui, si jeune, si beau. Elle si... Mais elle se retint par respect pour Pauline.

– Tes parents t'ont sacré dehors? J'peux pas l'croire! Ta mère, son p'tit gars...

– Elle, c'est pas trop pire, elle m'a même...

Il arrêta sec. Il avait failli avouer, devant Pauline, que sa mère l'avait avantagé d'une assez forte somme d'argent.

– Elle, quoi? T'allais dire quelque chose... Es-tu encore là, Ti-Guy?

– C'que j'voulais dire, c'est que c'est l'père qui m'a sacré dehors cul par-dessus tête... Y m'a même renié, déshérité, pis ma mère pleurait, elle... Mais c'est trop long à t'raconter sur un longue distance.

– Bon, ça va, on en reparlera. Qu'est-ce que j'peux faire pour toi, Ti-Guy?

– Ben, j'sais pas, mais comme t'es ben placée, j'me d'mande si tu pourrais pas m'trouver une job dans les cigares.

– Ça s'peut, t'es un gars vaillant, mais du jour au lendemain… Pis où est-ce que vous allez habiter, vous deux?

– Pour ça aussi, j'aurais besoin d'ton aide. Un p'tit logement n'importe où… Pas trop loin d'la job si je l'ai, mais j'ai
mon *truck*, le vieux *truck* bleu, mais y roule, c'est mieux que
rien…

– Ah, toi! Qu'est-ce que j'ferais pas pour toi, mon p'tit
verrat! Mais faut dire que t'en as fait pour moi pis, ça, j'l'ai
pas oublié. Mais si j'm'attendais à un téléphone comme ça!
Toi pis Pauline… Presque mariés! Tu… tu l'aimes, au moins?

– Heu… ouais, mais c'qui compte, c'est le p'tit qui s'en
vient, pis celui-là, y'est d'moi, Jovette. Y'a pas à en douter.

– Bon, écoute, tu t'maries, tu descends à Montréal, pis si
j'ai pas trouvé d'logement, j'vous hébergerai pour une semaine
ou deux.

– Non, pas ça, Jovette. T'es pas seule, Pauline me l'a dit.

– Ben, tant mieux! Ça m'fera ça d'moins à t'apprendre,
mais si j'te dis que j'vais vous héberger, c'est parce que j'ai
pas d'permission à demander, tu m'comprends? Faites-vous-
en pas, j'suis là!

– Ça t'tenterait pas de venir assister à not' petit mariage
intime? Pauline aimerait ça, moi aussi…

– Écoute, Ti-Guy, j'aimerais ben ça, mais j'peux pas m'montrer dans les parages. Si y fallait que j'croise mon écœurant
d'père… Pis, l'coin, Saint-Lin ou Saint-Calixte, ça m'rappelle
juste des mauvais souvenirs. Pis j'pourrais pas m'sauver d'aller là sans traîner Carmen, pis ça, j'veux pas. Tu vas comprendre quand tu vas la voir… Une bonne personne, Ti-Guy,
mais… Pauline sait c'que j'veux dire.

– Heu… tu parles comme ça devant elle? A t'entend pas,
Jovette?

– Voyons, Ti-Guy! J'sais vivre! Carmen est sortie, elle est partie chez le médecin, ça file pas, elle est constipée depuis… Pis, laisse faire ça!

– Ben, là, faut que j'te laisse, Jovette, sinon ça va m'coûter les yeux d'la tête.

– Parfait, Ti-Guy, pis rappelle-moi samedi après l'mariage. J'aurai peut-être des bonnes nouvelles. Dis bonjour à Pauline pis oubliez pas d'prendre un beau portrait d'noces.

– Bob, le restaurateur, a un maudit bon Kodak. Merci, Jovette, merci d'avance.

– De rien, Ti-Guy, pis j't'embrasse… Pauline aussi! Pis j'ai hâte de vous voir!

Pauline était heureuse de la tournure des événements. Elle savait que Jovette n'allait pas rester insensible à Ti-Guy. Il l'avait tant de fois sauvée de «mauvais draps» en se glissant sous les siens. Voyant qu'il laissait échapper un soupir de soulagement, Pauline lui dit:

– J'sens qu'ça va s'arranger. Jovette a des contacts, tu vas voir.

– Oui, mais de là à rester chez elle en attendant…

– Moi, j'suis sûre qu'a va nous trouver un logement. A voudra pas qu'tu la r'gardes trop longtemps avec la face d'homme à côté d'elle. A va avoir peur d'être mal jugée. Elle est pas à l'aise avec l'autre…

– Ben, voyons, astheure que je l'sais! C'est pas moi qui va la juger.

– Peut-être pas la juger, mais tu vas la r'garder de travers, Ti-Guy. Tu vas t'demander c'que Jovette fait avec un laideron pareil!

Ti-Guy n'ajouta rien car, sans dire que Pauline était un «laideron», ce qui n'était pas vraiment le cas, Jovette avait quand même voulu signifier à Ti-Guy qu'elle ne comprenait pas ce qu'un beau gars de dix-neuf ans faisait avec... Il n'osa pas y penser. Il ferma les yeux, les rouvrit et s'alluma une cigarette.

Anxiété derrière lui, angoisse dissipée, espoir à l'horizon, Ti-Guy regagna la cabine avec la future mère de son enfant. Regardant Pauline se déshabiller, il la vit nue sous le jet d'eau de la petite douche et, lumière tamisée, il eut envie d'elle, de ses caresses, de ses mains potelées sur ses cuisses musclées. Il fit les premiers pas mais Pauline, pudique lorsqu'elle était enceinte, protectrice du foetus, lui dit:

– Tu l'sais pourtant, Ti-Guy. C'est pas la première fois... Moi, quand j'porte un p'tit, j'me laisse pas pénétrer, j'ai d'la pudeur.

– Voyons, Pauline, tu veux dire que jusqu'à c'que le p'tit arrive...

– Pas jusqu'à... mais pas souvent, Ti-Guy, pis pas à soir. J'suis encore plus craintive dans les premiers temps, j'veux pas l'perdre, c't'enfant-là.

– J'comprends, ça va, lui murmura Ti-Guy, en la tenant appuyée de dos contre lui, les deux mains sur ses seins, son membre grossissant...

– P'tit cochon! Une chance que tu sens bon pis que j't'aime!

Elle se retourna, lui retira son pantalon en *corduroy,* le bouscula sur le lit et, de ses deux cent cinquante livres ou presque, elle s'assit sur lui, se pencha, l'embrassa sur le front, lui immobilisa les poignets de ses grosses mains et l'embrassa, cette fois sous les aisselles. Constatant que Ti-Guy, réchauffé par le geste, semblait en vouloir plus, elle l'embrassa sur les lèvres, lui mordilla la langue et descendit telle une couleuvre sur le corps d'homme-enfant de son superbe partenaire. Et la jouissance de Guy Gaudrin ne se fit pas attendre lorsque Pauline, habile, les lèvres sur le membre en érection, lui fit part de sa bonne volonté. Sexuel à outrance, les deux mains dans la crinière de sa partenaire, il connut une extase telle qu'il accusa d'un jet fort et soudain, une plus que précoce... éjaculation!

Samedi, 29 avril 1950 et, tôt le matin, Pauline et Ti-Guy avaient repris la route de Saint-Lin pour le moment tant attendu. C'est chez Bob et Fleur-Ange qu'ils se parèrent avant de se rendre à l'église. Pauline, frisée, coiffée par celle qu'elle appelait affectueusement sa «dame d'honneur», se maquilla légèrement, appliqua un rouge «grenat» sur ses ongles et enfila un tailleur brun avec rayures beiges «horizontales», sur une blouse de soie brune. Collier et boucles d'oreilles de perles, elle fut plus que ravie lorsque Fleur-Ange agrafa un joli corsage de roses jaunes sur la «lapelle» de son costume. Et Pauline, qui avait un brin de coquetterie bien à elle, avait choisi chez la modiste un joli chapeau de feutre beige avec plumes et voilette. Ti-Guy, les sourcils lisses, le Brylcreem luisant bien en vue dans sa crinière, n'avait rien acheté de spécial pour son mariage. Il avait revêtu un complet noir de qualité, une chemise de soie blanche et une cravate noire avec pois rouges, se mariant à son mouchoir de poche. Le tout gracieusement offert par Madeleine, la femme du conseiller du maire, au début de leur scandaleuse liaison. Pauline savait que Ti-Guy était vêtu des pieds jusqu'à la tête avec l'argent de «l'autre», mais elle s'en foutait. L'important, c'est qu'elle allait être au bras du plus beau gars dont une jeune fille puisse rêver. Et Fleur-Ange piqua un œillet rouge à la boutonnière du jeune marié. Ils traversèrent la rue tous ensemble, se rendirent à l'église où le curé les attendait avec le sacristain, «père» par défaut du jeune marié. Fleur-Ange s'était parée de ses plus beaux atours, ses petites filles étaient tout aussi ravissantes, et Bob étrennait un complet neuf pour la circonstance. Quelques paroissiennes étaient venues «sentir» ce qui se passait à l'église, mais peu d'entre elles connaissaient Pauline et le jeune Gaudrin. La cérémonie fut brève, la messe un peu plus longue et, enfin, au tintement des cloches de l'église, Pauline Pinchaud sortait, radieuse, au bras de son jeune mari. Devant Dieu et les hommes, elle était enfin… madame Guy Gaudrin! Elle avait dès lors un titre en règle, une situation enviable, un nom respectable et, à ses yeux, le plus beau mari de la terre. Dans le dernier banc, elle aperçut le plus vieux de sa sœur, venu «écornifler», mais elle l'ignora totalement. Parce que son «gros bébé triste» n'était pas avec lui et que l'aîné des enfants de Raymonde était celui qui ressemblait le plus à… son père!

Quelques heures chez Fleur-Ange et Bob, le temps d'un vin d'honneur et d'un repas auquel Pauline ne tourna pas le dos, et la mariée coupa son gâteau de noces avec Ti-Guy à ses côtés et Bob et son Kodak pour croquer ce moment sur le vif. Puis, ce furent les effusions, quelques larmes de joie de part et d'autre, des remerciements à n'en plus finir, et les tourtereaux reprenaient la route afin de vivre leur première nuit de lune de miel dans la cabine numéro 2 du très quelconque motel. Pauline savourait son bonheur, Ti-Guy vivait le sien insciemment et, à douze milles plus loin, à la même heure, Emma Gaudrin pleurait de tout son cœur.

Ils avaient eu des nouvelles de Jovette juste avant le vin d'honneur et le repas de Fleur-Ange. Radieuse, elle avait demandé à parler à Ti-Guy, l'avait félicité pour son mariage en le priant de transmettre ses vœux à Pauline et lui avait dit:

– C'est fait, t'as une job chez Peg Top! Tu commences dans deux semaines! Puis j't'ai déniché un p'tit trois pièces dans un bloc appartements de la rue Mozart. Le concierge est un ami d'Carmen pis y va faire un beau ménage. À part ça, comme c'est meublé, ça vous coûtera moins cher pour commencer. Pis, dès demain, j'vous attends! La chambre d'invités est pour vous deux. Vous pourrez rester tant que l'ménage sera pas fini dans vot' loyer. Ça fait-tu ton affaire, Ti-Guy?

Et l'autre de répondre d'un ton plus que joyeux:

– Comment donc! Sans toi, Jovette, j'me d'mande c'qu'on serait devenus! Sans toi, on courait à not' perte!

Pauline qui avait tout entendu sans que Jovette ne demande à lui parler avait légèrement froncé les sourcils. Narquoise, elle avait dit à Ti-Guy alors qu'il avait raccroché et qu'il sautait encore de joie:

– Traite-la pas comme une vedette, ça va lui monter à la tête! Et pis, c'est pas mal fort de dire qu'on courait à not' perte… J'te l'ai dit, j'aurais pu faire des ménages, Ti-Guy!

Le lendemain, dimanche, dernier jour d'avril, le camion bleu des jeunes mariés s'immobilisait devant le petit duplex de la rue Guizot. Tenant le bras de son mari, Pauline appuya sur la sonnette et c'est Jovette qui vint ouvrir. Les apercevant, elle s'écria:

– Les nouveaux mariés! Comme vous êtes beaux! Ça paraît qu'vous êtes heureux! Rentrez, v'nez vous r'poser, vous rentrerez l'*stock* plus tard.

Ils entrèrent et Ti-Guy remarqua que Jovette était plus belle, plus femme que jamais. Vêtue comme un mannequin de vitrine, maquillée comme les actrices qu'on pouvait voir dans le magazine *Modern Screen,* il la dévorait des yeux alors que Pauline, devinant le jeu de sa copine rageait intérieurement: «Elle l'a fait exprès! Pour me faire chier! Pour montrer à Ti-Guy qu'elle était belle et bien roulée!» Mais Pauline oublia ses sombres pensées lorsque son amie lui dit:

– T'as l'air en forme, Pauline! T'as dû faire une maudite belle mariée!

– Ouais… pas mal. Bob a pris des portraits, mais on les aura pas avant deux semaines. Mais j'pourrai t'montrer mon costume pis mon chapeau… Là, j'suis défrisée en pas pour rire… Après une nuit de noces, tu comprends…

Jovette avait souri, elle avait compris que Pauline lui rendait la monnaie de sa pièce en lui laissant savoir que, malgré sa taille et sa beauté, elle n'avait pas d'homme pour l'honorer, elle! Surtout pas un… Ti-Guy! Assis au salon, ce dernier se leva poliment lorsque Carmen fit son apparition. Poussée sans doute dans le dos par Jovette, elle portait une jupe marine, une blouse blanche et des souliers plats, mais sans lacets. Des *loafers*, tout simplement. Elle arborait du fard à joue, du rouge à lèvres et, ô surprise, des boucles d'oreilles en nacre de perle appartenant sans doute à Jovette. À la grande déception de Pauline, Carmen n'avait pas l'air d'un homme ce jour-là. Pas jolie certes, mais dans la moyenne, même avec ses épaules carrées et ses cheveux courts qu'elle avait coiffés avec une petite touche de féminité. Ti-Guy, qui s'attendait à voir «la face d'homme», fut donc moins mal à l'aise qu'il aurait cru l'être.

– Ti-Guy, j'te présente Carmen. Carmen, Ti-Guy Gaudrin.

– Enchanté… Madame. Ça m'fait plaisir, lui dit-il en lui serrant la main.

– Moi aussi, mais laisse le «Madame» de côté, Ti-Guy. Jovette m'a tellement parlé d'toi que j'ai l'impression de t'connaître. Pis, comme tu vas faire partie d'la gang d'la Peg Top, on est mieux d'commencer à s'dire «tu» tout d'suite.

Avec un grand sourire, Ti-Guy accepta d'emblée cette familiarité et Pauline, exclue des «finesses» de Carmen, afficha
soudainement un air bête.

— Dis donc, Jovette, la rue Mozart, c'est loin d'ici?

— Assez, Pauline, mais pas à des lieues. C'est dans l'bout
d'Bélanger ou d'Saint-Zotique... Mais t'es chanceuse, tu s'ras
pas loin d'la rue Saint-Hubert où c'est plein d'magasins!

— Oui, mais un bloc appartements, ça m'donne-tu un balcon, ça?

— Non, juste une petite galerie en arrière pour étendre ton
linge... Y'a juste une grosse porte en avant, Pauline. Une
porte pour au moins douze logements, c'est ça la mode qui
s'en vient. Mais t'es chanceuse, ton loyer est au premier. T'auras pas d'escalier à monter, juste cinq marches en entrant. Tu
vas voir, c'est pas mal beau, c'est assez neuf pis j'pense que
l'église est pas loin...

— Ben, ça va rien changer, on va pas à' messe, Ti-Guy
pis moi!

— Moi non plus, mais tu vas au moins faire baptiser...

— Encore là, j'pense pas, on baptise à l'hôpital si on
veut...

— Bon, on en r'parlera, ça vous tente de prendre un *drink*?
Faut au moins boire à vot' bonheur, vous v'nez tout juste de
vous marier!

— Ben, j'prendrais bien une bière si t'en as, demanda
Ti-Guy.

— Moi, pas d'boisson, mais t'as peut-être...

— Va pas plus loin, Pauline, j'te connais, j't'ai acheté d'la
root beer pis d'l'Orange Crush. T'as l'choix! Toi, Ti-Guy,
j'savais qu't'aimais la Dow, j'ai rien oublié, tu sais. Carmen
va s'faire un plaisir de servir tout ça. Pis pour moi, ce s'ra un
gin gimlet s'il te plaît. Tu les fais si bien...

Carmen se leva péniblement mais sans maugréer. Pour une fois! Parce que, devant la visite, elle se retenait et parce que Jovette était superbe, moulée comme une déesse, belle à croquer, ce dimanche-là.

Le soir, après un merveilleux souper préparé par Jovette, un souper auquel Pauline fit honneur, rots par-dessus rots comme preuve, les jeunes mariés regagnèrent la chambre d'invités, Jovette et Carmen, la leur. Seules, heureuses d'avoir pu les aider, elles manifestaient leurs opinions à voix basse et, parlant de Ti-Guy, à la grande surprise de Jovette, Carmen lui dit:

– Lui, j'l'aime bien, le p'tit mari! J'suis peut-être pas aux hommes, mais j'sais reconnaître les bons des mauvais et les beaux des laids. Pis lui, j'dois l'dire, y'est beau en maudit! Pis, franchement Jovette, sans arrière-pensées, j'me d'mande c'qui lui a trouvé...

– Tu parles de Pauline?

– Ben oui, qui d'autre? A doit sûrement avoir des charmes cachés, mais où?

– Ben, c'est pas d'hier qu'elle a la main lousse avec lui! Y'a lâchait pas d'un pouce l'année passée. Pas surprenant qu'y se soit fait prendre... Y'était toujours à ses trousses! Pauline a sûrement une méthode spéciale avec les gars... Mais, chose certaine pis ça, ça m'inquiète, y'est pas fidèle, le p'tit verrat! Ça m'surprendrait qu'y soit juste à elle...

– Ben, juste à la voir, ça s'comprend, Jovette! J'veux pas être méchante, j'lui veux pas d'mal, mais la Pauline va sûrement l'partager, son Ti-Guy. Attends qu'y tombe dans la talle à Peg Top! Les filles vont s'garrocher sur lui! J'vois ça d'ici, moi, y va pogner en pas pour rire, lui. Tout c'qu'on a comme hommes de c'temps-là, c'est des ventrus, des chauves, des puants, des gros pleins d'marde pis des vieux cochons!

– Ben, c'est sûrement pas toi qu'ça dérange, Carmen!

– Pis toi non plus! Tu tournes autour des boss pour des promotions, mais y savent que ça va pas plus loin. Y savent que toi pis moi...

– Y l'savent parce que t'as une grande gueule, Carmen! Mais toi, c'que tu sais pas, c'est que j'leur ai pas tourné l'dos complètement, aux hommes! J'ai encore des tendances, tu sais. Le p'tit Gaudrin, y m'laisse pas de marbre, Carmen! Quand j'le vois, ça m'picote encore, j'ai des souvenances... Mais, sois tranquille, j'ferais jamais ça à Pauline!

– Mais tu me l'ferais à moi en maudit, par exemple! T'es fine, toi! Me dire ça en pleine face... Comme si j'étais juste là en attendant, moi...

– Voyons, qu'est-ce qui t'prend? J't'ai-tu trichée jusqu'à maintenant?

Rassurée, Carmen tira Jovette par les épaules jusqu'à elle. Lui jouant dans les cheveux, elle voulut se pencher, poser ses lèvres sur les siennes, mais Jovette se dégagea discrètement et lui murmura:

– Non, pas à soir, Carmen, y sont juste dans la chambre à côté.

Mais, ce qu'elle n'avait pas osé dire à son amie de cœur, c'est qu'elle n'aurait jamais pu se livrer à des actes avec elle, alors qu'à deux pas, Ti-Guy aurait pu entendre. En d'autres mots, Jovette ne s'acceptait pas. Du moins, pas encore et pas au vu et au su d'un jeune homme qu'elle avait déjà eu dans son lit... sans la moindre répugnance.

Cinq jours plus tard, au grand soulagement de Carmen, les jeunes mariés quittaient la chambre d'invités pour aller s'installer sur la rue Mozart où tout était prêt. Oui, au grand soulagement de Carmen qui n'en pouvait plus de voir Pauline manger comme un ogre et vider le «frigidaire» au fur et à mesure qu'elle le remplissait. Pour Ti-Guy, ça pouvait aller, mais elle, «la grosse»… C'était, d'ailleurs, la première fois de sa vie que Carmen avait plus d'égards pour un homme que pour une femme. Ce qui avait fait sourire Jovette d'aise. Toutefois, elle aussi avait hâte qu'ils partent. Pas pour la nourriture, mais pour retrouver un peu d'intimité. Car, avec Carmen qui avait retrouvé sa «face d'homme», elle se sentait gênée lorsque Ti-Guy la regardait avec des points d'interrogation dans les «prunelles».

Installée avec Ti-Guy rue Mozart, Pauline n'était pas emballée par ce gros édifice qui contenait plusieurs logements avec la même porte d'entrée pour tout le monde. De plus, elle n'aimait pas les environs; les magasins étaient rares, son bout de rue n'était pas ensoleillé. Mais Ti-Guy, lui, était aux as. Un beau trois pièces meublé, chauffé, pour pas cher, ça faisait son affaire. Une cuisine, une grande chambre, un salon et une salle de bain. Que demander de plus? N'allait-il pas être le seul à rapporter un maigre salaire? Pauline faisait la moue, regardait par-ci par-là, passait des remarques…

– Écoute, syncope! Aimerais-tu mieux r'tourner dans la cabine de la grand-route?

– Prends pas les nerfs, j'ai rien dit d'mal…

– T'arrêtes pas d'chialer depuis qu't'es rentrée, pis t'as jamais eu dans ta chienne de vie un beau logement comme ça! T'aimais-tu mieux l'shack?

– Aïe! Ça va faire! Parle-moi plus jamais d'ça, toi! N'empêche que Jovette aurait pu nous offrir son logis du haut…

– Y'a des gens qui vivent là, Pauline! On crisse pas l'monde dehors comme ça! Pis même vide, ça serait trop cher pour mes moyens. J'commence, Pauline! J'ai pas encore une cenne qui m'adore!

– Correct, crie pas, j'suis en famille pis ça m'dérange. On va rester ici, on va s'habituer, ça va aller. On n'est pas dans' rue…

– C'est ça que j'voulais qu'tu comprennes! Jovette s'est démenée comme une folle pour nous caser pis m'trouver une job! C'est pas l'temps d'avoir le nez en l'air, Pauline! Sans elle, on s'rait…

– Oui, j'sais, encore dans la cabine! Parlons-en plus, veux-tu? C'est frais peinturé, c'est propre, le prélart est beau, c'est bien décoré, la tapisserie du salon a d'l'allure…

– Bon, enfin, tu comprends l'bon sens! Pis moi, j'aime ça ici…

Ne l'écoutant pas, regardant partout, elle s'arrêta devant un tableau accroché dans le salon et dit à son mari:

– R'garde, Ti-Guy! J'ai vu ça dans l'dictionnaire de Sam!

– Ben oui, c'est *La Joconde* de Léonard de Vinci.

– Comment ça? Tu connais les peintres, toi? T'as appris ça où?

– J'ai été à l'école, Pauline, pis j'connais pas tous les peintres, mais De Vinci pis sa *Joconde*, ça s'vend partout! Des reproductions, j'veux dire. Même la mère en avait au magasin…

– Ta mère! Pas de signe de vie, hein? On pourrait crever…

– Non, parle pas contre elle, Pauline. A va m'donner d'ses nouvelles pis moi aussi. C'est pas la mère qui m'a sacré dehors, c'est l'père!

– Y t'a laissé au moins l'vieux *truck*, lui! Elle, rien, pas une cenne!

– Ben… c'est l'père qui la fait vivre… La mère a pas d'argent à elle…

– Va dire ça aux pompiers, toi! Est pleine aux as! A l'a l'motton, ta mère! C'est juste qu'est séraphine, qu'a gratte la cenne…

– Bon, c't'assez, on a du linge à dépaqueter, faut s'mettre à l'ordre. Pis, va falloir que j'aille chercher quelque chose pour le souper. Demain, on fera une commande. Veux-tu des mets chinois, Pauline?

– Non, ça m'tente pas, mais si t'étais fin, tu chercherais dans l'coin pis tu r'viendrais avec des *smoked meat*. Moi, j'en prendrais deux bien gras avec des *dill pickles* pis des patates frites. Pis, si tu croises une pâtisserie, achète-moi deux doigts de dame pis des mokas. Pour boire, un gros *cream soda* pis achète un Kik Cola pour demain. Avec tout ça, j'pense que ça ira.

Le mardi, Pauline avait pris l'autobus jusqu'à la rue Saint-Hubert. Elle avait besoin de deux jupes et deux *tops* de maternité. Après sa fausse couche, elle avait donné aux pauvres tous les vêtements de maternité que madame Gaudrin lui avait vendus pour presque rien. Pour ne plus les voir, pour ne plus penser à Sam qui les avait payés. Ti-Guy lui avait remis de l'argent qu'il avait pris elle ne savait pas où. Elle arpenta la rue Saint-Hubert, trouva une boutique où elle put choisir des vêtements agréables, puis, pressant le pas, elle entra dans un magasin de chaussures où un jeune commis quelque peu familier lui demanda:

– Qu'est-ce que je peux faire pour une jolie petite madame?

– J'voudrais des souliers en cuir brun comme ceux dans la vitrine. Ceux avec des talons cubains pis une boucle beige.

Ne se donnant pas la peine de regarder, il se saisit d'une boîte qu'il ouvrit et en sortit un escarpin noir en peau de soie à talons très hauts.

– Une belle p'tite femme si jeune aimerait pas mieux ceux-là? C'est exclusif pis, à part vous pis Dorothy Lamour, personne n'en aura!

– Aïe! Tu m'prends-tu pour une habitante du fond d'la campagne, toi? Les souliers de Dorothy Lamour, j'viens d'les voir dans toutes les vitrines! Des noirs pis des rouge vin aussi! J't'ai demandé ceux en cuir brun avec des talons cubains. T'en as ou t'en as pas?

– J'en ai… C'est juste que j'les trouve un peu vieux pour vous…

– Oui, mais confortables! J'suis en famille! Ça s'voit pas, non?

Le jeune homme, mal à l'aise, maladroit, lui répondit furtivement:

– J'm'excuse, madame, mais non, ça s'voit pas!

Le fameux lundi du premier jour d'emploi pour Ti-Guy arriva et c'est vêtu de sa salopette, de son chandail de laine blanc, de son coupe-vent et de ses *loafers* noirs qu'il se rendit à son travail à bord de son vieux camion. Il avait embrassé Pauline sur le front avant de partir et elle lui avait dit: «Maudit qu'tu sens bon! Mais c'est-tu nécessaire de mettre ton eau de Floride pour travailler dans une *shop* où ça sent l'tabac? As-tu déjà des idées derrière la tête, toi?» Il avait souri sans rien lui répondre et, pantoise, elle avait refermé la porte de l'appartement derrière lui, un *cup cake* aux fraises dans une main et la radio à tue-tête derrière elle pour ne pas manquer un mot d'une chanson bouleversante d'Edith Piaf. À la manufacture, après l'avoir présenté au grand «boss», c'est Jovette qui se chargea de présenter Ti-Guy aux employés ainsi qu'au *foreman* qui lui apprendrait le métier. Dès qu'il était entré, il avait entendu des murmures de voix sans rien saisir. C'était deux femmes dans la trentaine qui, l'apercevant, s'échangeaient déjà des commentaires. Et, au regard que lui lança l'une d'elles, Ti-Guy sentit qu'il était le bienvenu dans le paysage. Plus loin, des filles plus jeunes, des belles, des laides, des grosses, des maigres, le regardaient avec un certain intérêt. Ti-Guy put même entendre une rouquine dans la trentaine dire à haute voix pour qu'il l'entende: «Ah, non! Y'est marié! Y porte un jonc!» Le *foreman*, un gentil monsieur dans la cinquantaine, face aux courbettes et aux politesses du nouveau venu, lui avait dit: «J'pense qu'on va bien s'entendre, nous deux. T'es ben élevé, tu sais vivre, toi!» Et pour finir le plat, c'est Carmen qui vint le voir avec un sourire pour lui faire signer ses papiers d'embauche. Ce qui avait fait dire à une employée dans l'oreille de sa voisine: «C'est ben la première fois qu'a sourit à un gars, celle-là!»

Le soir venu, Ti-Guy roulait des cigares comme un expert. Si bien que Jovette lui avait dit: «On dirait qu't'as fait ça toute ta vie, toi!» Ce à quoi il avait répondu en la regardant dans les yeux: «Tu devrais l'savoir, Jovette, qu'y a rien que j'fais pas bien d'mes mains!» Riant de bon cœur, elle avait répliqué: «Oui, je l'sais! Mais r'commence pas à m'flirter, mon p'tit verrat! Arrange-toi pas pour que Carmen te mette sur sa *black list,* toi!» Ti-Guy avait souri puis, se retournant, il avait souri davantage à une jolie petite brunette de seize ou dix-sept ans. Une «petite nouvelle» elle aussi, qui avait trouvé Ti-Guy de son goût à première vue. Sans savoir s'il était marié ou pas, elle le dévorait des yeux. Ti-Guy rentra à la maison et, sur les insistances de Pauline, il lui raconta sa journée, son «expertise» et les compliments de Jovette.

– On sait ben! T'es l'bon Dieu pour elle, toi! Tu sais tout faire! Moi, c'était d'la marde que j'prenais d'elle! A disait que j'parlais trop…

– Ben, pour ça, elle avait peut-être pas tort, Pauline. Toi, quand tu pars…

– C'est ça! Dis-moi de m'fermer la gueule, astheure! J'ai ben assez d'être encabanée toute seule toute la journée. Y'a personne à qui parler dans c'te maudit immeuble! Pis, quand j'suis sortie, tout c'que j'ai croisé, c'est des Italiennes pis des Grecques! J'comprends rien d'leur jargon! C'est pas l'quartier d'not monde, icitte! Y manque juste des Chinois pis des Arabes!

– Aïe! La plupart des Italiens pis des Grecs parlent le français… C'est toi qui s'donnes pas la peine. Va au Marché Jean-Talon, tu vas voir que les habitants s'débrouillent en français avec eux autres! Pis, exagère pas, y'a des Canadiens français partout dans l'coin. C'est toi qui cherches pas… Pis on dirait qu'tu m'en veux d'aimer ma job!

– Ben non, c'est mon état, j'ai l'moral bas, j'le porte pas à l'aise c't'enfant-là. J'ai encore mal au cœur, ça arrête pas pis ça fait juste commencer. Mais, j't'envie pas, pense pas ça, moi, l'odeur du cigare, enceinte ou pas, ça m'fait vomir. Là, juste à sentir ton linge… Pis, à part ça, t'as-tu vu des filles à ton goût?

– Pauline! Syncope! C'est ma première journée, j'avais tout à apprendre! J'étais avec le *foreman* sans arrêt! Penses-tu que j'ai eu l'temps de r'garder le monde autour de moi? J'ai vu sans voir personne, j'étais trop appliqué… Ben sûr que j'en ai vu une ou deux…

– Tu vois? Je l'savais! Pis c'est sans doute les gueuses de l'année passée! Des femmes dans la trentaine, hein? Elles déshabillent les hommes des yeux, même les ventrus! Alors, imagine, un p'tit jeune…

– Écoute, Pauline, t'arrêtes ça tout d'suite, tu vas pas plus loin ou tu sauras plus rien de c'qui s'passe à la manufacture. J'ai pas envie d'travailler comme un joual pour te faire vivre pis d'avoir à m'défendre chaque soir si une fille me r'garde. T'as compris? T'arrêtes drette-là ou j'te dis plus rien, Pauline! Quitte à t'faire pâtir!

– Non, non, j'aime mieux qu'on s'parle, j'veux qu'tu m'racontes tes journées. Là, c'est mon état pis j'm'en excuse. Mais j'vais faire attention, j'vais garder mes idées pour moi. Pis, c'est pas que j'suis jalouse, Ti-Guy, mais j't'aime! J't'aime trop, j'pense...

– Ben, aime-moi juste un p'tit peu moins pis ça va ben aller, Pauline. Là, avec tout c'qui s'est passé, le mariage, le déménagement, la job, j'suis fatigué, j'suis à terre. Mais samedi soir, tu t'maquilles, tu te r'nipes, pis on va aller au restaurant pis aux vues après.

Pauline, retrouvant le sourire, l'encercla par le cou pour lui dire:

– Ça va m'faire plaisir! J'osais pas te l'demander, mais sortir, aller aux vues avec toi, ça va me r'monter l'moral. Y'a un bon film avec Humphrey Bogart au Capitol. J'sais qu'tu l'aimes, lui! Pis, avant, à deux coins d'rue d'là, y'a un maudit bon restaurant où on sert des pâtes, du pain chaud, d'la crème en glace importée... Les Italiens, y'ont l'tour... Je l'sais, j'y allais dans l'temps...

– Oui, oui, ça va. Tout c'que tu voudras, Pauline.

Puis, se rendant au restaurant du coin parce qu'ils n'avaient pas encore le téléphone, Ti-Guy appela chez sa mère à Saint-Calixte. Il avait déjà une main sur la languette au cas où son père répondrait, mais il joua de chance, c'est Emma qui répondit d'une voix essoufflée:

– Oui, allô? C'est qui?

– C'est moi, la mère, j't'appelle de Montréal.

– Ti-Guy! Enfin! J'ai tellement pleuré que j'ai failli tomber dans les «confusions»! J'me suis viré l'sang à l'envers, j'sais pas combien d'fois. Qu'est-ce que tu fais? T'es pas dans la rue, au moins? Pis elle? Tu l'as mariée, j'l'ai su...

— Aïe! Une minute, la mère! Laisse-moi placer un mot ou tu vas te r'trouver avec une crise d'angine, toi aussi. À propos, y'est là, lui?

— Non, y'est parti chez Biron faire réparer l'*muffler* du *truck*. J'suis chanceuse, j'peux t'parler sans qu'y m'entende. Comment ça va, toi?

Et Ti-Guy l'entretint de tout ce qui s'était passé depuis qu'il avait quitté le toit familial. Il lui parla de son logement, de son travail, de sa nouvelle vie, sans trop lui parler... de sa femme. Il lui mentionna que le «p'tit» semblait bien se porter, rien de plus.

— Tu m'parles pas d'elle, Ti-Guy! A prend-tu soin d'toi, au moins?

— Oui, ça va, mais c'est moi qui prends soin d'elle, la mère. C'est elle qui porte l'enfant... Pis elle a des maux d'cœur à vomir chaque matin.

— A fait-tu au moins queq' chose pour arrêter ces nausées-là?

— Oui, a mange, la mère!

Les jours, les semaines et les mois s'écoulèrent et, Pauline, plus grosse que jamais avec le bébé dans le ventre, combattait les chaleurs de l'été en s'épongeant le front et en mangeant des cornets de crème glacée... à deux boules! Une aux fraises, l'autre à l'érable. Et, lorsqu'elle se sentait trop «sucrée» et qu'elle disait manquer de sel, Ti-Guy allait lui acheter une grosse boîte de *chips* Duchess qu'elle grignotait en entier. Au point de ressentir, la nuit, des «brûlements» d'estomac qu'elle tentait d'alléger avec des menthes fondantes, enrobées... de chocolat.

Ti-Guy, de plus en plus apprécié à la *shop,* faisait plus souvent qu'à son tour du temps supplémentaire. Pas vraiment plus «qu'à son tour», sauf qu'il appelait souvent Pauline pour lui dire, à la dernière minute, qu'on avait besoin de lui pour la soirée. Écrasée dans son fauteuil, le ventre de plus en plus rond, deux petits gâteaux Black Beauty dans une main, un verre de Kik Cola dans l'autre, elle raccrochait pour se replonger dans un roman de Magali, l'oreille collée à la radio pour écouter les chansons de Fernand Robidoux, Alys Robi et Jacques Normand, les vedettes de l'heure d'ici. Et comme Ti-Guy lui avait acheté un tourne-disque, elle pouvait, à sa guise, écouter sans relâche Judy Garland, sa plus que préférée. Durant ce temps, le peigne dans une main, un mouchoir propre dans la poche arrière de sa salopette, Ti-Guy sautait dans son vieux *truck* et se rendait à Outremont, un quartier chic, retrouver Madeleine, l'ex-femme du conseiller du maire. Vivant seule, séparée légalement, Madeleine recevait assez d'argent de son «pourceau» de mari, pour vivre aisément. Pas aussi richement qu'avant, mais d'un style «assez en vue» dans ce quartier aux appartements huppés. Et habillée, il allait de soi, comme une dame de la haute société, à crédit chez Morgan ou Ogilvy. Quoique moins nantie qu'avant, elle avait encore les «moyens» de combler son jeune amant de cadeaux inespérés. Une montre de prix, une bague en or, des cartons de cigarettes, de l'eau de toilette, mais pas de vêtements. Car Ti-Guy ne tenait vraiment pas à ce que Pauline découvre le moindre présent. Or, tout ce qu'elle lui offrait prenait place dans son casier à la manufacture. Mais ce n'était ni pour son avoir ni pour sa générosité qu'il honorait Madeleine. Cette femme était instruite, elle avait de la classe, elle était belle. Et elle l'aimait au point de le partager avec Pauline qu'elle détestait. Pauline qui lui répugnait! Ti-Guy devait prendre de longues douches avant de se glisser sur le corps encore ferme de sa maîtresse... d'un certain âge. Parce que Madeleine le voulait délivré de toute souillure lorsqu'elle se jetterait comme une bête sur son corps nu. Surtout des souillures de Pauline! Elle qui, pourtant, malgré Outremont, son beau vocabulaire, devenait plus indécente que sa femme, lorsque venait le temps de «prendre» ce qu'elle obtenait de plus en plus rarement. Elle l'avait supplié maintes fois de quitter «l'autre» pour elle, de venir vivre avec elle, de partager sa vie, son lit, ses voyages... Mais Ti-Guy, flatté, n'avait jamais fléchi devant Madeleine, à cause... du «p'tit».

Début décembre 1950 et Pauline, à quelques jours de la «délivrance», avait peine à marcher. C'est Ti-Guy qui devait la sortir de son fauteuil lorsqu'elle s'y écrasait le soir. C'était lui qui devait l'aider à retirer ses vêtements car, juste à se pencher, elle avait le souffle coupé. Pauline était énorme! Beaucoup plus que lorsqu'elle portait sa petite «Orielle» qui n'avait pas vu le jour. Avec cette grossesse, elle avait ajouté cinquante-trois livres aux deux cents... et quelques qu'elle avait déjà sur les épaules. Malgré les semonces et les mises en garde de son médecin, elle s'était gavée jusqu'à la fin de tout ce qui ne lui était pas permis. Nerveuse, elle affichait une couperose tirant sur le mauve et ses mains gonflées par la graisse laissaient voir, entre les doigts, une forme d'urticaire causée par les excès de sucre et de chocolat. Une sorte d'eczéma qui lui fendillait les jointures. Pas belle à voir, peu «ragoûtante», pas tout à fait propre de sa personne, Ti-Guy ne l'approchait pas. Et le fait qu'elle s'entêtait à «respecter» l'enfant l'arrangeait bougrement. De toute façon, comme il se partageait allègrement entre Madeleine, les deux «rouleuses» dans la trentaine et la petite brunette qui avait fini par perdre sa virginité, Ti-Guy n'était guère en quête des faveurs de Pauline. C'était elle qui, en manque, mais incapable de tout geste, avait dit à son mari: «Tu pourras ben l'regarder celui-là! Ce s'ra l'premier pis l'dernier!

Pis, ça, c'est si y m'fait pas crever, c't'enfant-là!» Elle aurait bien voulu, certains soirs, pour apaiser ses fortes pulsions, s'agenouiller tout comme la veuve, mais elle n'y parvenait pas et, comme les nausées avaient persisté du début jusqu'à la fin de la grossesse, il était évident qu'elle était plus portée sur les «poches» de thé... que sur les obscénités.

Ti-Guy avait parlé à plusieurs reprises à sa mère. Elle l'appelait maintenant chez lui et, lorsque c'était Pauline qui répondait, elle disait:

— J'aimerais parler à mon fils, s'il vous plaît.

Pauline, hors d'elle, avait dit à Ti-Guy, sa conversation terminée:

— Coudon! A m'prend-tu pour une étrangère, ta mère? Est pas capable de m'adresser la parole? J'suis ta femme, après tout! La prochaine fois qu'elle appelle, si a m'parle encore comme à une servante, j'lui ferme la ligne au nez! Y'a des limites à être traitée comme une potiche! J'suis pas une plante verte, moi, pis si a continue...

— Aïe! Ça va faire, j'ai mal à' tête! Pis ma mère, c'est ma mère, pas la tienne! Pis attends-toi pas à tomber dans ses bonnes grâces, Pauline! A t'aime pas pis a va toujours t'haïr!

— Ben, qu'elle aille au diable! Pis, si c'est comme ça, a l'verra pas le p'tit! Ou la p'tite! A l'verra pas d'sa vie!

Ti-Guy, insulté, excédé par les cris de sa femme, se leva, la saisit par les poignets et lui dit d'un ton très dur:

— Écoute-moi bien, toi! Pour la première pis la dernière fois! Ce p'tit-là, y'est à moi autant qu'à toi, pis tu vas pas écœurer personne avec ça! Pis compte-toi chanceuse de l'avoir gardé, Pauline, parce que si tu l'avais perdu, j't'aurais crissée là pis j'serais parti! Si j'reste, c'est à cause de lui! C'est-tu assez clair? Pis là, à partir d'aujourd'hui, tu t'fermes la gueule ou tu t'arranges avec tout l'reste! La mangeaille avec!

Il libéra Pauline qui, titubant, alla s'asseoir sur le divan. Apeurée, estomaquée, elle parvint à murmurer:

– Ben, prends pas ça comme ça... J'suis nerveuse, j'suis sur les derniers milles...

Puis, la tête entre les mains, elle se mit à sangloter, mais Ti-Guy, insensible à ses larmes sur «commande», se leva de son fauteuil, s'habilla et s'apprêta à prendre la porte.

– Où tu vas? Tu vas r'venir...

– Oui, j'vais r'venir, mais là, j'ai besoin d'air!

Soupirant d'aise après avoir retenu son souffle, elle s'écrasa de nouveau sur le sofa, et comme il n'était plus là, pour se consoler d'avoir été réprimandée, elle sortit du tiroir de la table à café, une boîte de chocolats Lowney qu'elle vida... de moitié.

Après cette altercation, à quelques jours d'être père, Ti-Guy, usé par le boulot, écœuré de sa grosse femme «déboussolée», prit son camion et se rendit dans un *grill* où se tenait la rouquine dans la trentaine, la plus jolie des deux rouleuses de cigares. L'apercevant, ayant consommé quelques bières, elle l'accueillit par ces mots:

– Tiens! Si c'est pas Gaudrin! Ta femme t'a sacré dehors, Ti-Guy?

Les clients s'esclaffèrent et, choqué, Ti-Guy voulut retourner sur ses pas lorsqu'elle le saisit par la manche pour lui murmurer:

– C'était juste une farce... R'garde, j'ai mis ma brassière noire, celle que t'aimes. Viens, prends une bière, après on ira où tu voudras...

Ti-Guy avala une bière en vitesse et entraîna la rouquine qui, elle, traînait son manteau, jusqu'à son vieux *truck*. Vingt minutes plus tard, dans une *Tourist Room* de la rue Mont-Royal, il était nu sur elle. Et le va-et-vient rapide et brutal du jeune «étalon» dégrisa de «déplaisir» la rouquine encore… sèche.

C'est le jeudi 7 décembre 1950 que Pauline entra de toute urgence à l'hôpital Sainte-Jeanne d'Arc où elle avait réservé une chambre. Ti-Guy, à ses côtés dans la salle des douleurs, faillit s'évanouir devant les crampes et les hurlements de sa femme. Tous s'affairaient, mais on attendait que les eaux crèvent, que le moment vienne. Et c'est après sept heures de cris, de draps déchirés, d'égratignures sur les bras de son mari, que Pauline sentit que le moment allait venir. On la transporta vite dans la salle d'accouchement et l'infirmière dit à Ti-Guy en le toisant: «Vous! Allez fumer! On viendra vous avertir quand le bébé sera né.» Quel soulagement! Assis au fumoir, se remettant de son angoisse, il pouvait entendre Pauline hurler du fond du corridor. Mais il ne s'en souciait plus, elle n'allait plus lui déchirer la chemise et lui ensanglanter le bras. Des cris, des hurlements, d'autres cris et, à huit heures du soir, ce même jour, Pauline donnait naissance à un garçon de dix livres dans d'atroces douleurs. On vint prévenir le père et Ti-Guy fut enchanté de l'arrivée d'un beau gars en santé. Il entrevit Pauline qui lui marmonna: «Le premier pis l'dernier, j't'e l'jure!» avant de s'endormir d'épuisement total. Ti-Guy attendit quelque peu et on lui mit l'enfant dans les bras, un gros poupon beau comme un cœur. Souriant, ravi d'être père, il entendit l'infirmière à ses côtés lui demander:
— Vous avez pensé à un nom pour ce beau gros garçon?
Surpris, se grattant la tête, il répondit:
— Non… C'est drôle, mais on n'en a jamais discuté, ma femme pis moi.

Trois jours plus tard, le dimanche, l'enfant était baptisé à l'hôpital même. Jovette avait accepté d'être la marraine et, faute de parents ou d'amis masculins, c'est Rosaire, cousin de Carmen et concierge de l'immeuble qu'ils habitaient, qui accepta d'être le parrain du petit, en autant que ça ne l'engage en rien. L'enfant fut donc baptisé Joseph, Rosaire, André, prénom suggéré par Jovette et qui deviendrait pour tous, les surnoms étant très en vogue en ce temps, Dédé! Pauline aurait de beaucoup préféré Thierry, le prénom du prince de la belle «Orielle» de son roman, mais Jovette lui avait dit: «Pauline! Verrat! On n'est pas en France icitte!» Et Ti-Guy avait enchaîné: «Pis ça ressemble à un nom d'tapette! Y va s'faire écœurer à l'école!» C'est donc André Gaudrin qui reçut l'eau du prêtre sur le front et ses bénédictions. Ti-Guy le remit à Pauline qui, fière, s'était écriée: «Enfin, tout est fait! Un mariage rapide, un baptême en deux temps, trois mouvements! Parle-moi d'ça! Moi, les traîneries... Pis, on n'aura pas besoin d'chercher l'curé de not' quartier! J'sais même pas où est l'église!»

Ti-Guy avait téléphoné à sa mère pour lui annoncer la bonne nouvelle. Emma Gaudrin, émue, avait dit à son fils pour que son mari entende:

– Me v'là mémère Gaudrin! J'pensais jamais qu'ça m'arriverait! Pis j'suis contente que ce soit un p'tit gars, y risque plus de t'ressembler, Ti-Guy, pis de r'tenir de nous autres. Une fille aurait pu prendre plus de la mère, tu comprends? Pis dans son cas, ç'aurait pas été un avantage. Aïe! Mémère Gaudrin! Mémère à cinquante ans! J'en r'viens pas!

– Bon, ça va, j'voulais juste vous aviser qu'y avait un autre Gaudrin dans la famille. J'ai rien à ajouter, la mère.

– Ben, moi non plus, à moins qu'ton père...

– J'ai rien à lui dire, Emma, tu l'sais! J'veux rien savoir de lui ni d'sa femme pis son rejeton! Tente pas un rapprochement, ma femme, c'est pour la vie! Pis t'auras pas à lui répéter, j'l'ai dit assez fort pour qu'y puisse tout entendre au bout d'son fil. Pis toi, Emma, ferme la jacasse pis va ouvrir ta caisse, y'a des clientes qui s'en viennent...

Sans attendre la suite, sans dire bonjour à sa mère, Ti-Guy avait raccroché. Non pas qu'il voulait renouer avec son père, il en voulait même à sa mère d'avoir essayé par moyen détourné. Mais, ce qu'il n'avait pas aimé, ce qui lui avait fait mal, c'est que son père avait renié le petit tout comme il l'avait fait pour lui. Son petit-fils qui n'était en rien responsable et qu'il avait traité de... rejeton. Il n'avait pas «blairé» le terme parce que son père l'avait prononcé sur le même ton qu'il l'aurait fait pour un... torchon! Blessé, mécontent, Ti-Guy avait raccroché en se disant: «Qu'y aille au diable! Dans l'cul! J'veux rien savoir de lui, moi non plus!»

Pauline était de retour dans son logement avec son bébé dans les bras, des biberons dans son sac. Comme elle n'était pas encore très forte après son dur accouchement, Ti-Guy passa plusieurs soirs à ses côtés, s'occupant du petit pendant qu'elle retrouvait de la vigueur avec des *cup cakes* au *coconut* et la boîte de chocolats aux cerises que lui avait apportée Rosaire, le concierge, lors du baptême. Ti-Guy couvait déjà son tout petit fiston. Il semblait avoir, du moins pour l'instant, une surprenante fibre paternelle. Et comme Pauline, aimante tout en étant peu démonstrative, ne remplissait que ses devoirs de mère, il lui dit un certain soir, alors que l'enfant dormait:

– J'espère que tu vas l'aimer autant qu'ton «gros», ton gars!

– Ben, c't'affaire! Pourquoi tu dis ça?

– Parce que ça paraît pas, Pauline! Tu t'en occupes, mais tu l'cajoles pas comme tu l'faisais avec le p'tit d'ta sœur. Pourtant, c'est l'tien, celui-là! C'est toi qui l'as mis au monde...

– C'est peut-être ça, Ti-Guy! J'ai souffert comme une vache! J'l'ai eu à froid, on m'a même pas donné une piqûre! Pis après un accouchement, pour un bout d'temps, les mères ont l'caquet bas! On sait ben, tu peux pas savoir ça, toi! T'as juste eu à m'le mettre dans l'ventre! Si t'avais enduré mes douleurs...

– Ben oui, comme si t'étais la seule à avoir souffert de mettre un enfant au monde... Ça fait mal pour toutes les femmes, Pauline, pas juste pour toi. Ma mère a manqué d'mourir...

– Parle-moi pas d'elle! Surtout pas aujourd'hui! Pis, r'marque qu'elle en n'a pas eu d'autres après toi...

– Ben, si c'est ça qui t'inquiète, tu peux dormir tranquille! Y'en aura pas d'autres, Pauline! Du moins, pas d'moi!

– T'es fin, toi! Comme si j'faisais des p'tits avec n'importe qui! T'oublies qu'on est mariés, Ti-Guy! Pis là, on est encore plus soudés, y'a le p'tit! Pis, aussi ben te l'dire tout d'suite, j'tiens pas à élever un enfant dans un bloc appartements, moi! Y'a besoin d'une cour pis d'une galerie. On va pas moisir ici longtemps!

– Ben, t'iras où c'que tu voudras, Pauline, parce que, moi j'grouille pas d'ici! J'ai pas d'argent pour du plus cher pis, le p'tit, y va être aussi bien ici qu'ailleurs. T'auras juste à l'caresser, Pauline. Un enfant, c'est bien partout. R'garde ton «gros» qu't'aimais tant, y vivait dans une soue avec une gang d'enfants, pas d'jouets ou presque, pis y'était heureux, Édouard! Y'était joyeux, rieur, parce que tu l'gâtais, Pauline, parce que tu l'aimais! T'auras juste à faire pareil avec Dédé, pis tu vas voir que c'est pas lui qui va s'plaindre de pas avoir de cour pis d'galerie!

– As-tu fini? Vas-tu m'engueuler comme ça toute la nuit?

– Ça m'surprendrait parce que j'sors à soir! J'ai fait ma part, t'as r'trouvé ton sucre pis tes forces, moi, j'ai besoin d'air.

– Pour aller où? À' taverne avec les *bums* d'la *shop*?

– J'ai pas d'comptes à t'rendre, Pauline, c'est moi qui rapporte ici. Tout c'qui rentre, c'est moi qui l'paye, compris?

– Je l'sais, mais c'est pas une raison...

Pauline fulminait, mais la porte était déjà close. Ti-Guy sauta dans son camion et se rendit au *grill* où la rouquine... Mais il joua de malchance, elle n'était pas là ce soir-là. Il but trois ou quatre bières et une fille venue on ne savait d'où, passablement jolie, lui demanda:

– Tu t'ennuies-tu, bébé? Avec toi, c'est sûr, j'charge rien!

Et Ti-Guy, enivré, désabusé, sans rien débourser, passa une partie de la nuit avec la plus expérimentée prostituée du quartier.

Noël approchait et Pauline, post-partum terminé, se montrait plus gentille avec son mari. Plus aimable même, car elle avait de plus en plus peur de le perdre. Elle savait que Ti-Guy la trompait. Elle s'en était douté, mais elle en était maintenant convaincue. Il rentrait trop souvent avec des odeurs de parfum qui sentaient fort, qui puaient... Rien de comparable à son Fresh Wind. Des eaux de toilette bon marché que portaient les filles de rue ou les femmes au maigre salaire de la manufacture! Ces femmes que Pauline redoutait! Il était même rentré, un soir, avec du rouge à lèvres sur son col de chemise. Elle avait hurlé, il lui avait dit qu'il était allé danser, que cela, et que la fille s'était un peu trop collée... Elle l'avait surpris, un autre soir, ivre, avec au doigt la bague en or offerte par Madeleine.

– Pis là, viens pas m'dire que c'est pas l'cadeau d'une femme! Pis une femme riche à part ça! À moins... à moins qu'tu voies encore ta Madeleine... Ça s'rait le bout d'la marde, Ti-Guy!

– Arrête de niaiser pis de t'faire des idées, tu...

– Me prends-tu pour une cruche? Y'a tes initiales gravées en plus! Deux G, Ti-Guy! Pis, viens pas m'dire que c'est toi qui l'as achetée...

– Oui, c'est moi, mais pas d'un bijoutier, d'un gars d'la *shop*! Ça s'adonne qu'y s'appelle Germain Gauthier! Y'avait besoin d'argent, j'l'ai eue pour pas cher. Pis j'l'ai achetée à cause des initiales, sans ça... Pis j'l'ai fait ajuster, y'avait l'doigt plus gros qu'le mien!

Et Pauline, méfiante et pantoise à la fois, avait avalé le mensonge comme la chatte avale le poisson. Elle n'aurait eu qu'à téléphoner à la manufacture, s'informer si un dénommé Germain Gauthier travaillait là et le tour était joué, mais pour être aussi perspicace, il fallait sans doute avoir complété un peu plus... qu'une troisième année scolaire. Les sourcils froncés, debout, le ventre proéminent, les poings sur les hanches, elle le regardait bouche bée. Et malgré ses doutes encore un tantinet «vivants», elle n'eut d'autre choix que de se taire et de le croire. Parce que Noël venait et qu'elle désirait un présent et parce que, au même moment, l'enfant se mit à pleurer à fendre l'âme. La nuit venue, encore titubant, Ti-Guy se déshabilla en laissant tomber ses vêtements par terre. Elle le regardait, elle le dévorait des yeux. En manque, elle aimait encore follement ce superbe corps d'homme... mais un peu moins l'homme. Elle sentait que son amour s'étiolait, que la passion du cœur peu à peu s'éteignait. Mais le corps nu de son mari l'excitait. Elle qui, depuis son accouchement, avait multiplié les vergetures. Elle qui avait à peine perdu deux ou trois livres. Elle qui aurait voulu, malgré les ronflements de bière, se jeter sur lui... Mais, cette nuit-là, malgré le désir de la chair, elle se retint. Et comme si le soleil venait de poindre, elle quitta la chambre et alla dormir sur le divan, le cœur collé sur son enfant.

L'esprit du temps des fêtes se faisait déjà sentir dans l'atmosphère. Ti-Guy avait acheté un petit sapin naturel et des ornements de chez Woolworth pour que l'ambiance de Noël soit ressentie dans son petit logis. Pour lui, les invitations fusaient de tous côtés. Sans Pauline! Des amis de la Peg Top l'invitaient pour un réveillon, espérant que sa femme soit cloisonnée à la maison avec l'enfant. Des filles plus audacieuses l'invitaient à aller fêter avec elles quelque part tout en prenant un verre. La rouquine et sa copine avaient même suggéré un souper arrosé d'un bon vin, suivi d'une chambre louée... à trois. Madeleine aurait souhaité «réveillonner» avec lui, mais compréhensive face à sa situation de «père», elle avait opté pour une veille de Noël chez des amis. Sans omettre, cependant, de l'inviter huit jours avant les festivités et de lui offrir en cadeau un briquet importé de Paris et des gants en cuir véritable. Lui, maladroit, n'ayant rien prévu en échange, s'en excusa, et lui offrit en toute candeur... son corps! Ce dont Madeleine avait sans doute le plus envie.

Le sapin était garni et Pauline paraissait ravie du résultat. Le bébé dormait à poings fermés et les époux, pour une fois, semblaient presque réconciliés. Pauline avait sorti ses disques de Noël, des succès interprétés par Judy Garland, Perry Como, Tino Rossi, Marie Dubas... Elle avait même des cantiques chantés par Raoul Jobin et d'autres, en anglais, par Ezio Pinza. Ti-Guy, installé sur le divan, lisait les journaux. Il avait l'air fatigué, las, épuisé. Il se remettait des vives émotions des derniers temps, causées par ses plus que nombreuses... évasions.

Tout jeune «étalon» qu'il était, il était temps qu'il rentre à «l'écurie». De plus, l'année avait été bouleversante pour lui. Un mariage, un enfant, un déménagement, un reniement... Bref, il avait fêté ses vingt ans le 14 octobre sans tambour ni trompette. Personne à la manufacture, sauf Carmen et Jovette, savait que c'était son jour de fête. Et Madeleine, bien sûr... Jovette lui avait donné une bouteille de vodka en prévision du temps des Fêtes et Madeleine, plus subtile, lui avait offert un parfum de Paris qu'il avait rangé dans son casier pour rester fidèle à son eau de Floride. Pauline lui avait fait un gâteau qu'elle avait mangé en entier... ou presque! Ti-Guy, quoique ravi, n'était pas porté sur les sucreries. Vingt ans! Le bel âge, le printemps de la vie, et il l'avait célébré presque seul dans son cœur. Un coup de fil de sa mère, des vœux, des pleurs, rien d'autre. Et lorsque Pauline eut vingt-trois ans le 5 novembre, enceinte de huit mois, ayant peine à se lever, elle ne reçut qu'un appel de Jovette pour la congratuler. Ti-Guy, malheureusement, avait oublié ce jour important, coincé sous la rouquine dans une chambre à deux piastres de l'hôtel Lafayette. Pauline avait pleuré, il s'était excusé d'avoir accepté de *l'over-time,* d'avoir oublié, mais dès le lendemain, elle avait pardonné lorsqu'il lui remit entre les mains une grosse boîte de chocolats mous assortis, ornée d'un chou de satin, en provenance de la confiserie la plus chère de la rue Saint-Hubert. Mais, pas tout à fait sotte, elle savait de plus en plus qu'elle était une femme trompée. Se regardant dans la glace, elle se demandait ce qu'elle pouvait faire d'autre que de pleurer. Car crier le faisait fuir... Elle qui avait si peur de le perdre. Elle en prit son parti et se dit qu'il pouvait aller avec qui bon lui semblerait, mais qu'aucune autre ne le lui prendrait. Ça, non! Jamais! *Over her dead body!*

Guy Gaudrin était triste, mélancolique, nostalgique, en ce 24 décembre au matin. Il se disait «qu'hier» encore, c'était l'accalmie, la liberté... Il revoyait son village, ses tablettes à remplir, ses livraisons, les filles des environs, sa bière à l'hôtel, ses escapades les fins de semaine, les faveurs et les habits de Madeleine... Là, d'une erreur de parcours... Mais il se retint, il entendait les pleurs de son petit Dédé qui s'éveillait sur sa première veille de Noël et il eut envie de pleurer. Ce petit être, ce petit gars qui n'avait pas demandé à venir au monde et qu'il tenait dans ses bras. À vingt ans, comme un fier papa, comme un merveilleux... père-enfant. Pauline apparut dans sa robe de chambre en chenille rose, les cheveux défaits, les traits tirés par une nuit quasi blanche et, une fois de plus, il en eut pitié. Elle le regardait, elle n'avait que lui... Elle en dépendait. Mais lui n'avait pas qu'elle. Lui avait d'autres lits, d'autres bras, d'autres... Il en eut presque honte en cette veille de Noël. Non pas pour elle, mais pour son enfant qui, les yeux clos, les poings fermés, semblait presque le lui reprocher.

— Qu'est-ce qu'on fait aujourd'hui, Ti-Guy? On va nulle part?

— Où veux-tu qu'on aille, Pauline? Avec le p'tit, un bébé qui n'a même pas un mois. On va rester ici, fêter tous les trois...

— On pourrait peut-être inviter Jovette pis Carmen pour la soirée?

— Mais non, elles ont sûrement d'autres plans. Si c'était pas l'cas, si elles étaient seules, elles nous auraient invités, tu penses pas? Non, on va fêter ça en famille, Pauline. Juste tous les trois. À soir, tu t'mettras chic pis moi, j'vais mettre mon habit d'noces. Juste pour se sentir de la fête. Comme si on allait dans un réveillon...

Pauline, voyant qu'il était mélancolique, lui passa la main dans les cheveux.

209

– Ti-Guy, voyons! On n'a pas besoin de s'déguiser, de faire comme si… À part de ça, j'ai rien d'chic à me mettre su'l' dos, j'rentre juste dans mes *outfits* de maternité. On va écouter la radio, on va bercer le p'tit, tu prendras un verre de vin, moi, mon *cream soda*, pis quand Dédé va dormir, on va s'permettre une heure ou deux d'amour si tu veux bien. Comme dans l'temps, Ti-Guy, comme dans la cabine de la grand-route. Pis comme j't'aime, tu vas voir, tu vas pas l'regretter. J'vas pas t'lâcher, j'vas…

– Arrête, Pauline! J'sens qu'tu vas dire des grossièretés!

– Pis? C'est pas ça qui t'dérangeait y'a pas si longtemps, ça t'mettait même en appétit! C'est toi qui m'demandais d'être vulgaire!

– J'ai changé, Pauline, j'ai mûri… J'suis plus l'même…

– T'as changé où pis quand, Ti-Guy? Pis avec qui? Celle qui porte un parfum *cheap*? Celle…

– Pauline, commence pas… Pas aujourd'hui, c'est presque Noël… Oui, on va s'aimer si tu l'veux, mais pas avec le même vocabulaire. J'suis encore en appétit, j'suis pas brûlé, mais t'as plus besoin de m'dire des cochonneries pour me gagner. T'as juste à faire…

– Ça r'vient pas au même, Ti-Guy?

– Ah! laisse tomber! Pis écoute, monte le son, c'est *La Charlotte prie Notre-Dame* à la radio. T'aimes ça, j'pense…

– Oui, mais ça m'fait brailler, c't'histoire-là, ça m'fait suer…

– Regarde comme y'est beau, c't'enfant-là! J'pense qu'y va avoir ton nez retroussé, Pauline! Pis y'a tes joues…

– En autant qu'y hérite pas d'ma graisse pis d'ma p'tite bouche! J'espère qu'y va avoir tes beaux yeux pers, Ti-Guy, pis tes lèvres sensuelles, pis tes muscles, pis tes fesses…

– Y'a d'grosses chances, Pauline, c'est un gars!

Elle lui sourit, l'embrassa sur la nuque et lui, pour lui prouver qu'il n'était pas indifférent, lui mordilla l'épaule tout en lui tapotant la fesse. Haletante, en chaleur, elle retint son souffle et, d'un grotesque soupir de joie, elle réveilla l'enfant.

La journée avait été longue, morne et sans fantaisie. Pas le moindre coup de fil. Ti-Guy s'imaginait les gars d'la *shop* avec les filles dans un bar, puis, regardant son petit, il chassa vite ces images sordides de son esprit. Pauline, pour créer un peu d'ambiance, lui avait préparé une tourtière et allumé deux chandelles. Au pied du sapin, il y avait un petit écureuil en peluche, le premier cadeau de l'enfant et, juste à côté, une boîte emballée dans du papier de Noël. Il insista pour qu'elle l'ouvre, elle voulait attendre jusqu'au petit matin, il insista encore et, curieuse, elle s'empressa de déballer la boîte pour y découvrir un écrin de velours rectangulaire. À l'intérieur, un bracelet et des boucles d'oreilles. En pierres de lune! Un ensemble de bijoux qui irait avec tous ses costumes. Elle le remercia, lui sauta au cou, l'embrassa.

— T'es ben fin d'avoir pensé à moi... J'ai rien d'beau comme ça...

Elle était émue, vraiment émue, des larmes perlaient sur ses joues.

— Voyons, Pauline, c'est juste un cadeau pas trop cher...

— J'sais ben, mais l'fait qu't'aies pensé à moi... T'es fin, Ti-Guy, pis c'qui m'fait d'la peine, c'est qu'j'ai rien pour toi...

— Pas grave, pas nécessaire, pis avec le p'tit, tu pouvais pas sortir...

— C'est pas ça, Ti-Guy, j'aurais pu, mais tu m'donnes jamais une cenne.

Il n'avait pas répondu, il s'était levé, il s'était servi un autre verre de vin et il avait rempli son verre à elle d'un jus de raisin, cette fois, pour avoir l'impression de trinquer ensemble. Le petit dormait, Pauline, tout doucement, se déshabillait et Ti-Guy, n'ayant rien de mieux à faire, défit le premier bouton de son pantalon. Il allait s'efforcer d'avoir quelques pulsions lorsque, dans la cuisine, le téléphone sonna. Pauline, contrariée, s'exclama:

– Qui ça peut bien être? Juste au moment... Pis là, avec ça, Dédé est réveillé!

Ti-Guy, reboutonnant son pantalon, s'empara du récepteur.

– Oui, allô?

– Ti-Guy! T'es là! lui cria sa mère avec des sanglots dans la voix.

– Oui, j'suis là, qu'est-ce que t'as? T'as l'air toute à l'envers!

– Ti-Guy! Ti-Guy! C'est... c'est ton père...

– Qu'est-ce qu'il a? Arrête de pleurer pis parle, j't'entends mal...

– Ton père est mort, Ti-Guy! D'un coup sec au magasin c't'après-midi. Une crise... Le cœur a lâché. On a tout essayé...

Ti-Guy était devenu blanc comme un drap et, appuyé contre le mur, il avait du mal à retrouver une respiration normale. Pauline le regardait, le petit pleurait, elle sentait qu'un drame venait de se produire. Bouche bée, apeurée, elle n'osait rien dire.

– T'es-tu là, Ti-Guy? T'as-tu compris c'que j'ai dit?

– Oui, j'suis là, mais ça m'a coupé l'souffle... Tu m'as pas ménagé...

– Pis moi? J'l'ai vu mourir, Ti-Guy! J'l'ai vu faire des grimaces, se tordre, tomber pis rendre le dernier souffle! Là, c'est Gertrude qui m'tient pour pas que j'm'écrase... Viens vite, Ti-Guy, j'suis pas capable de passer à travers ça toute seule… Ma pression a monté, j'suis encore sous l'choc… Peux-tu t'en venir tout d'suite?

— À soir? En pleine nuit? Demain matin, ça s'rait peut-être mieux…

— Non, viens tout d'suite si t'aimes encore ta mère. Laisse-moi pas toute seule… Gertrude est là, mais c'est toi que j'veux voir…

— Ben, en pleine nuit avec Pauline pis le p'tit… La veille de Noël…

— Viens tout seul, Ti-Guy! Pas elle! Surtout pas elle! C'est à cause d'elle qu'y a crevé, ton père! Y s'est jamais remis d'ton mariage avec elle. Viens tout seul, j'ai besoin d'toi, j'ai tout sur les bras…

— Arrête, la mère, sinon tu vas crever, toi aussi! J'arrive, j'prends l'*truck* pis j'arrive. Mais ça va prendre du temps. Avec le trafic…

— J'vais t'attendre toute la nuit s'il le faut, j'peux pas dormir pis j'veux pas des calmants du docteur. Pas avant qu'tu sois là…

— Ben, assis-toi pis attends-moi, mais r'prends ton souffle, j'm'en viens. Le temps d'mettre mon parka, mes bottes pis mes gants…

— Arrive! Ça s'peut pas! Mourir d'un coup sec comme ça…

— J'raccroche la mère, attends-moi, dis plus rien.

Il raccrocha avant qu'Emma perde connaissance. Elle manquait de souffle, il sentait que sa pression était à son plus haut niveau, il craignait qu'elle paralyse du côté gauche, le plus sensible. S'il fallait qu'à son tour…

— Qu'est-ce qu'y a, Ti-Guy? C'est ton père, hein? Y'est… mort?

– Oui, y'est mort subitement après-midi. En plein magasin. La mère est en train de devenir folle... J'pars, j'y vas, Pauline!

– Pis... pis nous autres? Moi pis l'p'tit?

– On traîne pas un bébé en pleine nuit... Y fait froid...

– Sois franc, Ti-Guy, c'est pas ça... Ta mère veut pas m'voir, hein?

– C'est pas l'temps d'parler d'ça, Pauline! Mon père est mort! Sais-tu c'que ça veut dire? Mon père est mort sans qu'on se soit... *Shit*! Syncope! J'me sens coupable, c'est d'ma faute...

Et malgré lui, Ti-Guy se mit à pleurer. De chagrin et de rage. De chagrin parce qu'il avait toujours aimé son père et que Joseph le lui rendait bien. De rage parce qu'il ne pouvait pas concevoir qu'il soit mort sans lui avoir pardonné, sans avoir serré son petit-fils dans ses bras et sans qu'ils se soient réconciliés. Pauline, prenant conscience de sa peine et de son désarroi, n'ajouta rien, mais n'en sentit pas moins son cœur battre à tout «vouloir» rompre. Jusqu'à «rompre» le cou de sa belle-mère qui l'évinçait avec son enfant de la famille à laquelle ils appartenaient. Mais pour ne pas aviver le chagrin et l'angoisse de son mari, elle se tut, ne dit rien, préférant mordiller le coin de son oreiller. Séchant ses larmes, tremblant comme une feuille, il lui dit:

– Reste ici avec le p'tit, vous s'rez au chaud, c'est c'qui compte. Pis comme t'as du manger pis une bonne provision de lait pour lui, vous manquerez de rien jusqu'à c'que je r'vienne. J'vais t'appeler demain matin, Pauline, j'vais t'dire c'qui s'passe là-bas.

Il allait sortir puis, revenant sur ses pas, il fouilla dans sa poche et lui remit un billet de cinq dollars.

– Tiens! Prends ça au cas où t'aurais besoin d'quelque chose pour lui!

Il sortit, fit ronronner le moteur du camion et disparut dans la nuit.

Pour lui! avait-il dit. Cinq dollars au cas où le petit... Pour lui! Pas elle! Comme s'il n'était pas possible qu'elle puisse avoir besoin de quelque chose, elle! Comme des Sedozan pour soulager son mal de tête! Non, pour lui! Parce que, selon Ti-Guy, elle, sa femme, n'aurait besoin de rien jusqu'à son retour. N'avait-il pas rempli le garde-manger? N'avait-elle pas ses *cup cakes*, ses chocolats, son Kik Cola, son sirop de blé d'Inde et sa confiture? N'avait-elle pas à sa portée trois pains tranchés, douze beignes au miel et une bûche de Noël à l'érable? Oui, de quoi aurait-elle pu avoir besoin avec tout cela sur la table? Elle avait même un bracelet et des boucles d'oreilles en pierres de lune! Pauline, le souffle coupé, sombra dans la colère puis, regardant son bébé, elle se mit à pleurer. Elle le pressait contre elle, elle l'embrassait, parce qu'elle sentait que, tout comme elle, son enfant était rejeté. Elle songea au beau-père, elle faillit s'écrier: «Tant...» puis elle fit sa prière pour se faire pardonner. Elle pensa à Emma. Elle la voyait, agrippée à son fils, pleurant comme une Madeleine, Gertrude auprès d'elle, la veuve de l'autre côté. Et là, bon Dieu ou pas, elle leur souhaita ce que la terre avait de plus horrible à leur offrir. Quitte à perdre son ciel! Puis, elle revit Ti-Guy, ses grands yeux pers baignés de larmes. Son Ti-Guy qui ne l'avait pas laissé tomber avec son enfant dans son sein. Ti-Guy qui avait pris ses responsabilités, qui l'avait épousée, elle, la fille «pleine de péchés» comme la Charlotte de la radio qui implorait la Vierge Marie. Ti-Guy qu'elle avait aimé très fort, qu'elle aimait moins, mais qu'elle aimait encore. Parce qu'avec lui, elle ne manquait de rien. Et parce qu'il aimait son fils, qu'il le protégeait… Mais, soudain, elle eut peur. Qu'adviendrait-il du commerce avec la mort du beau-père? Emma allait-elle tenter de s'emparer de son fils unique adoré pour prendre la relève? Si tel était le cas, qu'allait-elle devenir, elle? Et Dédé? Pauline se tordait d'inquiétude et ne sortit de sa torpeur que lorsque l'horloge de la cuisine sonna les douze coups de minuit. À la radio, un ténor avait entamé *Minuit, Chrétiens* et elle sentit un long frisson lui parcourir l'échine. Prenant son petit entre ses bras tel un enfant-Jésus, elle lui murmura: «Joyeux Noël, mon trésor… Toi, au moins, tu seras toujours là.» Puis, versant une larme qu'elle essuya de son bras, elle embrassa à maintes reprises son petit ange sur le front, la joue, le menton, les mains, les pieds…

Pendant ce temps, Ti-Guy, fébrile, approchait de Saint-Lin. Le pied au fond, imprudent par moments, il n'avait en tête que le visage de son père et, en plein cœur, les cris de douleur de sa mère. Nerveux, agité, des larmes sur les joues, il maudissait le ciel d'avoir repris son père sans «leur» paix retrouvée. Et ce, la veille de Noël pour amplifier ses remords. Son village en vue, Ti-Guy laissa échapper un étrange soupir… Face à tout ce qu'il appréhendait, à bout, vaincu, il aurait préféré… mourir.

Emma Gaudrin, aussi sidérée était-elle face à la mort subite de son mari, sentit son désespoir s'atténuer dès qu'elle aperçut dans l'embrasure de la porte, son fils unique, et qu'elle se jeta dans ses bras. Dès lors, elle savait qu'elle allait pouvoir compter sur son autre «homme», que Ti-Guy ne la laisserait pas dans son marasme. Il avait téléphoné à Pauline dès le lendemain pour lui dire qu'il resterait quelques jours auprès de sa mère, du moins pour le temps de la sépulture et que, par la suite, il allait l'aider à mettre de l'ordre dans ses affaires. Pauline, stupéfaite, lui dit qu'elle n'irait pas loin avec le peu d'argent qu'il lui avait laissé et Ti-Guy lui promit qu'elle n'allait manquer de rien, qu'il allait voir à ce qu'un gars de la *shop* aille lui remettre de l'argent jusqu'à son retour. Il avait terminé en lui disant: «Embrasse le p'tit, prends-en bien soin, j'te téléphonerai avant le jour de l'An.» Rien de plus, pas un seul mot gentil à son égard. Elle sentait que la fin de l'année allait être pénible pour elle. Seule dans son coin, personne avec qui parler, aucune parenté, elle n'avait que son petit chérubin à serrer sur son cœur. Heureusement! Car, sans l'enfant, Pauline aurait sombré dans la détresse la plus profonde.

Le lendemain de Noël, espérant que Jovette soit chez elle, Pauline lui téléphona et, contente de l'avoir au bout du fil, lui annonça la triste nouvelle. Jovette était navrée. Pas tellement pour Joseph qu'elle connaissait plus ou moins, pas pour Emma, la commère du village qu'elle n'aimait pas, mais pour Ti-Guy qui devait passer de durs moments avec, elle l'imaginait, son terrible cas de conscience. Elle téléphona à sa mère et lui demanda d'aller acheter quelques fleurs et de les déposer, en son nom, au presbytère où la dépouille de Joseph Gaudrin allait être exposée. Elle fit tout le nécessaire pour que Ti-Guy se rende compte de ses belles manières et de ses bonnes intentions. Mais elle avait terminé sa conversation avec Pauline sans s'informer d'elle, sans s'enquérir si elle avait besoin d'aide ou d'argent, sans rien dire de plus que: «Bon, passe un beau jour de l'An, Pauline, et j'espère que tout va bien se dérouler pour Ti-Guy.» Que cela! Sans même s'informer du petit dont elle était la marraine et qui n'avait rien reçu d'elle pour Noël. De toute façon, Jovette semblait pressée, elle repartait le soir même avec Carmen pour aller fêter le Nouvel An et passer la semaine chez des «amies» à Trois-Rivières. Seule avec son petit, Pauline prit son mal en patience, reçut la visite d'un collègue de travail de Ti-Guy qui lui remit vingt dollars au nom de son mari, puis attendit en vain que Ti-Guy rappelle pour lui donner de ses nouvelles.

1950 venait de céder la place à 1951 lorsque le téléphone, enfin, sonna.

– Allô, Pauline? J'm'excuse, mais j'ai pas pu appeler avant.

– J'ai ben vu ça! Pas même hier, au jour de l'An que j'ai passé toute seule avec le p'tit!

– Ouais, j'sais, mais ç'a été une dure journée, la mère filait pas, le docteur est venu… Tu sais, après trois jours d'exposition, le service, les gens venus de partout… On était à terre, la mère pis moi! Pis, faut dire qu'avec le magasin fermé, les clients étaient mal pris. J'ai même dû rouvrir le 31 pour le strict nécessaire. Mais là, tout est fini…

– Qu'est-ce que ça veut dire? Tu r'viens demain? Tu…

– Non, pas exactement… On a vu l'notaire, on a jasé la mère pis moi, pis comme j'ai une surprise… Attends, y'a quelqu'un qui veut t'parler.

Pauline, nerveuse, anxieuse, se mit à trembler lorsque…

– Pauline? C'est madame Gaudrin. Ça va? Le p'tit est bien?

– Heu… oui, Madame… Mes sympathies… Ça m'fait d'la peine…

– Oui, moi aussi pis Ti-Guy itou… Mais j'ai pas pris la ligne juste pour avoir tes sympathies, Pauline… J'ai parlé longtemps avec Ti-Guy, on a passé la nuit à discuter, pis là, c'est décidé, pis on r'viendra pas en arrière.

– Qu'est-ce que vous voulez dire? J'comprends pas…

– Ben, c'est ben simple, ma fille, tu paquetes tes affaires pis t'habilles ton p'tit, vous vous en venez vivre par icitte!

Pauline, sidérée, n'osait rien dire. Elle n'avait pas envisagé…

– Dis donc, ça t'fait-tu plaisir ou non? Tu dis rien, Pauline!

– Oui, ça m'fait plaisir, mais j'comprends pas… Vous voulez dire qu'on va vivre à Saint-Calixte, le p'tit pis moi? Où ça?

– Ben, chez nous, c't'affaire! J'ai une grande maison, tu vas voir! Ti-Guy va r'prendre le commerce en main, y'est pas pour rouler des cigares toute sa vie, non merci! J'vais lui donner un coup d'main, j'vais r'prendre la caisse pis les comptes à payer pis à recevoir, pis toi, tu vas t'occuper d'la maison.

– Pour… Pourquoi c'est pas Ti-Guy qui me l'dit, Madame Gaudrin?

– Parce qu'y voulait qu'tu sois sûre que ça fait mon affaire, que j'accepte… Pis là, astheure que t'as eu la nouvelle, j'te l'passe.

Ti-Guy s'empara du récepteur et sur un ton joyeux, dit à Pauline:

– Tu vois? Tout s'arrange! J'savais qu'ça t'ferait plaisir!

– Heu… oui, mais… J'suis pas tellement bien vue à Saint-Calixte pis, partager la même maison qu'ta mère… A m'porte pas dans son cœur…

– Ben non, c'est fini ça, tu vas voir, on va former une belle famille pis le p'tit va grandir dans l'bon air… Moi, avec un commerce, pas d'loyer à payer pour un logement, fini la *shop* pis la maudite job, Pauline! J'm'en vas t'chercher avec Dédé! Fini la rue Mozart! Tu vas voir, on va être heureux, ici…

– Ben… ben, si tu l'dis, Ti-Guy…

Chapitre 7

amedi, 13 janvier 1951 et la petite famille Gaudrin quittait la rue Mozart pour aller s'installer à Saint-Calixte. Ti-Guy n'avait pas eu à argumenter avec le concierge pour quitter l'appartement avant terme; ce dernier, parrain de son fiston, avait compris la situation. Pour cause de décès, il avait déchiré le bail. Il avait senti que la mère, seule, désemparée, avait besoin de son fils auprès d'elle. Et comme il avait déjà un locataire en vue... Il permit même à Pauline d'apporter la reproduction de *La Joconde* qu'elle avait sur le mur du salon. Ti-Guy s'y opposait, mais Pauline y tenait. Elle se souvenait que Sam, naguère, avait tenté de l'intéresser à la *Mona Lisa* de De Vinci. Elle s'était montrée indifférente, mais elle n'avait pas oublié le portrait que Sam lui indiquait dans le dictionnaire. Et c'était pour se rappeler ce bref moment, un soir de pluie dans le shack, qu'elle voulait apporter le «cadre» avec elle. Rosaire le lui avait offert en disant à Ti-Guy: «Ça va, laisse faire, ça coûte pas cher pis j'en ai trois autres du même genre dans' cave.»

Ti-Guy avait eu un peu plus de difficulté à faire accepter par Jovette son départ précipité. D'autant plus qu'il quittait son emploi sans même une semaine de «notice». Elle qui avait fait des pieds et des mains pour qu'il soit engagé rapidement. Mécontente tout en s'efforçant de comprendre, elle avait fini par lui dire:

— J'vais essayer d'expliquer ça au boss, Ti-Guy, mais ça va pas faire son affaire. Là, entraîner quelqu'un d'autre...

Ce à quoi il avait répondu:

— Voyons, Jovette! Ça prend pas un cours classique pour rouler des cigares!

— Non, t'as raison, mais les employés sont pas tous doués. Prends Pauline, par exemple! *Slow* comme elle... J'lui sauvais sa job de justesse chaque semaine!

Sentant que Pauline n'était pas loin, que Ti-Guy ne disait rien, elle enchaîna:

— Mais sens-toi pas mal à l'aise, Ti-Guy. J'vais m'arranger avec ça; une mort subite, ça s'explique pis ça laisse personne indifférent.

— Oui, pis comme j'hérite du commerce...

— Raison de plus, mais j'pensais jamais qu'tu r'tournerais à Saint-Calixte. J'pensais qu't'étais devenu un gars d'la ville.

— Non, tu m'connais mal... Moi, d'où j'viens, c'est important. J'l'ai senti quand j'ai r'mis les pieds dans l'magasin. Pis, comme la mère pis moi on s'entend bien...

— Oui, j'sais, mais as-tu pensé à ta femme là-dedans?

— Qu'est-ce que tu veux dire?

— Voyons, Ti-Guy! Ta mère peut pas la sentir! Viens pas m'dire qu'a lui fera pas d'misère! Pauline est pas sortie du bois...

— Ben non, t'exagères, pas avec le p'tit... La mère a changé...

— Mon œil! J'la connais, ta mère! Y'a rien qu'elle aurait pas accepté pour te ravoir à elle! Pis Pauline va être de trop, tu vas voir! Peut-être pas Dédé, mais ta femme, j'vois ça d'ici...

– Ben là, va falloir que j'te laisse, j'ai du *stock* à paqueter...

– Compris! J'me mêle de mes affaires, j'dis plus rien, Ti-Guy. Pis, oublie pas, si tu r'viens en ville avec la famille, même pour une visite, ma porte vous sera toujours ouverte.

– Merci ben, Jovette, je r'tiens ça, c'est pas tombé dans l'oreille d'un sourd!

Le grand «boss» n'avait rien dit, il n'en avait rien su. Jovette avait exagéré. Délibérément. Pour garder Guy Gaudrin dans les parages. Pour avoir un ami à qui se confier quand le cafard allait la tenailler. Le *foreman* avait été déçu, pas plus. Dans une manufacture, les employés entraient et sortaient à longueur d'année. C'était un rituel. Un de perdu, dix de retrouvés. Les plus peinées furent la rouquine et sa compagne. Ces femmes dans la trentaine qui se disputaient souvent les faveurs de celui qu'elles avaient surnommé leur «jeune animal». Dès lors, elles n'auraient plus que les ventrus, les chauves, les vieux poilus, à moins qu'un autre bel homme marié s'empare de la chaise de bois laissée par Ti-Guy. La petite brunette de seize ou dix-sept ans avait laissé échapper un soupir. Elle n'avait eu qu'une aventure avec lui, elle attendait, elle patientait, elle espérait qu'il la reprenne... Mais Ti-Guy, content de ne pas lui avoir pris sa virginité dans un «mauvais» moment, n'avait jamais récidivé. Il craignait trop de lui faire un enfant. Il ne voulait pas répéter «l'erreur» qui l'avait lié à tout jamais à celle qu'il avait, à tort, considérée comme un... déversoir. Il avait donné rendez-vous à son plus proche collègue dans une taverne afin de lui remettre les vingt dollars prêtés à Pauline, en plus de lui payer la bière. Et il s'était presque vanté d'avoir hérité de la «colossale» fortune de son père. Comme ça! Tout bonnement. Pour que le grand niais le répète. Comme pour se donner bonne conscience de quitter la métropole pour retourner «corder» ses ragoûts de boulettes en conserve sur des tablettes. Patron... ou pas!

Et c'est d'une cabine téléphonique qu'il avait appelé Madeleine la veille de son départ. Se sentant brusquée, délaissée, elle lui avait dit:

– Tu pars, tu retournes là-bas et tu me l'annonces sans regret...

– Non, ça m'fait d'la peine, mais j'ai pas l'choix, Madeleine. J'ai ma vie à faire... J'ai une femme, un enfant...

Elle l'avait gentiment interrompu.

– Ne t'en fais pas, Guy, je m'y attendais. Je savais qu'un jour ou l'autre, nous allions nous perdre. Et lorsque j'ai su qu'elle... Non, je ne dirai rien contre elle, je la connais à peine. Et, comme elle est la mère de ton enfant...

– Donc, tu m'comprends? Mais peut-être que, des fois, en passant...

– Non, Guy, plus rien en passant comme tu dis. Et comme tu parles de faire ta vie, permets-moi de t'avouer que, moi, je compte refaire la mienne. J'ai rencontré, je n'osais pas te le dire...

– Qui? J'le connais? C'est sérieux?

– Non, tu ne le connais pas. C'est un professeur d'anglais dans une école supérieure. Un homme sans enfant, séparé tout comme moi, de mon âge.

– Pis... tu l'aimes?

– Oui, Guy, je l'aime. Pas de la façon dont je t'ai aimé...

– Tu m'aimais comment, moi? Comme un étalon, comme...

– Ne sois pas vulgaire et, surtout, pas de scène, ça ne te ressemble pas, Guy. D'ailleurs, qu'ai-je donc été pour toi...

– J't'aimais, moi! Chaque fois qu'j'étais collé contre toi…

– Voilà, Guy! Pour la sensualité, pour la sexualité, pour le lit, l'habitude… Jamais pour le cœur…

– Tu vas vivre avec lui, Madeleine? C'est donc fini toi pis moi?

– Guy! Tu me téléphonais justement pour me dire que tu partais! Que c'était fini entre toi et moi… Et tu voudrais que j'endosse… Non, soyons bons joueurs, c'est terminé, le temps en a ainsi décidé. Tu pars, Guy, moi aussi. Je quitte Montréal, je vais aller vivre avec lui à Vancouver. John veut se rapprocher de son père.

– Donc, c'était décidé, tu partais, tu m'l'aurais même pas dit…

– Non, Guy, je n'avais rien décidé encore. J'hésitais, je pensais à toi, j'avais peine à m'imaginer que, loin de toi, je n'aurais plus… Mais là, avec ta décision, je viens de prendre aussi la mienne. Et le mieux serait de nous quitter sur un bon souvenir, Guy. En emportant avec nous toutes ces images, tout ce bonheur…

Ti-Guy avait presque envie de pleurer. Sensible, vulnérable, le discours de Madeleine le secouait. Il lui avait téléphoné avec l'idée d'être expéditif quitte à la chagriner, et voilà que c'était lui… Parce qu'il l'avait aimée, qu'elle l'avait aimé, qu'elle avait tout sacrifié pour lui. Parce qu'elle lui avait appris à mieux vivre, à s'instruire, à se bien vêtir, tout en le déshabillant telle une bête la nuit venue.

– J'peux pas aller plus loin, Madeleine, ça m'fait mal…

– Tu t'en remettras, Guy. D'ailleurs, tu ne seras jamais l'homme d'une seule femme.

– Peut-être, mais toi, t'étais… Pis là, j'ai plus rien à dire, moi…

– Adieu, Guy.

Et c'est avec toutes ces images dans la tête, qu'au volant de son camion, Ti-Guy avait quelque peu le regard dans le vide.

– Aïe! Fais attention! La lumière vient d'changer!

Revenant sur terre, sueur au front, il demanda:

– Le p'tit a pas été trop bousculé? J'ai *breaké* d'un coup sec...

– Non, mais r'garde où tu t'en vas! Si j'avais pas pris la poignée, j'me s'rais pété l'front dans' vitre! Avec le p'tit dans les bras à part ça!

– Ça va, j'vais faire attention, j'vais modérer... Le *truck* est tellement plein que j'vois rien en arrière. On avait-tu tant d'*stock* que ça?

– Ben, c't'affaire! On a les meubles du p'tit, Ti-Guy! Pis not' linge d'hiver pis d'été. Ça prend d'la place tout ça! Pis ta vieille réguine bleue, c'est quand même pas une vanne de Baillargeon Transport! Ça brasse assez dans' boîte arrière que j'me d'mande si mon cadre va pas prendre le bord!

– Ça va, choque-toi pas... Qu'est-ce que t'as, toi? Encore en maudit?

– Non, pas en maudit, mais nerveuse. Moi, ta mère, j'la *trust* pas! A m'reçoit parce qu'elle a pas l'choix, mais elle pis moi sous l'même toit... J'sais pas si c'est une bonne affaire qu'on fait, Ti-Guy!

Sans la regarder, il lui rétorqua sur un ton qui la fit sursauter:

– T'aurais-tu aimé mieux rester toute seule en ville, Pauline?

Ils arrivèrent à Saint-Calixte à l'heure du souper, alors qu'il faisait noir et que le magasin était déjà fermé. Tout avait été planifié. Emma avait dit à son fils: «Arrive pas en pleine clarté quand l'magasin va être plein. J'aime mieux qu'tu t'amènes en catimini. Comme ça, personne va la voir s'installer… Y'a ben assez qu'j'vas avoir à m'expliquer avec la paroisse demain… Pauline est pas bienvenue dans l'coin.» Et Ti-Guy avait accepté de faire entrer la mère de son enfant, «sa femme», sous le toit de sa mère, comme s'il s'était agi d'une réfugiée clandestine. Pauline entra dans cette maison qu'elle connaissait déjà avec le petit dans les bras, sa «sacoche» suspendue à son coude. Madame Gaudrin lui fit un accueil assez froid, tout en s'efforçant d'être cordiale lorsque Ti-Guy entrait avec des boîtes ou des meubles. Elle avait dit à Pauline:

– La p'tite chambre du milieu en haut, ça va être pour le p'tit. Vous autres, vous allez prendre la chambre que Ti-Guy occupait. C'est pas la plus grande, mais j'vous ai donné mon lit double. Moi, astheure que j'suis toute seule, j'ai pris le lit simple de Ti-Guy, mais j'ai gardé la chambre des maîtres. J'suis habituée, tu comprends…

– Vous avez rien à m'expliquer, Madame Gaudrin, vous êtes chez vous ici. Nous autres, on arrive comme des intrus…

Lui coupant la parole, Emma lui lança sèchement:

– Ben, faudrait pas oublier que Ti-Guy a vécu toute sa vie ici. Y'est chez lui!

Pauline n'avait rien ajouté. Dédé venait de se réveiller…

– Ben, montre-moi donc ça, ce beau p'tit paquet-là! J'parle, j'parle, pis j'ai même pas encore r'gardé mon p'tit-fils.

– Voulez-vous l'prendre? Vous allez pouvoir mieux l'examiner…

Emma Gaudrin ne se fit pas prier et, dégageant le petit de sa couverture qui lui camouflait le visage, elle s'écria:

– R'garde-moi ça un peu, toi! L'portrait tout craché d'son père! J'en r'viens pas comme y r'semble à Ti-Guy quand y'avait son âge. Le même nez, le même visage rond… Beau p'tit cœur!

J'te dis qu'mémère va t'gâter, toi! Ça s'peut pas r'sembler aux Gaudrin comme ça! Pis j'pense qu'y va avoir les yeux pers de son père! Des yeux d'la couleur d'la mer! On a tous les yeux bleus ou verts dans la famille, y'aurait pas fallu que…

– Ben, c'est encore tôt, Madame Gaudrin, y peut avoir mes yeux noisette.

– Noisette? Y sont noirs comme du charbon, tes yeux, Pauline! Pis p'tits à part ça! R'garde-le, lui, y'a déjà les grands yeux d'mon Ti-Guy!

Pauline avait cru bon ne rien dire de plus. Déjà que la belle-mère l'accueillait… Et puisqu'elle semblait éprise de son petit-fils, c'était au moins ça de pris pour se sentir plus à l'aise. Mais, comme Pauline regardait partout, sur le poêle, sur la table dé-garnie, Emma lui lança:

– Si tu veux une tasse de thé ou de café, faudra t'en faire, Pauline. Moi, j'sers pas ici. Tu vas trouver tout ça dans la dé-pense. Pis si tu veux manger queq'chose, y'a une pointe de tarte aux pommes, y'a des beignes au chocolat… Fouille, fais comme chez vous! Pendant c'temps-là, j'vais déshabiller c'te p'tit trésor-là, moi. R'garde, Pauline! On dirait qu'y m'envi-sage! J'gage qu'y sait déjà qu'j'suis sa mémère… Beau p'tit cœur! Y s'habitue même à ma voix…

Pauline reçut ces dernières phrases comme un choc. Ébran-lée, elle venait de pressentir que la belle-mère allait s'emparer drôlement de son fils. Mais, s'efforçant de se persuader qu'elle se faisait des idées, Pauline se dirigea vers la dépense et le sou-rire lui revint quand elle y découvrit des beignes au chocolat. Sa gourmandise venait de l'emporter sur les craintes de son cœur de mère.

– J'peux-tu m'servir un verre de Denis Cola, Madame Gaudrin?

– Tout c'que tu voudras, j'te l'ai dit! Y'a même d'la crème en glace…

Ti-Guy venait d'entrer et, face à l'atmosphère qui régnait dans la maison, il poussa un soupir de satisfaction. Sa mère cajolait Dédé, elle semblait déjà en amour avec le petit. Puis, il aperçut Pauline, un tantinet souriante, un beigne entamé dans sa main, la bouche pleine, le verre de liqueur dans l'autre main. Il se déchaussa, se défit de son parka et se dirigea vers la salle de bain pour s'y laver les mains lorsque sa mère surgit derrière lui avec le petit dans les bras.

– C'est ton portrait, Ti-Guy! Dédé pis toi quand t'étais p'tit, c'est du pareil au même!

Puis, se rapprochant de lui, sournoise, à l'insu de Pauline, elle lui chuchota:

– Entre toi pis moi, c'est pas d'sitôt qu'a va fondre, elle! J'l'ai jamais vue grosse comme ça!

Les premières semaines s'écoulèrent passablement bien. Pour Emma Gaudrin, du moins. Elle avait mis Gertrude au courant des événements afin que le village l'apprenne le jour même et si quelques clientes haussèrent les épaules, d'autres froncèrent les sourcils. Hostile à ce retour comme ce n'était pas possible, la veuve avait bondi de sa chaise. Elle avait hurlé pour que les voisins l'entendent:

– Ah, non! A viendra pas m'faire chier icitte, elle! J'l'ai déjà assez eue dans les jambes, c'te truie-là! Si c'est l'cas, Gertrude, tu diras à Emma qu'a vient d'perdre une cliente! J'donnerai pas une chienne de cenne au magasin pour que la grosse s'emplisse le ventre avec!

Ce à quoi Gertrude avait répliqué:

– Tu vas acheter où, Charlotte? À Saint-Lin? Comment tu vas t'rendre-là?

L'autre, plus en furie que jamais, avait répondu:

– Ben... par téléphone... pis, si ça marche pas, j'vais déménager là! Y'a rien qui m'retient icitte, moé! J'suis en pension! Avec l'argent qu'j'ai, j'suis capable de m'acheter une baraque là-bas! Pis, je r'viendrai icitte les deux pieds en premier, quand ce s'ra l'temps de m'mettre dans l'trou avec mes hommes! Mais, juré, craché, j'achète plus là! Ti-Guy a voulu la marier, sa traînée? Ben, ça va lui coûter son commerce, parce qu'y en a ben d'autres comme moé...

– Qui ça, Charlotte? Y'a personne d'autre qui va acheter ailleurs à cause d'elle... On peut même s'compter chanceuses que Ti-Guy prenne le commerce!

– Pis toé, Gertrude? Tu vas donner ton argent là pour que la grosse...

– Ben, a m'a rien fait à moi, a m'a engueulée pour la lettre, mais pas plus... Pis, à part ça, c'est pas mon *chum* qu'elle a fait crever, Charlotte, c'est l'tien! Attends-toi pas à c'que la paroisse se range de ton bord, y'est mort, y'est dans terre, y'était devenu fou... Pis, pour nous autres, not' seul magasin, c'est celui des Gaudrin!

Le printemps s'écoula sans trop de heurts, mais Pauline se sentait souvent blessée dans cette maison où elle avait la vague impression d'être... en pension. Avec un mari et une belle-mère qui passaient leurs journées au magasin à faire du *cash* et la soirée à le compter. Combien de fois Pauline avait dîné seule parce que la mère et le fils avaient des clients à satisfaire. Seule avec son petit Dédé qu'elle avait à elle lorsque «mémère» travaillait. Parce que, dès qu'elle était libre, Emma Gaudrin s'emparait de l'enfant qui lui faisait des finesses plus qu'à sa propre mère. Parce que mémère, malgré les quelques protestations de Pauline, gâtait le petit... «pourri»! Avec la bénédiction de Ti-Guy, heureux de voir que sa mère s'attachait à son fils comme à un «Gaudrin» dans toute la force de sa lignée. Et Pauline, nourrie, logée, blanchie, se sentait encore une fois servante à temps plein du logis. Les planchers à «quatre pattes», les chambres, les lits, la lessive, le repassage, l'époussetage, la vaisselle, elle n'arrêtait que pour donner à boire à son enfant. Et, le soir venu, épuisée, repue, elle s'endormait sans même espérer une caresse de son mari et sans se préoccuper du bambin qui, chaque soir depuis quelques mois, dormait dans le lit de... mémère! Mais, dépendante, démunie sans lui, sans eux, elle s'accrochait au fait qu'elle était bien nourrie, bien logée et que, tout comme la belle-mère, elle portait le nom de «madame Gaudrin» elle aussi. Et ce, avec les genoux usés sur les planchers ou les deux mains rougies dans le «moulin à laver». Elle ne sortait guère, elle ne savait où aller. Souvent sur la galerie arrière avec le petit bien emmitouflé, pour que personne ne la voie. Lorsqu'elle avait pris la *sleigh* en février pour aller promener Dédé sur la rue Principale, Emma lui avait dit: «Moi, à ta place, j'me pavanerais pas en avant. Y'a des paroissiennes qui pourraient en profiter pour se vider l'cœur!» Mais de quoi? Pauline était perplexe. Qui donc pouvait lui en vouloir à part la veuve? La mère de Jovette était plus que charmante avec elle, Gertrude, heureuse de s'en être tirée à bon compte avec son «indiscrétion», la saluait poliment, et même la colocataire de la veuve, celle qui avait élevé l'enfant de chœur, lui disait: «Bonjour, Madame» quand elle la croisait. L'enfant de chœur! Celui qui avait tant fait jaser et qui avait causé, sans l'avoir cherché, la perte du curé, n'habitait plus sous le toit de sa protectrice. Quelques mois après l'incident, elle avait cru bon le placer dans une institution gérée par des religieux. Arriéré, retardé, loin de celle qui, délivrée de sa tutelle, l'avait confié aux bons soins du «gouvernement», il n'était plus que la proie d'un destin... tout désigné. Et c'est à ce moment que Charlotte était venue s'installer au village, dans la chambre de l'enfant de chœur qui avait laissé derrière lui son aube rouge et son surplis blanc. Or, malgré les avis de sa belle-mère, Pauline s'était «pavanée» avec Dédé sur la rue Principale. Elle en avait eu assez d'avoir les pieds gelés dans ses «pardessus» d'hiver à franges de fourrure, en restant clouée sur place. Assez aussi de voir son petit, le nez rouge, regarder le même arbre, la même cheminée. Pour que le sang circule, il lui fallait bouger, selon elle, et quand Emma, doucereusement, l'avait grondée, elle lui avait répondu impatiemment: «Écoutez, Madame Gaudrin, j'ai pas envie de r'virer en statue d'glace, moi! Pis, si vous voulez pas qu'Dédé attrape son coup d'mort, laissez-moi l'promener! Pis, pis... après toute, j'suis sa mère, non?» Emma n'avait rien ajouté mais, le soir venu, elle avait un tantinet pleurniché devant son fils. Lorsque ce dernier s'était enquis de la cause de sa peine, elle lui avait dit que Pauline avait été effrontée. Ti-Guy, furieux d'apprendre que sa femme s'en prenait à sa mère, invectiva Pauline tout en la menaçant des pires répressions qui soient. Apeurée, tentant de se défendre en vain, elle avait baissé la tête, elle s'était presque excusée. Parce qu'elle sentait, de loin, qu'Emma Gaudrin, les yeux embués, mi-clos, aurait un jour... sa peau!

Juin apparut au calendrier, enfin, avec ses jours prometteurs, son soleil, sa chaleur, sa douce brise du soir. Pauline qui travaillait comme une forcenée dans cette maison n'avait, contre toute attente, pas encore perdu l'excédent de poids gagné durant sa grossesse. Ce qui exaspérait quelque peu la belle-mère qui ne comprenait pas que Pauline, délivrée du bébé, puisse continuer à manger... pour deux! Non pas qu'Emma était «regardante» sur les victuailles, mais il lui arriva une fois de dire à Pauline sans la moindre gêne: «J'te r'garde manger pis ç'a pas d'bon sens! On dirait qu't'as pas d'fond! Où c'est qu'tu mets tout ça, Pauline? T'as-tu deux estomacs?» L'autre, insultée, sortit de table et Ti-Guy, pour une fois, prit sa défense.

— Écoute, la mère, a travaille assez fort, r'proche-lui pas de s'nourrir...

— C'est pas ça, Ti-Guy, c'est pour sa santé! Est au bout d'son souffle! C'est pas normal d'avoir à s'tenir après deux chaises pour se r'lever d'son plancher à vingt-trois ans! Est trop grosse, faut qu'a l'sache!

— Oui, mais ça, c'est à moi d'lui dire, la mère, c'est ma femme... Arrange-toi pas pour qu'a s'tourne contre toi, pis fais pas en sorte pour qu'a soit gênée d'manger à sa faim... C'est son seul plaisir, la mère.

— Oui, j'sais ben, tu la sors pas souvent, a voit personne... Pis le p'tit est toujours dans mes bras. Plus y vieillit, plus c'est moi qu'y veut. Y'a juste six mois pis on dirait qu'c'est moi sa mère...

— Ben, tu l'as toujours sur toi, tu lui laisses pas...

— C'est toujours ben pas d'ma faute si elle l'attire pas! Dédé lui tend jamais les bras! Pis, c'est pas elle qu'y'est forte sur les caresses... On dirait qu'ça fait son affaire que j'm'en charge! Pendant c'temps-là, a s'évache, a l'écoute la radio, a lit des romans, pis moi, j'change les couches!

— Ben, là, viens pas m'dire qu'ça fait pas ton affaire, la mère!

— Oui, si on veut... Mais on dirait qu'les enfants pour elle...

— Ça, j'comprends pas... T'aurais dû la voir à Saint-Lin avec le p'tit d'sa sœur. Son «gros» comme elle l'appelait. A l'aimait tellement son Édouard qu'a l'a pleuré quand a l'a plus revu. J'comprends pas qu'la même chose s'produise pas

233

avec Dédé... Un p'tit gars en plus! T'es sûre que t'es pas après lui arracher, la mère?

– Ti-Guy! Pour l'amour du ciel! Comme si j'avais l'cœur dur... J'te dis qu'c'est elle qui m'laisse faire. J'comprends pas, mais a l'a jamais tenté de me l'enlever pis me remettre à ma place. A l'aurait eu l'droit, ça m'aurait pas insultée, j'suis possessive, je l'sais!

– T'as peut-être raison parce que, même à Montréal, j'trouvais qu'a lui donnait pas l'affection qu'a l'avait donnée à son gros bébé triste.

– Son quoi?

– Son gros bébé triste... C'est comme ça qu'elle appelait Édouard parce qu'y la regardait tout l'temps comme si y'était en manque d'amour. Y'était pourtant gâté... Mais a s'est attachée à lui... Faut dire qu'a l'avait pas mis au monde celui-là, qu'a avait pas souffert...

– Raison d'plus pour aimer son enfant, Ti-Guy! J'ai manqué d'crever quand j't'ai eu, pis j'ai vécu pour toi jour et nuit depuis. Voyons donc!

– Ben, si y'a autre chose, a va finir par me l'dire, tu penses pas?

– Ouais... C'est vrai qu't'es pas souvent là, Ti-Guy. C'est pas d'mes affaires, mais où c'est qu'tu vas trois soirs par semaine? Sûrement pas à l'église, y'est fini l'mois d'Marie! Pis pas à' taverne, on l'saurait, tu sentirais la tonne...

– Nulle part de spécial, la mère, mais j'travaille assez fort, j'ai l'droit de m'changer les idées, non?

– Pour ça, oui, mon homme! Mais c'est à elle que tu devrais dire ça, parce que les soirs où tu rentres pas, j'te dis qu'a l'a la baboune, ta femme! A lit, a s'bourre dans l'chocolat, mais a grogne, Ti-Guy. J'l'entends souvent claquer la porte d'la chambre... Pis a monte sans m'dire bonsoir, a m'laisse en bas avec le p'tit... Pas surprenant qu'y couche avec moi, c't'enfant-là! Des fois, j'pense qu'a l'oublie!

Ti-Guy n'ajouta rien car Pauline, redescendant l'escalier, passa devant eux sans même leur jeter un regard. Puis, comme si la belle-mère avait parlé dans le vide, elle ouvrit la dépense, s'empara d'un *cup cake* aux fraises, se versa un verre d'Orange Crush et remonta à sa chambre sans avoir regardé son mari, Emma et même le petit. Ti-Guy se tourna vers sa mère et cette dernière lui chuchota:

— Comme j'peux voir, est pas trop rancunière, surtout avec une ou deux tripes à bourrer... Mais faudrait pas qu'a fasse sa fraîche trop souvent. Moi, quelqu'un qui m'passe au nez sans me r'garder...

— J'vas lui parler, la mère. J'veux pas qu'a soit impolie, j'veux qu'a l'apprenne à vivre. Pis, faut qu'ça change, c't'air-là... Va falloir qu'a écoute... A va prendre son trou ou ben donc...

Mais Ti-Guy, en jouant les défenseurs des mères éplorées, s'était habilement sorti d'embarras face aux questions posées par Emma. Il n'aurait pas voulu avoir à lui avouer que c'était la jolie Betty de la butte, la fille de monsieur Blair de l'Ontario, qu'il fréquentait assidûment depuis deux mois, qui était la cause de ses absences répétées. Betty, la superbe blonde de dix-huit ans, aussi belle que «Veronica», celle que Pauline avait croisée dans la rue et qu'elle avait ignorée. Même si elle l'avait déjà aperçue sur la butte à la porte de l'ancien chalet de la veuve. Intuition féminine? Jalousie? Betty lui avait pourtant offert un sourire... Mais elle venait un peu trop souvent au magasin. Pauline connaissait la Buick de son père qu'elle conduisait. Les soirs de «sortie», c'était dans le camion neuf du magasin qu'ils faisaient l'amour, elle et lui. Parfois au chalet quand ses parents n'étaient pas là et, une fois ou deux, dans une cabine de la grand-route. La même cabine qui avait servi de suite nuptiale à Pauline et son mari. Infidèle à outrance, sa mère le savait, sa femme s'en doutait, Ti-Guy Gaudrin était, néanmoins, amoureux fou de sa conquête, cette fois. Et vice versa!

Betty fréquentait Ti-Guy à l'insu de son père et de sa mère. Ils n'auraient certes pas apprécié que leur petite «fleur» fréquente un homme marié. L'aînée, Fanny, deux ans de plus que Betty, était restée à Thunder Bay lorsque ses parents avaient déménagé pour la *country*. Amoureuse, déjà fiancée à un comptable agréé, elle avait terminé ses études en habitant chez une tante et, six mois plus tard, s'était mariée. Sans être aussi belle que Betty, elle était passablement jolie d'après ses photos, mais elle n'était jamais venue avec son mari, du moins pas encore, dans ce qu'elle appelait «le coin perdu» que Betty lui décrivait si bien. À seize ans, douzième année terminée, bilingue, dactylographe, Betty ne voulut pas poursuivre ses études. Elle aurait certes aimé dénicher un emploi, mais où? À la mairie de Saint-Calixte? Mieux valait en rire. Il lui aurait fallu quitter pour la grande ville ou retourner à Thunder Bay, mais ses parents s'y opposèrent. Elle s'ennuyait, se tournait les pouces, s'habillait, se maquillait, mais pour qui? Personne! On la reluquait, bien sûr, mais monsieur Blair veillait sur sa fille. Et comme elle n'était pas en âge d'entrer à l'hôtel… Betty se morfondait, Betty dépérissait… jusqu'au jour où Ti-Guy vint livrer une première commande au chalet. Il l'avait certes remarquée, mais elle était trop jeune, trop innocente. Il avait déjà Madeleine, une femme de quarante-trois ans à honorer. Sans oublier la fille d'un fermier, vingt-sept ans, pas vraiment belle, mais fort habile dans l'art de traire les vaches et… les hommes. Ce qui n'empêchait pas Betty de remonter ses longs cheveux blonds en chignon pour qu'il puisse la sentir plus âgée. Elle le trouvait beau gars, elle voyait déjà le joli couple qu'ils formeraient. Puis, elle l'avait perdu de vue jusqu'à ce qu'il revienne avec la «supposée» cousine. Plus femme, plus mûre, les seins plus gros, plus fermes, la taille plus fine, la démarche plus sensuelle, Ti-Guy l'avait longuement regardée cette fois. Et Betty le reperdit de vue pour apprendre qu'il avait marié «la grosse» qu'elle avait vue et qu'il était père d'un enfant. Un si beau mâle avec une telle femme… Comme tant d'autres, comme toutes les autres, elle ne comprenait pas ce qui avait pu pousser un si beau jeune homme dans les bras de cette… Elle n'osait prononcer le mot, même dans sa tête. Et lorsque Ti-Guy revint à Saint-Calixte, qu'il devint le patron du magasin et qu'il refit lui-même les livraisons, elle ne resta pas de marbre à son premier sourire et se fit juste un tantinet prier pour monter à bord du camion. En plein champ, derrière une grange abandonnée, ce fut le premier baiser, les premiers attouchements et, enfin, le savant jeu de main du vilain… Un baiser de feu, un jeu dangereux, mais une heure plus tard, ils étaient follement amoureux. Sans s'être donnés l'un à l'autre. Pas encore. Et c'était la première fois que Ti-Guy Gaudrin avait dans les bras une fille dix fois plus belle… qu'il pouvait être beau gars.

Un mois d'août assez chaud, si chaud que Pauline suait au moindre effort. Au diable les planchers, elle n'allait pas se mettre à genoux et se relever avec la peau grasse qui suintait, et de l'eau causée par l'humidité qui dégoulinerait de gauche à droite dans un bourrelet du cou. Emma Gaudrin était déjà au magasin, le visage près du ventilateur, Dédé dans sa chaise haute et Ti-Guy au bout de la table à prendre son déjeuner.

— Tu diras à ta mère que j'me morfondrai pas sur les planchers aujourd'hui. J'fais rien! J'reste à l'ombre avec le p'tit, j'me repose, y fait chaud, j'suis pas une esclave…

– Qu'est-ce qui t'prend, toi? Ma mère t'a jamais forcée... T'es pas la servante ici...

– Ah, non? J'suis quoi d'abord? Ta femme, peut-être?

– Ben oui! T'es-tu tombée sur la tête à matin? C'est-tu les chaleurs...

– Pas rien qu'ça, Ti-Guy, toi aussi! Pis ta mère, pis l'p'tit! J'suis l'esclave de toute la famille! J'sers tout l'monde pis j'me ferme la gueule! J'ai même pas l'droit d'faire des gros yeux à Dédé quand y sacre tout par terre, ta mère me l'interdit! Dès qu'y braille parce que j'élève la voix, a l'prend dans ses bras, a l'minouche... C'est rendu que le p'tit a peur de moi!

– Ben, arrête de crier après lui, pis y va se r'placer, Pauline! Tu l'aimes pas, c't'enfant-là! Pas comme t'as aimé ton «gros» à Saint-Lin!

– Voyons donc, je l'aime, Dédé, mais y faut que j'l'élève celui-là! J'peux pas tout lui passer comme à l'autre... L'autre, j'avais juste à l'choyer... Avec Dédé...

– Ben, laisse ma mère le minoucher comme tu dis, pis interviens pas trop. A l'a l'tour avec lui! Y l'aime, y'a lâche pas des yeux! Y couche même avec elle pis ça t'dérange pas, t'as tes nuits pleines!

– Pleines de rien, tu sauras! Si au moins, t'étais toujours là... Mais non, trois fois par semaine, parti mon mari! Avec qui? J'sais pas mais j'm'en doute! Si encore les autres soirs...

– Aïe! R'commence pas tes crises de jalousie, toi! Y'a personne, j'travaille tout l'temps, pis quand j'sors, c'est pour aller téter deux ou trois bières à l'hôtel. J'arrive tard pis tu dors, c'est pas d'ma faute...

– J'dors pas tout l'temps, tu l'sais, j'tousse, j'me r'vire de bord...

– Pis j'te fais l'amour quand ça adonne... J'fais pas semblant...

– Tu m'fais l'amour? Quand ça? Tu parles-tu des soirs où tu m'demandes de t'faire c'que les traînées d'la *shop* te faisaient? C'est ça, m'faire l'amour? C'est drôle, j'pensais qu'l'amour, ça s'faisait à deux, moi!

– Pauline! Syncope! Tu veux plus avoir d'enfant! J'veux pas t'contrarier…

– Ben, ça m'contrarierait pas si tu mettais c'que ta mère vend en cachette en dessous d'son comptoir. J'le sais, j'ai vu un commis voyageur r'partir avec une boîte. L'Église est contre ça, mais comme on va pas à messe, moi pis toi… Ça changerait rien, tu vois, pis j's'rais maudits plus satisfaite que de m'glisser entre tes deux…

– Pauline, arrête! Commence pas à parler comme une fille de rue! Surtout pas dans la maison d'ma mère pis devant le p'tit qui t'envisage!

– Lui, plus j'le r'garde, plus j'trouve qu'y t'ressemble! Les mêmes yeux, la même bouche… J'sais qu'c'est pas beau c'que j'vais dire, mais y'a même ton air hypocrite! Surtout quand y m'regarde de haut dans les bras d'mémère!

– T'es pas toute là, Pauline! Parler comme ça! Y'a juste dix mois, ce p'tit-là! Comme si un bébé pouvait avoir les défauts d'un adulte…

– Quand y'est mal parti, oui! Pis laisse ça à ta mère pour le pourrir! Y'a rien d'moi, c't'enfant-là! Ça paraît, y m'aime pas!

– Pas surprenant! Avec le ton d'ta voix pis tes mains sur les hanches! Tu y fais peur, Pauline! T'as jamais un sourire… T'as l'air bête!

– Une autre affaire, Ti-Guy… Sais-tu que j'peux même pas m'acheter un rouge à lèvres, faut que j'le quête à ta mère!

– Comment ça?

– Parce que j'ai pas une chienne de cenne! Tu m'donnes rien, ta mère non plus! On m'nourrit, on m'héberge, pis c'est tout. Pis si j'mange trop, a me r'garde de travers! J'pourrais-tu avoir queq' piastres à moi, des fois? Tu sais, quand j'passe devant l'*snack-bar*...

– T'as tout ici, Pauline! T'as juste à t'servir! Y'a du linge, du Kik, des gâteaux, des *chips*... Qu'est-ce que tu pourrais ben acheter ailleurs?

– J'sais... j'sais pas... une suce pour le p'tit...

– La mère en a deux boîtes su'l'comptoir!

– À c'que j'vois, ça sert à rien d'parler, j'suis due pour me promener toute ma vie avec juste un mouchoir dans ma sacoche!

– C'est pas ça, Pauline, mais l'argent, même le mien, on l'dépose, on prévoit, on sait jamais...

– Pis tes bières, tu les payes pas l'autre bord d'la rue? Ta mère en vend...

– C'est pas pareil, c'est pour rencontrer les gars, pour me distraire...

– C'est ça, amuse-toi, du *fun* en masse, moi, la cruche, l'divan pis mes romans!

– Ça s'compare pas, t'es une femme, toi. Ma mère s'est jamais plainte...

– Compare-moi pas à elle viarge! J'viens d'la ville, moi!

– Ben, si tu veux y r'tourner, Pauline, dis-le! Mais arrange-toi pas pour chercher la chicane avec elle! Ici, tu manques de rien, tu fais c'que tu veux, t'as un enfant, tu manges à ta faim...

– Va pas plus loin, Ti-Guy, encore une fois, j'parle dans l'beurre.

– Ben, parle plus si c'est pour dire des choses qui ont pas d'allure! Pis change de face! Tu fais peur à Dédé pis ça commence à écœurer la mère! Pis, un dernier conseil, Pauline!

Arrange-toi pas pour que j'aie même p'us envie de c'que j'ai d'toi de temps en temps... T'en pâtirais...

– Sais-tu qu'tu m'as jamais embrassée depuis qu'on est ici, Ti-Guy?

Il la regarda, hocha la tête, soupira impatiemment puis, sans rien ajouter, traversa le couloir qui le menait au magasin. Restée seule, malheureuse, frustrée, complexée, Pauline, nerveuse, se grattait l'urticaire entre le pouce et l'index. Puis, se demandant ce qu'allait être sa vie, regardant son petit, elle éclata en sanglots. Elle pleura si fort, gémit tellement, que Dédé, figé dans sa chaise haute, apeuré, éclata avec elle.

Pauline n'avait personne à qui parler ou presque. Il lui arrivait de promener Dédé sur la rue Principale malgré la désapprobation de sa belle-mère et d'y croiser madame Biron qui lui piquait une jasette. Elle lui avait même dit: «Je t'inviterais ben à prendre le thé, Pauline, même le souper, mais avec mon mari et ce qui est arrivé l'an dernier avec Sam, ça risquerait d'faire des flammèches.» Pauline comprenait la situation. De toute façon, lorsqu'il lui arrivait de croiser le regard du père de Jovette, elle tremblait de peur. Il y avait tant de haine dans ces yeux-là... D'autant plus qu'il n'avait pas quitté le patelin et que ses fils ne purent prendre charge du garage et voir au bien-être de leur mère. Ce qu'ils espéraient encore de tout cœur. Mais madame Biron lui avait dit avant de la quitter:

– J'vais téléphoner à Jovette à soir. T'as un message pour elle?

– Oui! Dites-lui que j'm'ennuie d'elle, que ça va comme ci comme ça avec ma belle-mère... Dites-lui que j'suis pas tout à fait heureuse, mais que j'ai pas l'choix. Dites-lui que j'l'appellerais ben de temps en temps si mon mari m'donnait un peu d'argent. J'peux pas l'faire de la maison, vous comprenez...

J'suis juste nourrie, logée. Mais dites-lui que j'manque de rien, le p'tit aussi. Pis, pour c'que j'viens d'vous dire, j'peux compter sur vot' discrétion, Madame Biron?

Pauline avait croisé la veuve une seule fois lors de ses promenades, mais Charlotte avait changé de trottoir lorsqu'elle l'avait vue venir avec le carrosse. Et les deux femmes avaient échangé un regard, pas un mot. Pour une fois! Mais Pauline avait vu des dards dans les petits yeux croches de la veuve derrière ses lunettes et, le constatant, elle avait passé la tête haute, le regard altier, pour que Charlotte la déteste davantage. Hortense, la servante du curé, ne lui adressait pas la parole, Gertrude n'était que polie avec elle et quelques femmes, peu concernées par l'histoire de l'ermite avec elle, se penchaient sur le carrosse pour voir de plus près le fils de Guy Gaudrin, le petit-fils d'Emma. Sans toutefois engager de longues conversations avec la mère dont elles avaient quand même eu vent de… la réputation. Ce qui contrariait Pauline au plus haut point, c'était lorsqu'elle voyait Betty Blair descendre de l'auto de son père et entrer en vitesse dans le magasin. Elle avait même entendu sa belle-mère l'accueillir comme une reine en lui faisant des courbettes. Tout comme à elle au temps où elle venait avec l'argent de l'ermite et qu'Emma Gaudrin l'appelait «Mam'zelle Pauline». Au temps où elle lui rapportait en gonflant son chiffre d'affaires. Mais là, parce que la commerçante se montrait pingre, radine, près de ses «cennes» sauf pour Ti-Guy et le «p'tit», Pauline n'avait guère droit à plus que ses trois «gros» repas que la belle-mère la regardait avaler les poings serrés. Parce que si, au début, elle avait semblé ne pas être regardante sur le manger, elle avait peu à peu changé d'attitude. Pauline mangeait trop de «profits» selon elle. Elle aurait souhaité que son fils la force à suivre un régime, mais comme il se foutait de sa femme depuis qu'il avait sous lui, fréquemment, le corps sculpté de la sulfureuse Betty, il répondait à sa mère:

— Laisse-la manger, syncope! On lui donne pas une cenne pis a travaille pour dix! Ta maison est propre, la mère, la vaisselle avec… La servante du curé est pas maigre, elle itou, pis y doit la payer en plus d'la nourrir. Arrête de guetter chaque bouchée qu'a prend, la mère. Pis, c'est moi qui a hérité du commerce… Oublie pas qu'sans moi, y'aurait plus d'magasin au village…

Emma Gaudrin n'avait rien répliqué. Jamais elle n'aurait osé le contrarier. Ti-Guy était sa soupape, son univers, depuis la mort de Joseph. Bon gré, mal gré, elle n'avait pas d'autre choix que d'endurer «la grosse» aussi si elle voulait son Ti-Guy et son Dédé à tout jamais auprès d'elle.

Mercredi, 17 octobre 1951. Trois jours plus tôt, le dimanche, c'est avec beaucoup d'emphase qu'Emma avait fêté les vingt et un ans de son fils. Sa majorité! Elle avait invité Gertrude qui avait accepté du bout des lèvres. Elle avait invité le frère de son défunt mari, mais il n'avait pu venir de Montréal; il souffrait d'angine tout comme feu Joseph et son médecin lui avait interdit tout déplacement. Voulant que Ti-Guy soit fêté royalement, elle avait invité la mère et les frères de Jovette qui s'empressèrent de venir. Le nouveau curé vint se joindre aux invités, le propriétaire du *snack-bar* et son épouse, l'hôtelier et sa concubine, ainsi que Bob et Fleur-Ange qui arrivèrent à Saint-Calixte avec un présent pour Ti-Guy et des effusions pour Pauline et son petit. Cette dernière, ravie de les revoir, s'était vêtue de ses plus beaux atours. Du moins, ceux qu'elle pouvait encore endosser sans faire sauter les boutons, les coutures et les agrafes. Elle s'était, de plus, frisée et maquillée et avait appliqué sur ses ongles un vernis «grenat», Jovette n'étant pas là. Fouillant dans sa garde-robe, elle avait enfilé une robe verte passablement ample et avait réussi à chausser ses pieds courts et enflés d'escarpins sans courroies. Et, pour plaire à son mari, elle s'était parée des bijoux en pierres de lune, ceux qui allaient… avec tout!

Emma Gaudrin n'avait pas lésiné sur la «mangeaille». Il y avait de tout! Du rôti de porc, du jambon fumé, des saucissons à la moutarde, des pommes de terre en cubes, des cornichons, du pain croûté, des desserts à profusion, du vin, de la bière, du cognac, du thé, du café, des boissons gazeuses et, pour terminer, un gros gâteau rond glacé au chocolat avec vingt et une chandelles à souffler. Un repas auquel Pauline fit honneur, il allait de soi. Elle n'avait pas de présent pour «son homme», mais sa belle-mère avait songé à lui offrir une jolie montre plaquée or de la part… de l'enfant. Et, devant tout le monde, elle lui remit une enveloppe avec une carte de souhaits bourrée de billets de banque. Tellement qu'il en tombait par terre! Des billets de banque de toutes les couleurs que Ti-Guy enfouit rapidement dans ses poches avant que Pauline ne les compte. Fleur-Ange, heureuse de revoir Pauline, s'entretint longuement avec elle. Le commerce allait mieux, Bob se tirait d'affaires, les petites grandissaient. Elle lui parla aussi de Raymonde avec qui elle causait de temps en temps, quand elle trouvait les sous pour payer un cornet à deux boules à ses enfants. Pauline lui demanda si elle avait vu Édouard, le plus petit, «son gros» qu'elle avait tant bercé, et Fleur-Ange lui répondit que le petit courait partout, qu'il était tannant comme les autres, mais beau à enjôler le diable. Et Pauline soupirait d'aise comme si on lui parlait de «son» enfant. Elle qui, hélas, avait la fibre maternelle un peu moins forte face à Dédé. D'autant plus que ce dernier, fou de mémère, refusait constamment les bras de sa mère. Ce fut, néanmoins, un beau dimanche et un agréable jour de fête pour Ti-Guy. Quant à Pauline, c'était la première fois qu'elle avait souri, ri, et s'était amusée depuis qu'elle était sous ce toit. Et c'est avec tristesse qu'elle avait vu Fleur-Ange et Bob reprendre le chemin de Saint-Lin, tout comme les Biron qui s'apprêtaient à regagner leur maison. Fleur-Ange ne lui avait pas dit si Raymonde l'avait méprisée. Par délicatesse, sans doute. À moins que sa sœur ait fini par comprendre que son mari était un bon à rien… Ce dont elle doutait cependant.

Le soir venu, encore pimpante et heureuse de voir Ti-Guy joyeux, quelque peu ivre, se déshabiller devant elle, Pauline soupira, espéra, pria presque le ciel… Mais son mari, flambant nu, sautant dans le lit conjugal, lui tripota les seins, lui empoigna gentiment les épaules et la glissa sous lui jusqu'à ce qu'il la perde de vue à la hauteur de ses reins. Pauline, en chaleur, en manque, ferma les yeux sachant qu'elle resterait en manque et, gentiment, ouvrit les lèvres pour laisser glisser sa langue… sur le membre.

Mais, en ce mercredi, trois jours plus tard, c'est à minuit et quelques minutes que Ti-Guy glissa sa clef dans la serrure de la porte arrière de la maison. Titubant, grimpant l'escalier en ratant une marche ou deux, il atteignit la chambre et là, sans préambule, laissa tomber tous ses vêtement sur le plancher, coupe-vent inclus. Pauline, assise dans le lit, humant le parfum qui émanait de lui, fulminait. La regardant, il haussa les épaules et lui demanda d'un ton hargneux:

— Qu'est-ce que t'as encore? Juste à t'voir la face de beu…

— Tu m'triches, Ti-Guy! Tu pues l'parfum d'une autre! Tu m'triches pis j'sais avec qui! La guidoune de la butte! L'Anglaise!

– Au cas où tu l'aurais oublié, c'est Betty qu'a s'appelle.

– Je l'sais, pis c'est avec elle que tu couches! Avoue! Mensmoi pas!

– Moi, t'mentir? Pourquoi, Pauline? J'ai-tu déjà été fidèle? Pis toi? T'en avais pas trois à la fois pas plus tard que… T'as pas fêté ta fête avec Marcel après l'avoir fêtée avec Sam? J'm'en rappelle, j'étais là. Pas facile quand c'est chacun son tour, hein? Sam aussi était en beau joual vert… T'as oublié, Pauline? T'as oublié qu'tu l'a triché avec Marande le jour de ta fête?

– Ta gueule! C'est pas pareil! On était pas mariés!

– Qu'est-ce que t'as dit, Pauline? Ta gueule? À ton mari? Y'a jamais personne qui m'a dit ça, même pas ma mère, pis tu commenceras pas!

Le ton montait et Pauline, au départ frondeuse, devenait nerveuse.

– Ben… ben, tu cours après… Tu m'fais sortir de mes gonds… tu…

– J'fais rien, moi, j'parle pas… Pis, si tu veux l'savoir de moi parce que tu l'sais déjà, oui j'couche avec Betty! J'ai un *kick* sur elle, Pauline, j'l'aime, j'ai rien à rajouter.

– Tu m'triches, Ti-Guy! T'en rends-tu compte?

– J'te triche comme j'en ai triché d'autres avec toi, Pauline! En commençant par Madeleine au cas où tu l'aurais oubliée! J'couchais avec elle avant d'coucher avec toi, pis ça t'dérangeait pas que j'la triche avec toi dans c'temps-là. La «vieille» comme tu l'appelais! Pis j'sortais avec la fille du notaire…

– Tu sortais avec n'importe qui dans c'temps-là, Ti-Guy, pis moi aussi! Mais c'est passé tout ça! On est mariés astheure, on a un enfant… Là, tu triches ta femme, Ti-Guy, pas une de tes blondes!

– Pis? Ça change quoi? Tu l'savais qu'j'étais fait comme ça…

– Ben, pourquoi tu m'as mariée d'abord? Tu disais…

– J't'ai mariée pour le p'tit, Pauline, pas pour toi! J't'ai mariée pour pas qu'tu sois une fille-mère pis lui un bâtard! T'as pas d'mémoire? J'avais cassé avec toi avant qu'tu m'arrives avec le p'tit dans l'ventre! J'ai pris mes responsabilités, j'ai tout quitté pour Dédé, j'ai même fait mourir le père, Pauline! Pis là, tu voudrais que j'passe ma vie avec toi sans en flirter une autre? Ben là, t'as chié, Pauline! T'es-tu r'gardée? T'es-tu aveugle?

Sidérée, humiliée, elle lui lança un regard haineux et lui répondit:

– J'pensais jamais qu'tu s'rais aussi chien qu'Marcel Marande, Ti-Guy! J'pensais jamais qu'tu m'humilierais comme il l'a fait, lui! Parce que c'que tu viens de m'dire, y me l'a déjà dit lui aussi…

Croyant que Ti-Guy s'excuserait, elle eut la surprise de l'entendre répondre:

– Ben… Y'avait pas tort! Pis comme j'suis pas l'premier… Syncope, Pauline! T'as jamais rien fait pour être attirante!

– C'est pas toi, Ti-Guy Gaudrin, qui disais qu'j'étais ragoûtante? T'as-tu oublié tes compliments dans l'temps?

– Oui, dans l'temps! Mais y'a coulé d'l'eau sous les ponts depuis…

– Qu'est-ce que tu veux dire?

– Ben, juste grosse, ça m'dérangeait pas, mais là, avec l'eczéma pis c'que t'as sur les joues…

– Sais-tu qu't'es un maudit bel écœurant? Reprocher des choses comme ça à la mère de son enfant!

– Ben, parle plus, ferme-la, Pauline! Tu vois pas qu'j'suis encore saoul? Pis j'suis brûlé, j'suis fatigué, j'ai une bonne journée dans l'corps…

– T'as du front, toi! Fatigué! Brûlé! C'est ta guidoune qui t'rentre dans l'corps, Ti-Guy, pas l'ouvrage! Pis, si ça continue…

De loin, venant du corridor, la voix d'Emma se fit entendre.

– Aïe! Vous pourriez pas parler moins fort? Vous réveillez Dédé! Pis, lâche-le donc, Pauline! Ti-Guy travaille comme un bœuf! C'est lui qui nous fait tous manger!

Pauline aurait voulu crier, hurler sa honte et sa douleur, mais Ti-Guy, ivre, le drap sur un mollet, le corps nu exposé à sa vue, était tombé d'un bloc sur le matelas, la tête sur l'oreiller. Pauline aurait voulu le frapper. Elle se mordait les doigts, elle asséchait ses yeux embués de rage puis, retrouvant une parcelle de fierté, elle murmura entre ses dents tout en le regardant: «Si tu penses que j'vas endurer tes brosses par-dessus brosses pis tes bottes par-dessus bottes ben longtemps, ben, tu t'trompes, mon écœurant!»

De jour en jour, le calme peu à peu revenu, Pauline «endura» les écarts de conduite de son mari. Elle aurait voulu arracher les yeux de Betty, se rendre sur la butte, se plaindre à son père, mais elle savait que, ce faisant, elle courait à sa perte. Un seul esclandre de sa part et ce serait la fin. Ti-Guy la «maudirait» dehors, elle serait démunie, elle n'aurait plus personne pour… la nourrir. Novembre se pointa dans la force des froids d'automne et Pauline célébra ses vingt-quatre ans complètement seule, sans gâteau, sans invités. Le soir, madame Gaudrin lui remit un petit cadeau enrubanné accompagné d'une carte. C'était une petite boîte musicale qui jouait *Happy Birthday* et qu'elle avait depuis quatre ou cinq ans dans son comptoir de fantaisies. Pour ne pas être en reste, Ti-Guy lui dit: «Bonne fête, Pauline» tout en lui offrant une boîte de chocolats. Des chocolats! Lui qui la trouvait grosse et qui lui reprochait son eczéma! Mais, faisant fi de l'indifférence de son mari, elle se consola dans les chocolats, les ouvrant un à un du pouce pour déguster les plus crémeux en premier.

Rassuré maintenant que Pauline savait que Betty et lui formaient un couple, Ti-Guy s'éloigna davantage d'elle. Il ne lui quémandait même plus le «rituel sexuel» auquel elle était habituée parce que, depuis quelque temps, sa jeune maîtresse avait pris la relève. Plus belle que Betty Blair, il n'y avait que les actrices de cinéma. Et pas toutes puisqu'elle éclipsait de sa splendeur les Jane Wyman, les Barbara Stanwyck, les Joan Crawford et autres, ainsi que les starlettes du genre Brenda Joyce des films de Tarzan. Parce qu'elle était femme, qu'elle était moulée comme une déesse, qu'elle avait des jambes à faire rêver, de longs cheveux blonds, les lèvres pourpres, charnues, et des seins qui n'avaient rien à envier à ceux de Martine Carol. Betty Blair aurait pu être à Hollywood ou à Paris, mais le sort avait décidé qu'elle vivrait à Saint-Calixte, sur la butte, dans l'ancien chalet de la veuve et Piquet. Avec son père et sa mère. Ce qui aurait pu être catastrophique pour une beauté de dix-huit ans si elle n'avait croisé Guy Gaudrin sur sa route. Un superbe garçon qui n'avait rien à envier aux mâles de l'écran, mais avec le seul défaut d'être marié. Ce à quoi passa outre la sensuelle Betty lorsqu'ils échangèrent leur tout premier baiser. Et davantage lorsqu'ils passèrent une longue soirée dans la cabine numéro 2 de la grand-route. Ayant vu Pauline, sachant que Ti-Guy s'était marié obligé, Betty pouvait dormir tranquille. Ses parents s'objectèrent quelque peu, surtout sa mère. Une fille respectable ne fréquentait pas un homme marié... Mais lorsque Betty les menaça de retourner à Thunder Bay, de ne pas moisir seule sur la butte, ils devinrent moins scrupuleux. D'autant plus que Gaudrin avait un commerce, de

249

l'argent, et que leur Betty, un jour, peut-être… Une douce projection afin de fermer les yeux, la conscience en paix, sur la
relation quasi condamnable de leur petite dernière. Parce que
pour eux, l'adultère…

L'automne s'écoula sous la pluie et le vent, avec les feuilles
mortes trempées et les premiers brins de neige. Dédé souffla en
décembre, avec «mémère», sa première bougie et Ti-Guy le
combla de cadeaux inouïs. Et comme l'enfant se blottissait de
plus en plus dans les bras de sa grand-mère, Pauline avait l'impression de ne plus être sa mère. Quand elle tentait de le prendre,
il criait, tendait les bras à nulle autre que «mémère», et lorsqu'elle voulait l'embrasser, il détournait la tête. Choyé, gâté
pourri par sa grand-mère, il était évident qu'il ne voulait pas se
retrouver sur les genoux de celle qui ne lui donnait jamais rien
et qui, parfois, osait hausser le ton quand il jetait ses blocs dans
la cuvette de la toilette. Pauline était peinée, désespérée, son
propre fils la repoussait dès qu'elle s'en approchait. Elle qui
avait éprouvé tant de joies, tant d'amour avec Édouard, son
«gros bébé triste» qui s'endormait dans ses bras quand elle faisait tourner *Tico Tico* ou *Amour* d'Alys Robi. Et c'est dès lors
qu'elle se rendit compte qu'elle avait perdu son enfant, que sa
belle-mère le lui avait volé et que son mari n'avait rien fait pour
l'en empêcher. Et ce, même si Dédé promettait d'être un
monstre de petit garçon avec les ans. Ça se voyait, ça se sentait! Sauf pour Ti-Guy qui, très souvent au lit avec sa très jolie
conquête, avait beaucoup plus les yeux rivés sur elle et ses
«prouesses», que sur son fils qui, d'un premier pas à un premier
mot, annonçait déjà qu'il allait pousser… croche!

Elle reçut une carte de Noël de Jovette. Une très jolie carte
signée tout simplement du nom de Jovette, sans celui de

Carmen à côté. Intriguée, elle en parla à madame Biron qui lui avait dit: «Garde ça pour toi, Pauline, mais ça marche de moins en moins entre elles.» Puis, elle avait ajouté avec un soupir qui en disait long: «Quand j'pense que c'est lui qui l'a r'virée… Tu sais c'que j'veux dire… Ma fille s'est confiée, elle m'a avoué pour Carmen, mais j'avais déjà le pressentiment. Puis, comme elle m'a dit que tu étais au courant de tout… Mais j'prie fort pour que Jovette revienne comme avant. C'est pas elle, ça!» Pauline n'avait rien dit. Elle avait choisi une carte parmi celles qu'on vendait au magasin et l'avait postée à son amie en écrivant en guise de post-scriptum: «Tu me manques, Jovette. Je me sens si seule. Je pleure souvent.» Mais Jovette ne répondit pas à ce cri de détresse, habituée aux désespoirs de Pauline, à ses hauts et ses bas, ses folies et ses larmes. Noël cette année-là fut le plus vide des Noëls de Pauline. Au sapin décoré, à la dinde arrosée de sa belle-mère, elle préférait de loin ce Noël sur la butte, avec Sam, la glace entre les fentes du shack, son petit roman, une chandelle et ses *cup cakes*. D'autant plus qu'avec l'ermite, elle avait eu droit à un présent. Un geste d'amour, elle s'en souvenait. Des pantoufles de laine roses garnies de pompons blancs. Et elle se souvenait que, ce soir-là, ils avaient fait l'amour avec indécence… Une indécence qui se voulait tendresse. Que d'images, que de réminiscences… De toute façon, chacun des gestes de Sam avait été un geste d'amour. De cœur et de corps! Même dans la cuve à l'eau tiède… avant les ébats. Tout ça était si loin quoique si près dans ses plus douces souvenances. Maintenant, avec un mari, un enfant, une maison bien chauffée, la table bien garnie, c'était plus froid qu'en plein shack un soir de tempête. Parce qu'aucune chaleur n'émanait du cœur de celui que, malgré l'autre, elle aimait encore. Elle aurait tant souhaité que Ti-Guy, tout comme au temps de la danse au village puis, après, aux heures de la cabine sur la grand-route, la trouve encore… «ragoûtante». Mais ce n'était guère le cas, en dépit du fait qu'elle était toujours la même. Parce qu'il avait entre «les mains» une jeune beauté qu'il adulait, qu'il adorait. Sans se creuser la tête, il avait offert à sa femme des rondelles à la menthe chocolatées et deux pains de savon parfumés. Des savons qui traînaient dans un comptoir du magasin depuis le printemps dernier. Des savons à l'odeur de lilas… en plein mois de décembre! Il lui avait souhaité: «Joyeux Noël», sans même l'embrasser… Oh! si! un tout petit bec sur la joue! Et sa belle-mère, aussi radine que riche, lui avait dit: «Pour ton cadeau, tu choisiras la plus belle bûche de mon comptoir de pâtisseries, Pauline! Mais pas la plus grosse, j'ai un client qui l'a réservée pour sa nombreuse famille!» Un bien triste Noël pour celle qui, sur la butte… Elle n'osait y penser. Elle s'interdisait d'y penser parce qu'elle avait encore sur la conscience, la mort brutale du seul homme qui l'avait vraiment aimée. Mais ce que Pauline ne savait pas et qu'elle ne saurait sans doute jamais, c'est que, le lendemain de ce Noël sans éclat, Ti-Guy était allé quérir Betty pour l'emmener manger dans un chic restaurant de Montréal. Puis, de retour sur la route de Saint-Lin, ils s'étaient arrêtés quelques heures à leur cabine préférée. Et c'est là, après l'amour, sur l'oreiller, que Betty Blair eut droit au plus joli bracelet qui soit. En or, serti de véritables perles cultivées et rehaussé d'un filet de parcelles de diamant. Un bracelet de toute beauté qu'Emma avait commandé au prix du «gros» et en catimini pour que la jolie Betty le reçoive des mains de son fils adoré. Un bracelet onéreux, «pas donné», qu'Emma Gaudrin… avait payé!

C'est en janvier 1952, le mardi 8 précisément, que la lourde atmosphère qui régnait dans la maison allait se transformer en tempête. Il était neuf heures du matin lorsque mémère, revenant du magasin pour prendre sa petite caisse qu'elle avait oubliée, vit, en passant, Pauline qui donnait une bonne tape sur les fesses de son enfant, tout en le déposant assez rudement par terre après l'avoir retiré de sa chaise haute. Le petit se mit à hurler et Emma, consternée, fit irruption dans la cuisine, s'empara de son petit «trésor» qu'elle consola vite d'une caresse et, furieuse, dit à Pauline:

– Qu'est-ce qui t'a pris, toi? J't'ai vue, tu sais!

– C'est juste une p'tite tape par-dessus sa couche… J'l'ai pas assommé! R'gardez c'qu'il a fait! Y'a vidé son bol de céréales par terre, la cuiller avec! Faut que j'le reprenne, c't'enfant-là! Faut que j'l'élève, c'est pas du monde!

– Y'a juste treize mois, Pauline, pas quatre ans! T'as pas d'affaire…

Au même moment, attiré par les bruits de voix et les pleurs de l'enfant, Ti-Guy fit irruption dans la cuisine.

– Qu'est-ce qui s'passe? Y'est-tu tombé? C'est quoi, c'vacarme-là?

– C'est elle, Ti-Guy! J'l'ai surprise en train d'tapocher Dédé! Si j'étais pas arrivée, j'pense qu'a l'aurait continué! Un bébé qui marche à peine… Parce qu'y a échappé ses céréales…

– Pas échappées, garrochées, Madame Gaudrin! C'est pas pareil! Pis c'est pas l'seul mauvais coup qu'y fait! J'y ai juste donné une tape sur les fesses, Ti-Guy, j'l'ai pas bardassé…

– Ah, non? Tu l'as mis à terre comme si y'avait trois ans! J't'ai vue, Pauline! Pis c'est à peine si y s'tient sur ses p'tites jambes… Pauvre p'tit cœur! T'en fais pas, mémère est là…

– Écoute-moi bien, Pauline, j'veux plus jamais t'voir lever la main sur le p'tit! clama vigoureusement Ti-Guy.

– C'est ça! Prends la part de ta mère! Vargez sur moi tous les deux! On sait ben, j'suis juste la servante dans c'te maudite cabane! J'ai plus d'mari, plus d'p'tit! J'me d'mande ben c'que j'fais icitte, moi!

– Moi aussi, Pauline, pis on va en parler à soir! Ça peut plus continuer comme ça! La mère est sur les nerfs, le p'tit t'aime pas, y t'fuit, pis moi…

– À soir? Pourquoi t'en parles pas tout d'suite, Ti-Guy Gaudrin? Devant ta mère? A l'sait-tu qu't'as une blonde que tu bourres pis qu'tu charries à la cabine de la grand-route? Saviez-vous ça, Madame Gaudrin, qu'vot' fils adoré m'triche avec la p'tite Anglaise d'la butte?

– Réponds pas à ça, la mère! Laisse-la parler pis va coucher le p'tit, c'est l'temps d'sa sieste. J'm'arrange avec le magasin, pis toi pis moi, Pauline, c'est à soir qu'on discute, pas avant. Pis j'veux plus qu'tu t'occupes du p'tit d'la journée… T'as vu comment y t'regarde? Y'a peur de toi, astheure, le mal est fait…

– Aïe! Pousse pas, viarge! C'est pas une p'tite tape en passant…

– J'te défends d'toucher à mon enfant!

– Ton enfant, ton enfant… C'est-tu toi ou moi qui l'as accouché, ce p'tit-là? Tu parles comme si j'étais juste la bonniche, la gardienne… Tu sauras qu'c'est notre enfant, Ti-Guy! Pis plus à moi qu'à toi, parce que c'est moi qui l'a porté pendant neuf mois pis qui a souffert comme une vache! R'garde-moi les varices!

– T'es avais ben avant tes serpents bleus, c'est pas le p'tit, c'est l'vice! T'en avais même quand t'étais avec l'ermite… Pense-tu que j't'ai pas vue tout' nue dans l'temps? T'as la mémoire courte, toi! Tout c'que t'as d'nouveau, c'est ton eczéma pis ta couperose, Pauline! Le reste, la graisse, les plis, la sueur, c'était là!

Pauline, folle de rage, aurait voulu lui sauter au visage, mais elle n'en fit rien. Rouge de colère, humiliée, elle se mit à pleurer, ce qui le fit rebrousser chemin jusqu'à l'épicerie. Seule, les joues dans ses mains, des larmes sur la nappe, elle se sentit défaite, abattue, à bout de souffle. Mémère était montée avec le petit, c'était le silence, elle l'avait sans doute endormi. Seule contre Emma Gaudrin et Ti-Guy, Pauline savait qu'elle ne gagnerait jamais. Et ce qui l'avait le plus surprise et renversée, c'était que la belle-mère n'avait pas sursauté d'un pouce quand elle lui avait dit que son fils avait une «pute» sur la butte.

Le magasin fermé, ils soupèrent tous les trois en silence. À tel point que Pauline avala «tout croche» sa soupe et un crouton de pain. Puis, mal à l'aise, elle dit à sa belle-mère quand vint le plat principal: «Pas pour moi, j'ai plus faim.» Emma n'insista pas et Pauline se retira de table. Le petit, dans sa chaise haute, lançait avec sa petite cuiller ses carottes broyées par terre. Ti-Guy en souriait et mémère, «haute pression» visible, se penchait et ramassait au fur et à mesure, les dégâts de son amour de petit-fils. Pauline s'était réfugiée au salon. Assise sur le divan, elle furetait dans les bandes dessinées de *La Patrie* tout en mâchant une gomme *Spearmint* de Wrigley. Elle entendait Ti-Guy chuchoter avec sa mère sans rien saisir, puis elle reconnut le pas de la belle-mère qui grimpait l'escalier avec le petit qui lançait ses jouets partout sans qu'elle le gronde. Café à la main, Ti-Guy arriva au salon et, doucereusement, mielleusement, dit à Pauline:

– Écoute, y faut qu'on s'parle, mais en adultes, Pauline, sans s'emporter, sans s'insulter… Comme tu sais, comme tu l'vois, ça peut plus durer comme ça. Y faut faire quelque chose…

Tremblante, nerveuse, appréhendant le pire, elle balbutia:

– Ça veut dire quoi? Où c'est qu'tu veux en venir..?

– Ben, on n'est plus heureux ensemble, ça marche plus nous deux, tu dois l'savoir, tu dois l'sentir...

– Ça marche plus parce que tu veux plus qu'ça marche, Ti-Guy, pas moi... J'ai rien fait pour en arriver là, j'suis ta femme, j'suis fidèle... Pis, sans m'emporter, c'est toi qui m'triches, pas moi. C'est toi qui sors avec une autre, c'est toi qu'y as pas la conscience claire...

– Admettons, mais n'empêche que ça marche plus, nous deux. On s'aime plus, Pauline, on s'endure... À cause du p'tit, tu vas dire? Mais c'est plus nécessaire, comme c'est là, y'est pas plus à moi qu'à toi, Dédé, y'est à ma mère. Y peut plus s'en passer...

– Parce qu'a me l'a arraché, Ti-Guy! J'aurais pas dû m'laisser faire! J'ai juste été une servante dans c'te maudite maison! A m'a toujours haïe, ta mère, pis a m'haït encore!

– Tu montes le ton... On avait pourtant dit...

– J'ai rien dit, moi! Pis j'me laisserai pas marcher sur les pieds! Où c'est qu'tu veux en venir, Ti-Guy Gaudrin? Accouche! Crache!

– Ben, si tu l'prends comme ça, j'prendrai pas quat' chemins, Pauline. J'pense qu'y est temps qu'on s'sépare, on n'a plus rien à faire ensemble. J't'aime plus, tu m'aimes plus...

– Qu'est-ce que t'en sais? répondit-elle avec des trémolos dans la voix.

Parce que Pauline, sidérée, ne s'attendant pas à une brusque séparation, avait senti son cœur cesser de battre. Sans Ti-Guy, sans ce toit, sans la bouffe, la sécurité... Sa dépendance, quoi! Sans tout ça, Pauline prenait panique. Un peu plus et c'était les convulsions. Le constatant, Ti-Guy se leva, marcha en rond et lui dit tout doucement:

– Écoute, Pauline, j'te laisserai pas dans' rue… J'ai pensé…

– T'as évité ma dernière question, hein? Tu veux pas que j'te dise que j't'aime encore, moi! Même si t'en aimes une autre, j't'aime encore, Ti-Guy. Alors, qu'est-ce que ça dérange?

– Ça dérange… Ça fait que j'ai plus envie d'vivre avec toi, Pauline, pis ma mère non plus. T'es pas heureuse ici, admets-le au moins! Toi pis ma mère, ça marche pas. Tu s'rais plus heureuse ailleurs, tu pourrais r'faire ta vie…

– Avec un p'tit? Tu penses qu'une femme avec un enfant…

– Non, toi toute seule, Pauline, le p'tit, y reste ici!

Pauline crut défaillir. Elle s'attendait à tout dans cette mise au point, mais pas à un tel complot. Jamais elle n'aurait cru que Ti-Guy serait assez monstrueux pour la priver de son enfant. Et elle, la belle-mère, si on lui avait enlevé son Ti-Guy étant jeune? Pauline crut vraiment s'évanouir. S'épongeant le front, elle avait le souffle coupé, aucun son ne sortait…

– Prends pas ça comme ça, voyons! Rends-toi pas malade, laisse-moi au moins t'expliquer…

– J'pen… j'pensais jamais qu't'avais l'cœur aussi dur, Ti-Guy. Tu voudrais que j'parte sans le p'tit? Tu voudrais m'en-lever mon propre enfant, le seul être qui m'appartient sur terre? Ça prend un monstre, un écœurant, pis ta mère…

– Pauline! Pauline! Attends, laisse-moi finir, syncope! J'suis pas un monstre! J'veux pas t'priver d'ton p'tit, j'veux juste qu'y grandisse ici. Tu sais ben qu'tu pourras l'voir autant qu'tu voudras, que j'te fermerai jamais ma porte. C'est juste que ça va être plus facile pour toi de rencontrer… Pis, si jamais c'est sérieux, on d'mandera le divorce, mais d'ici là, juste une séparation, Pauline, pas plus…

– Pour que ta pute prenne ma place? Pour que le p'tit…

– Ça, jamais! J'te l'jure, Pauline, y'a jamais une autre femme qui va s'occuper de Dédé à part ma mère. Pis pour elle, c'est toute une charge. Y'est pas facile, le p'tit, Pauline, tu l'sais… Y'a mauvais caractère, la mère l'a trop gâté, a va l'payer… Mais toi, en ville, avec une job, ta liberté pis ta jeunesse…

– Des beaux mots, tout ça! De quoi j'vais vivre, moi? D'amour pis d'eau fraîche?

– On a pensé à tout ça, Pauline, tracasse-toi pas avec ça…

– On? Qui ça «on»? Ta mère est dans l'coup? J'suppose qu'a savait avant moi qu'tu voulais t'débarrasser d'ta femme?

– Charrie pas, change de mots, change de ton… La mère est pas folle, a voyait ben qu'ça marchait plus, toi pis moi. Pis a savait pour Betty, a disait rien…

– Ça s'comprend, ça doit faire son affaire! A l'aime sans doute plus que moi, la p'tite Anglaise! En autant que j'prenne le bord…

– Non, c'est pas l'cas, la mère s'mêle pas d'nos affaires.

– Ah, ben, viarge! Depuis quand? Ta mère a l'nez fourré dans not' ménage depuis qu'on est icitte, Ti-Guy! A t'avait à l'œil pis moi avec! Un pet de travers pis j'en entendais parler! Aïe! Prends-moi pas pour une dinde, toi! C'est elle qui mène tout dans' cabane! Le magasin comme la dépense! Pis séraphine à part ça… A comptait même les beignes que j'mangeais!

– Bon, ça va faire, faut s'rendre au bout d'la ligne, Pauline!

– Vas-y! C'est quoi l'bout d'la ligne! L'hameçon, j'suppose?

– Arrête de niaiser, on parle sérieusement pis c'que j'ai à t'dire, c'est à ton avantage, Pauline! J'suis pas un sauvage…

– Ben, vas-y, j't'écoute, arrête de tourner autour du pot!

– Écoute-moi bien. Si tu t'en vas sans faire de bruit, si tu pars à «l'amiable» comme dit ma mère, on est prêts à t'dédommager…

– Me dédommager? M'acheter? J'suis ta femme, Ti-Guy!
Devant l'juge, tu s'rais obligé de m'faire vivre!

– Oui, mais ça prend d'l'argent pour aller devant l'juge…

Pauline, songeuse, constatant que sa cause était perdue
d'avance, demanda à Ti-Guy sur un ton plus qu'inquiet:

– Ben… pis, ça s'rait quoi les arrangements..?

– Si tu signes un papier comme quoi c'est moi qui garde
le p'tit, pis si tu signes que j'aurai pas à t'faire vivre après
qu'on va être séparés, ma mère pis moi, on est prêts à t'verser
mille piastres.

Pauline leva haut les sourcils. Mille piastres! Toute une
somme pour elle qui avait toujours vécu d'un cinq piastres à
l'autre. Pour elle qui, depuis qu'elle était là à travailler à genoux, n'avait jamais touché un sou. Voyant l'effet que la pro-
position lui faisait, Ti-Guy enchaîna:

– Mille piastres d'un coup, en *cold cash,* Pauline. Pis, entre
toi pis moi, tu vas t'débrouiller mieux toute seule qu'avec un
p'tit. Pis avoue qu'y va être mieux icitte, au grand air, y'est
déjà habitué.

– Pour ça, j'serais ben maline de dire le contraire. Mais,
sur le papier, j'veux qu'ça soit marqué que j'peux l'voir de
temps en temps.

– Inquiète-toi pas, ça va être là. On prive pas une mère de
son enfant comme ça… J'te l'vole pas, Pauline, j'en prends la
garde, rien d'plus.

– Ben, c'est vrai qu'y va être mieux ici… De toute façon,
si j'pars avec, ça va être des crises. On dirait qu'y m'aime pas.
On dirait qu'y sait pas qu'c'est moi sa mère…

– Ben, y'est trop p'tit pour ça, Pauline… Pis ça va être
mieux pour toi. En ville, tu vas pouvoir gagner ta vie…

– Où ça? J'sais rien faire!

– Pauline, syncope! Des ménages! T'es experte comme servante! Pis, avec l'argent, t'auras ton logement, c'est une belle partance, c'montant-là. T'auras juste à t'trouver des clientes...

– Pis, une séparation, ça veut dire que toi pis moi...

– Oui, ça veut dire que c'est fini, Pauline. On a fait not' temps, pis un couple, c'est pas comme un p'tit. Y'a pas de lien... C'que j'veux dire, c'est qu'on va se r'voir quand tu voudras voir Dédé, mais sur le papier, c'est clair et net qu'on est séparés.

– Par la loi?

– Non, pas pour le moment, juste plus tard, peut-être... Le papier sera déjà signé, on aura juste à l'présenter.

Pauline regardait par terre, des larmes humectaient ses paupières.

– Commence pas, pleure pas, c'est pas un drame...

– C'est quoi si c'est pas un drame? On s'sépare, Ti-Guy! J'm'en vas toute seule! Laisse-moi au moins m'faire à l'idée...

– Oui, j'veux bien, mais faudrait pas qu'ça traîne...

– Qu'est-ce que tu veux dire? Faut que j'parte quand?

– Ben... le plus tôt sera le mieux. Tu pourrais peut-être téléphoner à Jovette... Pis, le jour du départ, pour pas qu'ça soit trop pénible, j'serai pas là, le p'tit non plus. On va sortir pour la journée... J'veux pas d'larmes devant lui, tu comprends?

– Oui, j'comprends, mais si t'es pas là pour me déménager, comment j'vais m'rendre en ville, moi? J'ai du *stock*, du linge...

– J'vais d'mander à Bob de m'rendre ce service avec le vieux *truck*. T'as pas à t'en faire avec ça, j'te mettrai pas dans l'autobus avec ta valise, tes sacs pis c'que tu voudras emporter.

Pauline regardait le plafond, le mur, le plancher... Elle soupirait.

– Qu'est-ce que t'as? Pourquoi tu r'gardes partout comme ça?

– Parce que j'viens d'm'apercevoir, Ti-Guy, que j'sors toujours perdante de tout c'que j'ai dans la vie. Depuis que j'suis p'tite. J'pense à Sam, à Marcel, à ma sœur, pis là, toi… J'perds à chaque fois. On dirait qu'j'suis pas faite pour garder quoi qu'ce soit, moi.

Ti-Guy, sans vouloir la blesser, lui répondit hâtivement:

– Remarque qu'avec l'ermite, t'aurais pu être gagnante. C'est lui qu'y a été l'perdant, Pauline.

– C'était-tu nécessaire de m'le r'mettre sur le nez, Ti-Guy?

– Non, j'm'excuse, mais pour les arrangements, ça va? T'acceptes?

– J'ai-tu l'choix, Ti-Guy? J'devrais-tu m'mettre à genoux pis brailler? Qu'est-ce que tu veux que j'fasse? J'ai pas une cenne, tu veux plus d'moi, le p'tit non plus. T'as ta réponse, non?

Ti-Guy soupira d'aise. L'entretien avait été ardu, pénible et lancinant, mais il avait obtenu gain de cause sur toute la ligne. Pour mille dollars comptant, il se débarrassait de Pauline et gardait son enfant. Un gain de cause qui allait faire bondir Emma de joie et Betty… d'espoir.

Le lendemain, alors que madame Gaudrin, mine de rien, n'osait affronter son regard, Pauline en profita pour téléphoner à Jovette. La joignant au bout du fil à l'heure du souper, elle lui expliqua la situation et Jovette, bouleversée, l'interrompit:

– Te rends-tu compte que tu abandonnes ton p'tit, Pauline?

– Oui… non… J'l'abandonne pas, Jovette, j'le laisse à son père. Y va être mieux ici. Pis, comme y s'est attaché à elle plus qu'à moi…

– Ben, si tu l'prends comme ça... Moi, j'aurais d'la misère...

– Toi pis moi, c'est pas pareil... Tu l'sais, Jovette, moi pis les enfants... J'pense que j'ai pas la vocation. Pis, j'pourrai l'voir tant que j'voudrai.

– Comme c'est là, tu t'en vas avec l'argent qu'y va t'donner?

– Oui, pis ça, c'est sûr! J'pars pas si j'ai pas l'foin dans ma sacoche.

– Ben, si t'arrives avec c'montant-là, va falloir que tu t'ouvres un compte à la Banque d'Épargne. Y'en a une pas loin d'ici. Va falloir que tu ménages, Pauline. Avec mille piastres, on n'est pas millionnaire...

– J'sais, j'suis pas folle, pis j'vas travailler... Mais t'es d'accord à c'que j'm'installe chez toi jusqu'à c'que j'me trouve un logement?

– Oui, oui, t'as juste à arriver, on s'parlera d'tout ça en face à face.

– Pis Carmen? A va-tu encore m'accueillir avec son air bête?

– Inquiète-toi pas pour elle, arrive, c'est moi qui mène.

– Ça marche-tu encore, vous deux? Ta mère m'a laissé savoir...

– Bon, la mère a parlé! Ben, arrive avec ta valise pis tes sacs, on va en avoir long à s'dire, Pauline. Pis salue pas Ti-Guy d'ma part, y l'mérite pas! C'est pas que j'lui en veux pour la séparation, j'savais qu'ça durerait pas. Mais t'tricher en pleine face comme il l'a fait... R'marque qu'y a pris ses responsabilités face à Dédé, mais le p'tit verrat, d'une fille à l'autre tout l'temps, même marié! Pis après la Betty ce sera... Y'est à toutes les femmes, lui!

– Bah, parlons-en plus, ça vaut pas la peine. J'commence déjà à m'en détacher pis juste à savoir que j'verrai plus la face de sa mère...

– Bon, assez, ça va coûter cher, pis la Gaudrin est près d'ses cennes! T'arrives quand? T'as une idée?

– Ben, avec ta porte qui m'est ouverte, pas plus tard que vendredi, Jovette.

– Ça va, arrive ma grande… Pis tu vas voir, toi pis moi, on va s'comprendre.

Chapitre 8

C'est le samedi 12 janvier que Pauline, valise et boîtes dans le vieux camion de Ti-Guy, prenait la route de Montréal avec Bob qui avait accepté de la conduire jusque chez Jovette. En cours de route, un brin de conversation sans trop entrer dans les détails. Elle lui avait dit: «On pourra pas dire que l'mariage a été long mais, avec sa mère, fallait s'attendre à ça! Toi, t'as connu l'père, Bob, mais la mère, c'est du chiendent! Pire, du poison à rat!» Bob s'était abstenu d'aller plus loin; il tenait vraiment à se mêler de ses affaires. Ti-Guy était un ami, un gars du «coin» depuis toujours. Et, regardant Pauline qui mangeait une palette de chocolat *Caravan* comme si de rien n'était, il éprouva un léger ressentiment envers elle. Il ne pouvait admettre qu'une femme puisse partir, parler de refaire sa vie, espérer rencontrer un autre gars, sans se soucier de l'enfant qu'elle laissait derrière elle. Un enfant qu'elle avait porté et mis au monde. Bob, père de famille, ne pouvait comprendre qu'on puisse se vautrer dans le chocolat et quitter son fils comme s'il s'agissait du chien de la voisine.

Le matin même, Emma s'était levée tôt avec Dédé et elle était allée se réfugier chez Gertrude. Elle comptait y passer l'avant-midi, le temps requis pour que Pauline quitte la maison, tel qu'entendu. Bob devait arriver vers dix heures et ils devaient quitter trente minutes plus tard. Sa valise était faite depuis la veille, ses boîtes aussi. Ti-Guy avait mis la main à la pâte pour qu'elle n'oublie rien, pas même le «cadre» avec *La Joconde* auquel elle tenait. Ti-Guy avait «paqueté» jusqu'à minuit pour que tout soit prêt pour le départ tôt le matin. Et Pauline l'avait regardé faire parce qu'elle mêlait tout, qu'elle embarrassait plus qu'elle n'aidait, bref, parce qu'elle avait, selon lui, les deux pieds dans la même bottine. Prête à partir, l'argent dans son sac à main, son manteau sur le dos, ses bottes dans les pieds, elle avait dit à son mari avant de «prendre» la porte:

– Tu m'embrasses pas? T'as-tu peur d'attraper des microbes?

– Vilaine jusqu'à la dernière minute, hein? Non, j't'embrasse pas! Pas devant Bob, pis…

– T'as-tu peur qu'y voit le baiser d'Judas?

– Pauline, syncope, r'commence pas! Arrange-toi pas pour qu'on se r'voit pas, toi pis moi! Cherche pas l'trouble!

– Ta mère a sacré l'camp d'bonne heure, hein? As-tu eu peur que j'lui dise ma façon d'penser? As-tu eu peur que j'lui arrache Dédé?

– Bob, dépêche-toi, emmène-la, ça va mal tourner… J'sens qu'a l'goût d'm'agresser…

– T'as pas à t'en faire, Ti-Guy. Astheure que j'pars, j'peux ben te l'dire… Des gars comme toi, un d'perdu, dix de r'trouvés!

– Viens, Pauline, on a un bon bout d'chemin pis, après-midi, j'travaille au restaurant. J'peux pas laisser Fleur-Ange toute la journée…

– T'as raison, on part, on n'a plus rien à faire icitte. D'ailleurs, r'gardes-y la face, y'attend juste que l'*truck* soit plus en vue pour que sa guidoune se pointe pour y lécher les pieds! P'tite maudite! Pis, c'qu'a sait pas, c'est qu'a pourrait trouver mieux qu'lui! J'l'aime pas, mais est pas laide pis a l'sait! D'un autre côté, à Saint-Calixte, les mâles courent pas les rues... Les pas pires, j'veux dire... C'est pour ça qu'y pogne, Ti-Guy! Y'a juste lui pis y'est cochon! Pis y s'faisait bourrer en plus! T'as pas connu la femme du conseiller du maire, toi, hein, Bob? Une vieille dans' quarantaine! A l'a été la première à lui sauter sur... Pis, excuse-moi, j'allais dire des vulgarités. Pis, r'garde lui encore la face, Bob, y'a hâte que j'parte, y s'meurt d'envie d'la r'voir la p'tite pute d'la butte... R'garde, Bob!

– Tu parles tout' seule, Pauline, Bob, y'est dans l'*truck* pis y t'attend!

Elle lui lança un dernier regard haineux, claqua la porte et enjamba de peine et de misère le marchepied du vieux *truck* bleu.

Une quinzaine de minutes, le temps de laisser le camion se rendre à proximité de Saint-Lin, et Emma Gaudrin traversait la rue avec son petit homme dans les bras. Un bébé qui la serrait fort et qui n'allait même pas chercher sa mère des yeux. Pas plus qu'il avait cherché son écureuil décousu que mémère avait jeté. Dix minutes plus tard, c'était l'auto de Betty qui se stationnait dans l'entrée. Camouflée derrière le *snack-bar,* elle avait attendu, tout en buvant un café, le moment du départ. Et elle avait vu la grosse femme de Ti-Guy se soulever le jarret d'une main pour grimper à bord du camion. Dès que tout fut sous contrôle, Ti-Guy, détendu, dit à sa mère devant sa maîtresse:

– À partir de maintenant, tu t'occupes du p'tit, la mère, des repas pis d'la maison. Betty va m'aider avec le commerce.

J'vas tout lui apprendre pis on va être toujours ensemble. Pis, d'ici quinze jours, a va v'nir habiter ici, la mère. A va partager ma chambre parce qu'on s'aime pis qu'on n'a pas à l'cacher. Pis, cette fois, la mère, tu t'mêles de tes affaires. Tu t'occupes de Dédé, tu l'élèves, tu l'prends en charge pis tu nous sacres patience. J'veux pas entendre un mot d'travers sur Betty!

– Ben, voyons, c'est pas mon intention, Ti-Guy. J'l'aime bien, celle-là…

– J'sais, mais j'voulais l'préciser. C'est-tu assez clair tout c'que j'ai dit, la mère?

– Clair comme l'eau du ruisseau! Tout c'que tu voudras, mon gars, c'est toi qui mènes! Pis j'demande pas mieux que de tout t'laisser sur les bras, moi!

Pauline arriva chez Jovette en début d'après-midi. Cette dernière l'attendait avec une bonne tasse de thé chaud, ainsi que du café pour Bob dont elle fit la connaissance. Il faisait passablement froid et Pauline se plaignait de l'humidité qui «la traversait» ainsi que des bourrasques de vent qui intensifiait la chute du mercure.

– On dirait qu'y fait 25 en bas d'zéro! C'est pas des farces, on gèle tout rond dans c'te maudite province!

Bob avait rentré les boîtes, la valise, les sacs et, après un seul café, il s'excusa, il devait reprendre la route et dégager sa femme de la corvée du restaurant. Pauline le remercia mille fois, il lui souhaita la meilleure des chances, mais ne l'invita pas à revenir les visiter, Fleur-Ange et lui.

Une fois Bob parti, la tasse de thé sur la table, les beignes au miel dans une assiette, Pauline regarda Jovette et lui dit:

– J'pense que t'as ben des choses à m'dire, toi!

– Oui, mais si on commençait par toi, Pauline?

– Comme tu voudras! Moi, c'est bien simple, Ti-Guy s'est tanné d'moi, y'en a rencontré une autre, pis…

– J't'arrête! T'es sûre que c'est juste pour elle que ça s'est fini entre toi pis lui? Écoute, y'a sûrement d'autres raisons…

– Ouais… peut-être… Y m'a mariée juste pour l'enfant, tu sais. J'm'en suis aperçue assez vite…

– Remarque, Pauline, que sans vouloir prendre sa part, y'a été responsable pis honnête, Ti-Guy. Y t'a fait un p'tit, y l'a reconnu, y t'a mariée pour y donner un nom… Faudrait pas juste lui jeter la pierre…

– On sait ben, toi, Ti-Guy Gaudrin…

– Non, j'dis pas ça pour le défendre, j'te l'ai dit. Je r'garde juste les choses comme ça s'est passé, pis j'peux pas dire qu'y a pas rempli son devoir. Y'a même été renié par son père pour toi, y'est venu travailler dans les cigares… C'est pas tous les gars d'son âge qui auraient fait ça, Pauline. Y'a eu du courage!

– Si on veut, mais n'empêche qui m'trichait avec n'importe qui!

– Ça, c'est lui, pis tu l'savais! Ti-Guy est un gars à femmes, à plusieurs femmes… Jeunes ou vieilles, ça l'dérange pas, y'aime le sexe. Tu devrais l'savoir, t'as été une des premières à t'ramasser dans son lit. Y t'aurait trichée toute sa vie, Pauline, tout comme y va tricher la *blondie* avec une autre. Y'aime changer d'peau! Pis, toi, parlant fidélité… T'as pas été juste à l'ermite…

– J'étais pas sa femme, Jovette, c'est pas pareil!

– Peut-être, mais lui, y t'aimait en maudit, c'était vrai son affaire! Pis ça t'a pas empêchée d'pogner Ti-Guy en passant pis Marcel après…

– Jovette, réveille pas les morts, viarge! J'sors à peine d'une maison, j'arrive ici…

269

– Excuse-moi, j'voulais juste tirer les choses au clair. Une dernière question, Pauline. T'as pas eu d'la misère à laisser ton p'tit derrière toi? Comment tu vas faire pour pas y penser?

– Ben, j'vais m'habituer… Y couchait pas avec moi, tu sais. Dédé, chaque soir, c'était avec mémère qu'y s'endormait. A me l'a tellement volé la belle-mère, que le p'tit savait même pas qui j'étais. J'pouvais rien faire avec lui, y m'tenait tête!

– Loin d'eux, t'aurais pu l'mettre à ta main, non?

– J'pense pas, y'était déjà gâté pourri… Pis, j'sais pas encore, Jovette, mais j'pense que Dédé, c'est d'la mauvaise graine. Y fait des mauvais coups, y'est vilain… Y sacre déjà des claques à sa mémère pis a rit d'ça, la niaiseuse. A va l'payer plus tard… Pis, si j'l'ai laissé à son père, c'est pour qu'y mange à sa faim, c't'enfant-là. Avec moi, on sait jamais… Là, j'ai d'l'argent, mais d'ici deux ans, qui sait? Pis, j'aurais pas voulu en arriver à l'traîner avec moi quand j'vas faire des ménages. Y'a ben assez que j'vas être une servante toute ma chienne de vie… Lui, au moins, avec les Gaudrin, y va peut-être se faire instruire pis réussir. Ti-Guy va s'en occuper mieux qu'moi…

– Ça, j'en doute pas, pis t'as sans doute raison… Si tu t'y es pas attachée, y'a d'grosses chances qu'avec le temps, y t'manque pas…

– J'veux pas avoir l'air dure, Jovette, Ti-Guy m'a dit d'aller l'voir quand j'voudrais, mais j'me d'mande si ça va m'tenter. Y m'aime pas, ce p'tit-là, y peut pas m'blairer! Je l'sais, j'ai tout essayé pour l'amadouer. Quand j'pense que le p'tit d'ma sœur, «mon gros», y'était toujours collé sur moi… C'est ben pour dire, Édouard, y'était fou d'moi, pis Dédé qu'j'ai porté voulait rien savoir de sa mère. Ben, à la grâce de Dieu! J'suis sûre que Dédé va être heureux avec son père pis sa mémère. Pis là, tu penses pas qu'c'est à ton tour de m'parler d'toi, Jovette?

Jovette s'alluma une cigarette, tira une longue bouffée et avoua à Pauline:

– Carmen pis moi, c'est fini, on habite plus ensemble, elle est partie...

– Qu'est-ce qui s'est passé? Une chicane? Une autre...

– Non, t'es loin de c'qui est arrivé avec tes suppositions, Pauline. C'qu'y faut qu'tu comprennes en partant, c'est que j'suis pas aux femmes. Pas véritablement aux femmes, si tu m'suis bien.

– Ben non, j'te suis pas, j'comprends pas trop...

– Bon, j't'explique, mais tâche de r'tenir c'que j'vas t'dire. Si tu comprends pas, arrête-moi en chemin pis j'vas être plus claire.

– R'marque que j'm'en doutais qu't'étais plus avec elle, mais j't'écoute, j'dis plus rien... J'espère juste que c'est pas trop compliqué, ton affaire.

– Tu vas comprendre, t'es quand même pas *dumb*, Pauline. Carmen pis moi, ça marchait pas, ça jamais marché. J'pensais qu'c'était la solution... Tu sais, après l'père pis c'qu'y m'a fait, j'ai haï tous les hommes pour les tuer. C'est lui qui m'a r'virée contre eux, Pauline. J'pouvais plus en sentir un à des milles à la ronde. J'avais juste à les imaginer sur moi pour que l'cœur me lève. C'étaient tous des écœurants avec juste une idée en tête. Carmen a été la première à me dire des mots doux, à m'parler avec tendresse, à m'faire des compliments pis à m'faire bien me sentir avec elle. J'ai pensé qu'c'était ça qu'ça m'prenait. Une femme! J'avais juste à voir la face de mon père dans ma tête pour être sûre de mon affaire. Petit à petit, j'me suis rapprochée d'elle. On a sorti, on est allées dans des clubs de femmes aux femmes, j'en ai vu d'autres danser ensemble pis s'embrasser, pis j'me suis plus sentie à part des autres. On m'flirtait de tous côtés, mais Carmen les avait à l'œil. Pourtant, y s'était encore rien passé entre elle pis moi. Pis, un soir, après deux verres de gin, une ou deux bières, j'me suis retrouvée dans sa chambre pis dans son lit. A m'disait des mots gentils, a m'touchait icitte pis là, mais c'était fait avec délicatesse. Pis, quand a s'est penchée pour m'embrasser, le cœur m'a levé. J'ai pas été capable de *frencher* avec elle, Pauline. J'pouvais pas, j'avais juste à la r'garder…

— C'est pas parce qu'a l'avait une face d'homme qu'a t'rappelait…

— Ben non, justement, c'était l'contraire. Le fait qu'elle avait tout d'un homme m'a donné l'goût d'en avoir un vrai. Moi, un *french kiss* la bouche grande ouverte, j'aime ça avec un homme parce que tout l'reste suit. Pis là, j'parle pas d'mon père, le chien sale… D'ailleurs, j'ai jamais eu à l'embrasser, lui. Tout c'qu'y voulait, c'était que j'ouvre les jambes. Juste à y penser, Pauline, pis l'poil me r'dresse encore sur les bras! Non, c'que j'veux dire, c'est que j'me rappelais d'certains clients d'l'hôtel. C'étaient pas tous des écœurants, tu sais… Y'en avait qui étaient pas piqués des vers… Pis, y'a eu Ti-Guy, sa belle gueule…

— Aïe! Parle surtout pas d'lui! C'est assez pour que j'me bouche les oreilles! Je l'sais qu't'as pas haï ça avec lui…

— Excuse-moi, Pauline, pour une minute, j'te l'jure, j'ai oublié qu'y'était ton mari! J'étais tellement plongée dans mon histoire…

— Bon, ça va, continue avant que j'perde le fil pis que j'suive plus.

— Donc, comme j'te l'disais, j'pouvais rien faire avec Carmen, j'étais même pas capable de l'embrasser. Mais j'ai persisté, j'ai *faké,* j'ai fait semblant de l'apprécier pour le reste… les yeux fermés. Mais j'étais pas capable de lui dire que j'l'aimais! J'déjouais sa question à chaque fois. J'faisais semblant, j'me laissais faire, mais ça m'écœurait autant qu'avec mon père, Pauline!

– Faut dire qu'elle était pas ben belle… Peut-être qu'avec une autre…

– J'suis contente que t'amènes ça sur le tapis, parce que, justement, j'ai essayé avec une autre. Une maudite belle fille à part ça! Un mannequin, Pauline. Elle pose encore pour le catalogue d'Eaton.

– Tu l'as rencontrée où, celle-là? Avant ou après Carmen?

– Pendant que j'sortais avec Carmen. C'est même elle qui me l'a présentée. Je l'ai connue dans un *party* à Trois-Rivières pis ça fait pas si longtemps qu'ça. A m'faisait d'l'œil pis j'me sentais flattée. A semblait m'trouver d'son goût, a m'a glissé son numéro d'téléphone dans ma poche. Une semaine plus tard, j'l'ai appelée pis on s'est donné rendez-vous dans un hôtel. J'voulais juste être sûre, Pauline, j'voulais savoir si j'étais aux femmes, si c'était pas Carmen qui m'bloquait. Là, avec une belle fille maquillée, féminine jusqu'au bout des ongles, j'pouvais pas m'tromper.

– Pis comment ça s'est passé? Tu l'as vue? T'as essayé?

– Oui, pis j'ai eu le même malaise, j'ai pas été capable! Pas seulement d'l'embrasser, mais le reste avec. C'était pire qu'avec Carmen, parce que, cette fois-là, j'avais une femme à cent pour cent dans les mains, tu comprends? A m'a claqué la porte, j'l'ai pas revue, mais j'ai compris c'qu'y s'passait avec moi. T'avais un peu raison tout à l'heure, mais pas dans l'sens que tu l'disais. Si ça marchait juste un peu mieux avec Carmen, c'est parce qu'elle était masculine, qu'elle se rapprochait plus de l'homme. Les yeux fermés, j'aurais pu jurer… Mais y manquait quelque chose, Pauline, le principal. Chaque fois qu'a m'tâtait, j'aurais donné j'sais pas quoi pour avoir un homme à sa place. A m'allumait pour un homme, tu comprends?

– Si on veut, mais comment ça s'est terminé? Y'a dû y avoir des cris…

– Non, pas des cris, mais du mépris. Elle m'a haïe au point de tout faire pour que j'perde ma job. Pis, y'avait la maison… Finalement, j'me suis vidé l'cœur pis j'pense qu'elle a compris. De toute façon, elle était écœurée de m'voir faire semblant… Pis, comme j'ai pas toujours bon caractère, j'pense que son amour a pris l'bord à un certain moment. On s'est parlé, on a voulu vendre, partir chacune de son côté, pis j'me suis ravisée. Mon boss m'a donné une autre promotion; j'suis maintenant la surveillante en chef de la Peg Top. J'ai même la responsabilité du *quality control*. C'qui veut dire que la paye est venue avec! J'ai été à la banque, j'ai emprunté, j'ai clairé Carmen pis j'ai gardé la maison.

– Pis elle? Où c'est qu'a s'est en allée?

– Ben, crois-le ou pas, mais a' laissé la job pis a' sacré son camp à Ottawa. Une amie à elle, le même *look,* la même taille, l'a convaincue d'la suivre pour la faire entrer au gouvernement. Pis j'pense que ç'a marché, elle est pas revenue. Personne a eu d'ses nouvelles, mais faut dire que ça fait juste deux mois d'ça… Ben, voilà où j'en suis, Pauline! La seule propriétaire pis libre comme l'air… D'elle, j'veux dire…

Pauline se servit un verre de liqueur, Jovette s'alluma une cigarette et, assises encore une en face de l'autre, Pauline, intriguée, demanda:

– J'comprends pas… Y'a d'autre chose?

– Ben, j'ai rencontré un homme, un maudit bel homme! Distingué, bien habillé, avec un commerce à lui. Pis pas marié, célibataire, ma chère!

– Qu'est-ce qu'y fait dans la vie? Y'a quel âge?

– Philippe? Y'a trente ans, y'est bijoutier, pis y'a son commerce sur la rue Amherst pas loin d'Ontario. Un gars en or, Pauline!

– Tu l'as connu où, ton gars en or?

– C'est l'*foreman* qui me l'a présenté. C'est Phil qui lui vend ses montres pis les bijoux d'sa femme. Y lui a parlé d'moi, Phil s'est montré intéressé, pis on s'est rencontrés un soir... Y m'a amenée dans sa Chrysler Imperial de l'année dans un restaurant chic où on chantait de l'opéra. T'aurais dû voir le monde à c't'endroit-là. Des femmes avec des visons, des hommes en smoking...

– C'est pourtant pas ton genre, l'opéra...

– Laisse faire, j'suis tombée en amour tout d'suite, Pauline, pis lui aussi. On s'lâche plus!

Quelque peu envieuse du bonheur de son amie, Pauline, narquoise, demanda:

– Y'est-tu au courant pour Carmen pis toi?

– Oui, j'lui ai rien caché, j'lui ai tout dit, Pauline! À partir de mon père jusqu'à c'que j'arrive poquée à Montréal. J'lui ai dit qu'j'avais eu un enfant à seize ans, j'lui ai dit qu'j'avais passé ben des hommes, que j'avais essayé avec des femmes... D'ailleurs, la première fois que j'suis sortie avec lui, Carmen était pas encore partie. J'pense que c'est ça qui a été le bout d'la marde pour elle. Me savoir avec un homme... C'est là qu'a m'a méprisée à ben du monde. A disait même à certaines employées qu'elle pis moi... Mais ç'a rien donné, tout l'monde s'en doutait. Deux femmes qui vivent ensemble... Surtout qu'a passait pas inaperçue, elle. Moi, ça pouvait aller, j'suis femme, mais elle... Même dans l'quartier, ça commençait à jaser...

– Ben, là, ça doit t'arranger qu'un beau mâle rentre icitte!

– Aïe! J'suis pas tombée dans les bras d'Phil pour faire taire les mauvaises langues, Pauline! J'avais juste à déménager!

– Fâche-toi pas, des fois, j'réfléchis pas... Mais pourquoi qu'y vit pas avec toi, ton bijoutier? Comme c'est là, t'es à pied...

– J'prends l'autobus pis des fois, des taxis, j'ai les moyens. Plus tard, j'aurai un char, mais pour l'instant, on vit pas ensemble, Phil pis moi. Y'a son appartement pas loin d'sa bijouterie. Peut-être qu'un coup mariés...

– Quoi? Tu penses à t'marier, Jovette? Vous en avez parlé?

– Pas encore, mais j'sens qu'ça s'en vient d'sa part. Pis, attends de l'voir, Pauline! Tu vas tomber su'l' derrière! Un maudit beau mâle que j'te dis! Pis fin avec ça, avenant, bien éduqué... J'pense que l'bon Dieu a fini par m'aimer, Pauline!

Heureuse pour Jovette tout en étant envieuse, voire jalouse, Pauline songea à Ti-Guy, à son rejet, à leur échec... À peine séparée, elle voyait Jovette surexcitée juste à l'idée de se marier. Constatant que Pauline regardait si, quelque part, un petit gâteau ou un biscuit ne traînait pas, Jovette lui dit:

– On a assez parlé, on s'est tout dit, Pauline. Pis là, y'est temps d'aller manger. Touche pas à tes affaires, tu feras ça plus tard. J't'invite au restaurant pis en taxi à part ça! Ça t'dirait d'manger un bon gros steak avec des patates frites pis tout c'qui vient avec? Pis attends d'voir la carte des desserts! Arrive, enfile tes bottes pis ton manteau, j'appelle pis le taxi va être ici dans cinq minutes. Le *stand* est à deux ou trois coins d'rue!

Pauline était radieuse. Une invitation dans un Steak House! Elle s'en pourléchait déjà les babines. Et, comble du bonheur, à bord du taxi qui l'emmenait faire jouir son estomac, Jovette lui murmura:

– Pis, j'oubliais, t'auras pas à t'chercher d'logement pour l'instant. Tu vas rester avec moi, Pauline. Tu vas prendre la chambre d'invités pis j'vais rien t'charger. Par contre, on va payer la nourriture à deux, rien qu'ça. Le téléphone, j'm'en charge, le reste avec. T'auras juste à t'trouver des maisons privées pour faire des ménages, pis t'auras pas d'misère, y'a plein d'annonces dans *La Presse*.

Pauline jubilait. Dépendante, elle venait de trouver sa sécurité. Elle qui craignait de tout son être d'avoir à s'assumer.

– Tu sais, j'ai d'l'argent... J'suis pas partie les mains vides...

– Oui, je l'sais, mais dès lundi, tu vas t'ouvrir un compte de banque, pis tu vas garder juste c'qu'y t'faut pour le strict nécessaire. Tu vas travailler, tu vas déposer, pis avec les intérêts...

– Les quoi? Les intérêts? Ça veut dire quoi, ça?

– Laisse faire, Pauline, pas aujourd'hui. J't'expliquerai ça une autre fois. Tu dois avoir faim, toi, t'as juste déjeuné...

– C'est pas l'mot, Jovette, le ventre me crie, les tripes aussi!

De plus en plus à l'aise dans la maison de Jovette, Pauline sentait renaître en elle une certaine joie de vivre. Une semaine seulement et elle pensait de moins en moins à Ti-Guy. Comme si la vie avec lui n'avait été qu'un gentil nuage... crevé. Et comme Emma Gaudrin n'était plus là à la surveiller d'un œil malsain, elle se vautrait toute la journée dans ses romans, dans sa gourmandise et dans les disques de Jovette, des *hits* américains de Rosemary Clooney, Teresa Brewer et Vic Damone. Et, malgré le silence et la solitude lorsque Jovette travaillait, elle n'avait pas la moindre pensée pour Dédé. Comme si elle avait tout simplement laissé un chien ou un chat derrière elle. Une petite bête dont s'occupait... mémère!

Avec son argent dans un compte de banque, un assez bon montant dans son sac à main, Pauline Pinchaud ne se sentait guère pressée de se retrouver servante à genoux sur les planchers. Pour elle, le terme «femme de ménage» ne la consolait pas de son plus que triste métier. Vivant maintenant dans «sa» maison, nourrie à «son» gré et non plus surveillée comme «celle» qui vidait les garde-manger, elle n'en serait pas moins une «servante» à qui l'on donnerait des ordres et dont on examinerait chaque coin où le torchon aurait passé. Ça, elle le savait! Elle qui avait cru qu'en devenant madame Guy Gaudrin... Mais non! Même à ce titre, elle avait usé ses genoux sur les prélarts de sa belle-mère. Et ce n'était pas Ti-Guy, son mari, qui l'avait «élevée» à un rang plus honorable. Que non! Servante un jour, servante toujours! Même pour lui qui n'avait pas eu à la payer pour cette ingrate corvée. Lavée, blanchie, «bourrée» et, de temps en temps, harcelée pour le soulager sans qu'elle puisse protester.

Jovette lui avait présenté son ami, le bijoutier. Le voyant, Pauline aurait voulu s'exclamer, mais elle se retint. Philippe Jarre était un homme superbe. Belle carrure, beau sourire, dents blanches, petite moustache bien taillée, habillé à la dernière mode, Pauline fut sidérée au point d'envier son amie d'avoir déniché un tel homme. Sans même penser que, physiquement, Jovette avait tous les atouts pour se l'approprier. Ce qui n'était guère son cas... Parfois, trop souvent même, Pauline oubliait que les miroirs existaient. À croire que, «incomparable» au lit, selon Ti-Guy, elle n'aurait qu'à claquer des doigts pour que les mâles se jettent à ses pieds. Philippe Jarre, très poliment, lui avait dit:

– Enchanté de vous connaître, Madame.

Intimidée, quelque peu figée, elle balbutia:

– Moi aussi, ça m'fait plaisir, mais vous pouvez m'appeler Pauline...

– Avec le temps, peut-être, nous venons à peine de nous connaître.

Impressionnée, deux fois plus figée, elle n'avait pas osé, *a priori*, le tutoyer. Elle lui demanda nerveusement:

– Votre nom, je veux dire Jarre, c'est rare, ça vient d'où?

– D'une vieille souche française, mais ne craignez rien, Madame Gaudrin, je suis bel et bien canadien. Je suis né à Sudbury en Ontario, j'ai grandi à Sherbrooke, puis nous avons fini par échouer à Montréal.

Il parlait bien, il s'exprimait dans un très bon français et Pauline, surprise, se demandait ce qu'un homme éduqué comme lui faisait avec Jovette qui, en somme, parlait comme elle. Et, à sa grande stupeur, elle remarqua que Jovette s'efforçait de mieux parler en la présence de son bien-aimé. «Prendrais-tu un scotch avec des glaçons, Philippe?» lui avait-elle demandé, au lieu de l'habituel «Tu prendrais-tu un scotch avec d'la glace...» Le lendemain, envieuse plus que jamais, elle avait demandé à Jovette en riant:

– Dis donc, y'a pas un frère comme lui, ton beau Philippe?

– Non, y'a juste deux sœurs plus jeunes que lui dont l'une est mariée. Ça m'fait d'la peine, mais ton chien est mort dans c'te famille-là! Faudra chercher ailleurs...

– Jovette, c'est pas d'mes affaires, mais pourquoi tu parles pas d'la même manière avec lui qu'avec moi?

– C'est ben simple, Pauline, j'veux apprendre à mieux parler, j'veux m'améliorer. Phil... j'veux dire, Philippe, parce qu'y aime pas les diminutifs, me reprend tout l'temps. Chaque fois, j'apprends de nouveaux mots avec lui. Un jour, j'vais parler pareil comme lui.

– Ça t'fatigue pas de t'faire reprendre tout l'temps? Pis ça va donner quoi dans une *shop*, c'te langage-là?

– C'que t'oublies, Pauline, c'est que j'vais pas mourir dans une *shop!* Si Philippe me d'mande en mariage, ce que j'espère, c'est sûr que j'vais quitter la job. La femme d'un bijoutier, tu comprends... Pis on va avoir une maison...

– T'en as déjà une, toi! Ça pourrait faire pour lui, non?

– Pas tout à fait, Phil... j'veux dire, Philippe...

– Aïe! Arrête-moi ça, Jovette! Ça commence à devenir agaçant! Guette-toi avec lui si ça t'plaît, mais avec moi, sois normale, viarge! Mets-moi pas mal à l'aise... Y'a ben assez d'lui...

– Quoi? Tu l'aimes pas?

– C'est pas ça, c'est l'gars parfait, mais moi, un homme qu'y'est pas d'mon rang...

Jovette, insultée, lui répondit vertement:

– Ben, tu sauras, ma fille, qu'une personne ça s'élève dans la vie! Pis quand ça veut, quand ça s'en donne la peine! Philippe, c'est pas un snob ou un gars qui s'prend pour un autre, c'est juste un homme qui parle bien, Pauline! Y'est allé à l'école, lui! C'est toi pis moi qui parlons mal! On nous a rien appris d'mieux! Pis, pis...

– Jovette! Voyons! Saute pas dans les airs! J'voulais pas t'insulter! C'que j'voulais dire, c'est qu'moi, même si je l'voulais, j'serais pas capable de parler autrement que j'le fais. Ça rentrerait pas, tu comprends? Pis m'faire reprendre, ça m'tomberait sur les nerfs! Pis... qu'est-ce que t'allais dire, tu parlais d'maison...

– Ah! oublie ça! J'ai rien à ajouter, on est même pas rendus là, lui pis moi. J'suis rêveuse, tu m'connais? Pis... peut-être que j'mets la charrue avant l'beu... On sort pas encore *steady,* on s'voit...

– Tu veux dire qu'y s'passe rien entre vous deux, Jovette?

– Non, c'est pas ça que j'veux dire... Pis, pour te rassurer, y s'passe tout c'que tu penses, Pauline, pis ça marche fort de c'côté-là! C'que j'veux dire, c'est qu'on s'est rien promis, rien juré... Si jamais ça marchait plus, si Phil me laissait là, j'pourrais rien lui r'procher parce qu'y m'a rien fait miroiter.

– À c'que j'ai vu, y semble tenir à toi, y t'mange des yeux, Jovette!

– Ça s'peut, mais on sait jamais... Une lumière, ça brille fort avant d's'éteindre... Pis, qui c'est qui t'dit que ce sera pas moi...

– Voyons donc! Tu viens d'me dire que tu souhaitais qu'y t'demande en mariage! Toi, t'as peur, Jovette Biron! T'as peur de l'perdre...

– C'est vrai, Pauline... Parce que je l'aime celui-là, parce que j'sens que j'ai un bel avenir avec lui... Les perles rares, ça court pas les rues, tu sais.

Mais le bonheur de l'une ne faisait guère le bonheur de l'autre. Après deux semaines de vacances à ses «frais», Pauline crut bon de déplier *La Presse* et d'y parcourir les petites annonces. D'ailleurs, quoique heureuse sous son nouveau toit, elle n'en n'était pas moins seule et ce, fort souvent. Jovette et «Phil» sortaient de plus en plus fréquemment. Le cinéma, le théâtre, les soupers gastronomiques, les concerts symphoniques... Et Philippe, dans sa luxueuse Chrysler, la prenait toujours à la porte. Jovette n'avait qu'à surveiller, sortir et sauter dans la voiture. Et ce soir-là, avec un concert des œuvres de Maurice Ravel que Pauline ne connaissait ni d'Ève ni d'Adam, elle eut la nette impression que Jovette, «s'élevant» peu à peu, allait peut-être devenir... chiante!

Pauline scrutait les petites annonces, encerclait celles qui semblaient lui plaire puis, après un copieux dîner et deux pointes de tarte, elle se mit à téléphoner. Une femme du quartier la désirait pour une journée et Pauline lui suggéra le lundi. Une autre, moins aimable au bout du fil, accepta, bon gré, mal gré, de la prendre le mercredi, même si ce n'était pas là son choix. Et, finalement, Pauline composa un autre numéro qui donnait dans le bout de la rue Mont-Royal et Papineau selon l'échange. Un homme répondit et Pauline demanda à parler à la maîtresse de maison.

– Y'en a pas, lui dit l'homme, c'est moi qui ai placé l'annonce. J'habite un grand cinq pièces avec mon gars, pis on a besoin d'une femme de ménage une fois par semaine pour mettre ça en ordre.

– Y'a juste deux hommes dans la maison, pas d'femmes?

– Oui, pis vous pouvez avoir confiance, Madame, j'viens tout juste d'enterrer ma pauvre femme. J'suis pas dangereux, vous savez, j'suis un p'tit vieux, j'suis pensionné, j'ai soixante-quatorze ans. Pis mon gars, y'est pas souvent là. Ça vous intéresserait d'venir voir de quoi ç'a l'air?

– Oui, mais c'est loin, j'reste dans l'nord d'la ville.

– Ben, si vous prenez l'emploi, j'vais vous payer l'tramway pis l'autobus, tout c'que vous voudrez... Pis, si vous passez la journée, vot' dîner sera fourni... Vous êtes... Madame?

– Madame Gaudrin. Bon, ça va, j'vais essayer, mais y m'reste juste le vendredi d'libre.

– Pas d'importance! N'importe quelle journée, Madame! Le vendredi, mon gars travaille juste l'après-midi. Y'est *waiter* dans une taverne. Vous aurez juste à commencer par ma chambre, le salon pis la cuisine. Pis quand y sera parti...

– Oui, oui, ça va, j'vais pas l'déranger. J'connais mon métier, vous savez, j'fais ça depuis des années. Vous voulez des références? J'en ai...

– Pas nécessaire, j'veux juste une bonne femme de ménage.

– Au fait, j'vous ai même pas d'mandé vot' nom ni vot' adresse.

– Alfred Clouette, Madame, pis mon fils, y s'appelle Bruno. Pis, j'reste sur Des Érables pas loin d'Rachel, un peu passé Gauthier. Ça vous dit queq' chose, c'te boutte-là?

– Oui, oui, j'connais l'coin, lui répondit Pauline. Sans oser ajouter que c'était le quartier de la «potée». En bon français, le quadrilatère de... la plèbe!

Le téléphone sonnait son huitième coup lorsque Pauline, s'étirant, tirant de la patte jusqu'au boudoir, répondit d'une voix pâteuse:

– Allô? C'est qui?

– Pauline? C'est madame Biron. J'sais qu'y'est juste huit heures du matin, mais est-ce que Jovette est encore à la maison? C'est urgent!

– Non, j'pense pas, y'a pas un bruit pis j'vois sa vaisselle du déjeuner dans l'évier. A doit v'nir juste de partir, Madame Biron. Y'a-tu quelque chose de grave? Vous avez l'air dans tous vos états...

– C'est à elle qu'y faut que j'parle, Pauline. Tu peux la rejoindre à son travail? Moi, ça va m'coûter trop cher... Y vont m'faire attendre sur la ligne. Dis-lui de m'rappeler le plus vite possible, j'bouge pas d'ici.

– Vous êtes certaine que...

Mais Pauline n'alla pas plus loin, madame Biron avait raccroché. Sans prendre panique, elle se lava la figure pour se réveiller et, avant de passer aux actes, elle prit le temps d'avaler un jus d'orange avec une grosse brioche à la cannelle. Puis, retraçant le numéro de Jovette à son bureau, elle la rejoignit non sans peine car, selon la réceptionniste, mademoiselle Biron était aux toilettes. Pauline attendit et, soudain:

– Oui, allô?

– Jovette? C'est Pauline!

– Mon Dieu! T'es déjà debout, toi? Y'a-tu l'feu à la maison?

– Écoute, Jovette, ta mère vient de m'appeler. Elle veut te parler, elle dit que c'est urgent. Elle attend ton appel à côté d'son téléphone.

– Ben, voyons! A t'a pas dit d'quoi y s'agissait? A l'avait-tu l'air malade?

– Non, en bonne forme mais nerveuse… À moins qu'ça soit un d'tes frères…

– Bon, j'l'appelle tout d'suite, j'te donnerai des nouvelles. Tu peux aller te r'coucher, y'est d'bonne heure…

– Ben non, asteure que j'suis debout, j'vais déjeuner pis j'vais m'habiller. Donne-moi des nouvelles dès qu't'en auras, ça m'inquiète.

Jovette, une fois la porte de son bureau fermée, téléphona à Saint-Calixte.

– Maman? C'est moi! Qu'est-ce qui va pas?

– Jovette! Enfin! C'est… c'est ton père… Y'a fait une thrombose, y'est paralysé du côté gauche, y'en mène pas large…

Jovette, impassible, répondit calmement à sa mère:

– Pis? Tu penses toujours pas que j'vais m'mettre à brailler! Pis, j'comprends pas qu'tu sois énervée… Après tout c'qu'y t'a fait…

– J'sais, Jovette, mais c'est quand même mon mari. On a eu des bons moments dans l'temps… J'peux pas juste m'en tenir…

– Ben c'est l'bout d'la marde! Des bons moments, tu dis? Quand ça? Le jour de tes noces? Parce que si ma mémoire est bonne, t'avais pas encore accouché d'moi quand t'as eu ta première claque sur la gueule, maman! Pis les coups d'poing après! J'invente rien, c'est toi qui m'as vidé ton sac quand j'avais à peine douze ans. Pis, dans tes bons moments qui t'reviennent, t'oublies peut-être que c'est lui, «ton mari», qui a sauté sur ta propre fille pour la violer pendant... Fais-moi pas dérouler l'tapis, maman! Pis viens surtout pas m'dire, «c'est quand même ton père, Jovette».

– Non, je l'dirai pas pis excuse-moi, c'est vrai que j'suis trop indulgente... Devant l'malheur des autres, j'oublie le mien, le tien...

– Pis là, qu'est-ce qui s'passe? Y'est-tu à l'hôpital?

– Oui, on l'a placé à la Merci, j'veux dire à Notre Dame de la Merci. Tu connais ça? C'est dans l'nord d'la ville, ton frère, Gérald, est avec lui, y couche dans un motel l'autre bord de la rivière. Ça r'venait au plus vieux des gars d'prendre ça en main. Moi, j'ai pas été capable d'y aller, j'ai l'souffle court, mais...

– Mais quoi? Qu'est-ce que tu veux ajouter? T'hésites...

– Ben, c'est qu'ton père a pas perdu l'usage de la parole, même si y'a la bouche croche comme dit ton frère. Pis, tu l'croiras pas, Jovette, mais y'a d'mandé à t'voir. Y veut qu'tu l'pardonnes avant d'mourir... Y'avait les larmes aux yeux...

– Ben, qu'y braille l'enfant d'c... *Shit!* Moi qui veux plus parler mal! Oui, qu'y braille autant qu'j'ai braillé, moi, quand y'avait ses mains sales sur moi. Pis c'était pas mes larmes qui l'empêchaient d'embarquer pis d'me... J'arrête, parce que j'vais exploser! Pis, pour c'qui est du pardon, maman, jamais! Sur mon âme, j'le jure, jamais j'lui pardonnerai c'qu'y m'a fait! Pis jamais j'l'oublierai! Pis, c'qu'y lui arrive, je l'ai presque souhaité! J'ai prié pour qu'il expie c'qu'y m'a fait pis c'qu'y t'a fait, maman! Pis j'ai prié plus fort pour, qu'après, y'aille brûler en enfer! C'est-tu assez clair? Que l'diable l'enfourche, maman! Qu'y l'enfourche exactement là où y m'a mutilée, l'écœurant!

– Jovette! Arrête! Tu perds la tête! T'es pas méchante à c'point-là?

– Méchante? J'me r'tiens, maman! Pis dis à mon p'tit frère de pas r'venir à la charge avec le pardon. Dis-lui de r'tourner auprès d'toi pis d'le laisser crever dans son coin. Pis, l'pire, j'gage qu'y va traîner pis qu'tu vas finir par l'avoir sur les bras! Jamais j'croirai que tu vas l'sortir de là…

– C'est pourtant c'qu'y va arriver, Jovette. Tes frères disent que c'est un endroit infect, que c'est un hôpital pour les robineux… Y veulent me l'ramener pour que j'en prenne soin.

– Pis t'as accepté? Veux-tu que j'leur parle dans' face aux gars, moi?

– Non, Jovette, j'vais faire mon devoir jusqu'au bout, J't'ai juste appelée pour te dire qu'y voulait qu'tu l'pardonnes, mais comme tu veux rien savoir, j'te rappellerai pas avant que l'bon Dieu vienne le chercher. Mais, j't'en veux pas, ma fille… J'peux pas t'en vouloir…

– Je l'espère ben, maman, parce que ça m'aurait mauditement déçue. Pis j'espère que l'bon Dieu va pas t'le laisser sur les bras pendant dix ans… Y s'rait temps qu'tu profites de la vie, qu'tu souries un peu…

– T'en fais pas, ça viendra, les gars sont là, y prennent soin d'moi.

Jovette, ébranlée malgré tout, sensible à sa mère surtout, demanda:

– Y r'vient quand à la maison? Tu vas l'ravoir quand, maman?

– En fin d'semaine qui vient… Gérald le ramène, y'en a assez d'être en ville pis d'vivre dans un motel… Pis comme y vont s'occuper du garage…

– T'as dit qu'y'était paralysé du côté gauche? Juste le gauche?

– Oui, pourquoi?

– Ben, y va t'falloir faire encore attention, maman, parce que c'est toujours son poing droit qu'y t'étampe dans l'front!

Début février et Pauline avait commencé son service chez ses trois clients recrutés. Le lundi, tout se passa bien, une mince corvée. Le mercredi, plus surveillée, elle frotta ses planchers un peu plus fort. La dame, peu charmante, en voulait pour son argent et inspectait à «la loupe» tous les «racoins», comme le disait Pauline à Jovette, le soir venu. Puis, le vendredi, après un trajet pas facile jusqu'à Mont-Royal et De Lorimier, elle marcha, tourna le coin, emprunta Des Érables, traversa Marie-Anne, Rachel, et continua plus loin jusqu'à l'adresse que le vieux lui avait indiquée. Il faisait froid, elle avait croisé au coin de la rue Gauthier un beau grand gars aux cheveux noirs qui tentait de faire démarrer sa Plymouth de l'année mais, avec un temps pareil, Pauline n'avait guère eu envie de lui faire un clin d'œil. Elle vérifia le numéro de porte, monta, sonna, et un bon vieux monsieur aux cheveux blancs vint lui ouvrir avec un large sourire.

– J'ai du café bien chaud, lui dit Alfred Clouette, du Chase & Sanborn.

– J'vous remercie, mais j'bois jamais d'café, j'prends juste du thé. Pis, comme j'ai déjeuné, j'suis correcte jusqu'à midi. Bon, j'commence par où?

– Ben, par où vous voudrez sauf la chambre en avant, Bruno est encore couché. Y travaille le soir, y sort après…

– Oui, vous me l'aviez dit. Ça va, j'vais commencer par le salon.

– Moi, j'ai des commissions à faire pis j'ai des *chums* à rencontrer. On joue aux échecs le vendredi. Donc, vous avez l'chemin libre, Madame Gaudrin, pis comme j'ai confiance, j'vous paye d'avance.

Le vieux ouvrit son portefeuille et remit huit dollars à Pauline.

– C'est trop, on avait convenu pour sept piastres, Monsieur Clouette.

– Moi, j'en mets une de plus, c'est à l'envers icitte, Bruno est *sloppy,* y laisse tout traîner. Pis, v'là vos deux tickets de char pour l'aller-retour. Si l'téléphone sonne, répondez pas, y rappelleront. Bon, là, j'pars, j'ai peur qu'y s'mette à neiger.

– Juste avant, Monsieur Clouette, vot' fils est-tu au courant qu'y va trouver une femme de ménage ici en s'levant?

– Oui, oui, y'est averti. De toute façon, avec la balayeuse, y va s'en rendre compte, on la passait jamais. Pis passez-la même si y dort! Ça va l'réveiller! Si y buvait moins d'bière, y traînerait moins longtemps au lit.

Pauline s'affaira à son travail, quelque peu découragée par le désordre qui régnait partout dans le logement. Époussetant les lampes du salon, elle entendit la porte de chambre de Bruno s'ouvrir, mais ne le vit pas tout de suite. S'étant rendu compte de sa présence, il était retourné enfiler un pantalon et une camisole propre, avant de passer pieds nus devant elle. L'apercevant, il s'arrêta, lui sourit et lui dit:

– C'est vous… la madame? J'vous pensais pas si jeune.

Pauline le détailla de la tête aux pieds et sentit son sang faire un tour. Bruno Clouette était, physiquement, en plein son genre d'homme. Pas grand quoique taupin et musclé comme les gars dans les magazines de Ben Weider, il avait de beaux yeux noirs comme des charbons, des cheveux bruns et frisés naturels juste au-dessus des oreilles. Le genre John Garfield des films de gangsters du grand écran. Il avait une bouche charnue, il semblait avoir un corps superbe et, ce qui conquit Pauline, c'est que Bruno affichait sur un bicep un tatouage représentant une rose rouge dans la gueule d'un serpent. Un homme, un vrai, un homme qui lui faisait penser aux débardeurs du port alors que, jeune… Retrouvant son aplomb, elle répondit à sa remarque:

– Pas vieille, mais j'ai un enfant… J'suis plus une p'tite fille, ajouta-t-elle avec son plus gracieux sourire.

– Ben, j'suis content parce que d'habitude, les servantes…

Le regardant de haut, elle lui répondit:

– Non, pas servante, femme de ménage, Monsieur Bruno. J'suis pas logée, nourrie…

– Excusez-moi, mais oubliez l'«Monsieur Bruno», j'suis pas mon père, j'ai juste trente-cinq ans.

Elle venait d'apprendre son âge! L'âge qu'elle adorait! L'âge où, selon elle, l'homme était dans sa splendeur!

– Pis vous, tu peux m'appeler Bruno… On est du monde jeune, non? Moi, faut-tu que j'dise Madame tout l'temps?

– Sûr que non! J'm'appelle Pauline pis j'ai juste vingt-quatre ans.

– C'est c'que j'pensais… Avec ton p'tit visage rond comme une lune! J'pensais même que t'étais plus jeune que ça. Une p'tite boule!

– J'prends-tu ça comme une pointe ou un compliment?

– Un compliment, c't'affaire! J'dirais pas ça si c'était l'contraire. Comme ça, t'es mariée! Ton mari, y'est pas jaloux? Tu travailles un peu partout…

– Non, parce qu'on est séparés lui pis moi. Ça fait pas tellement longtemps, mais on vit plus ensemble, pis c'est lui qui a la garde du p'tit avec sa mère. Aïe! J'suis après t'raconter ma vie! J'suis pas icitte pour ça...

– C'est pas grave... Faut quand même faire connaissance, non?

– Ouais... mais une femme de ménage, ça doit être discrète, rien demander pis passer inaperçue. On est ici pour épousseter, ranger...

– Ça empêche pas de s'parler, Pauline. Pis, si t'es libre comme tu l'dis, quand tu m'connaîtras mieux, peut-être que...

– Bruno! J'arrive! Le premier matin! T'es pas mal vite en affaires, toi! Pis comment ça s'fait qu't'es pas marié à ton âge?

– Parce que j'ai jamais tombé sur la bonne fille. J'ai eu des blondes en masse, mais ça dure pas longtemps, j'me tanne, j'pense que j'suis pas mariable.

– T'es pourtant bel homme...

– Tu trouves? Ben, si tu l'dis... Tiens! On devrait sortir, toi pis moi!

– Tu r'commences? On vient de s'voir pour la première fois, Bruno! Pis, j'suis une femme de ménage...

– Tu t'sers de ça pour me dire non, hein? J't'intéresse pas, c'est ça?

– J'ai pas dit ça... Laisse-moi juste revenir une fois ou deux... Ton père, tu comprends...

– Le père se sacre de c'que j'fais, mais j'vas attendre que tu r'viennes, t'as raison. Pis, la prochaine fois, j't'invite aux vues après l'ménage!

– Minute, là! Ça va m'prendre du linge de r'change!

– T'auras juste à l'emporter dans un sac, pis tu t'changeras dans l'char si tu veux pas que l'père te voit.

– Tu travailles pas à' taverne le vendredi soir, toi?

– Oui, mais j'peux m'faire remplacer quand j'veux. J'ai une autre job de fin d'semaine, j'suis planteur dans un *bowling* sur la rue Sainte-Catherine. C'est pas payant, mais les *tips* sont bons pis ça paye la bière... Là, j'te laisse travailler, j'prends ma douche pis j'me change parce qu'après-midi, la taverne m'attend. C'est mon chiffre.

Tout en dépoussiérant les statues de plâtre du salon, Pauline jubilait. Enfin, un homme s'intéressait à elle! Déjà! À peine un mois après sa séparation d'avec Ti-Guy. Et un bel homme à part ça! Un homme plus mûr qui devait faire l'amour comme un dieu. Elle l'entendait chantonner sous la douche, il avait une voix juste, mais elle aurait donné beaucoup pour ouvrir la porte et le rideau orné de cygnes. Elle aurait tant voulu voir ce qui l'attendait dans un prochain tournant. Et ce qui la rendait folle de joie, c'était que Bruno Clouette ne s'était pas arrêté sur son embonpoint, ses bourrelets, ses varices, sa couperose et son urticaire. Il semblait la trouver tout à fait séduisante. Il l'avait même appelée «petite boule», comme si elle avait été... une chatte angora.

Le soir venu, surexcitée, ne tenant plus en place, elle avait dit à Jovette:

– Tu croiras pas c'qu'y m'arrive! J'ai rencontré un homme à faire fondre une femme! Un mâle superbe avec des biceps, des yeux noirs, trente-cinq ans, célibataire. Et, du premier coup, il s'est intéressé à moi! J'pense qu'y a eu l'coup d'foudre, Jovette!

L'autre, pour ne pas trop la décevoir, lui dit avec ménagement:

– J'suis contente pour toi, mais j'trouve ça un peu louche qu'y soit libre si y'est comme tu l'décris... Fais juste attention, Pauline, laisse-toi plus avoir par les coureurs de jupons. Mais, si ça semble sérieux...

– Y'a rien d'louche là-dedans! Prends ton cas, Jovette, Philippe était libre quand tu l'as connu pis, j'aurais pu dire la même chose! Un gars comme lui!

– Oui, t'as raison, mais disons que j'suis un peu plus méfiante que toi, moi. J'm'informe un peu plus; j'tombe moins vite dans les pommes.

– Mais, ça l'est sérieux, j'te l'jure! C'est l'gars qu'j'attendais depuis des années!

– Ben, tant mieux pour toi pis à chacune sa bonne nouvelle! Tiens-toi bien, Pauline, Philippe m'a fait miroiter le mariage.

– Pas vrai! Jovette! C'est au boutte! Vous vous mariez quand?

– Ben, minute, pas si vite, c'est pas encore dans l'sac, y'a son emploi du temps…

– Ah! que j'suis contente, Jovette! Ça va marcher, je l'sens… Enfin, le bonheur…

– Oui, mais tu sais, si c'est l'cas, Philippe compte habiter ici. Tu m'suis?

– Oui, oui, pis j'partirai! Comme ça s'présente, j'suis sûre que Bruno pis moi, ça va être sérieux. Ça m'surprendrait pas qu'y m'demande d'aller vivre avec lui. Y'a son père, mais y'est jamais là, pis c'est quand même…

– Pauline! Tu l'as vu une fois! Juste à matin pis tu projettes déjà! T'es sûre que c'est pas juste une… Tu sais c'que j'veux dire, hein?

– Non, y cherche pas juste une… comme tu penses! C'est pas l'genre! Y cherchait la fille qui pourrait *matcher* avec lui depuis longtemps, pis y pense qu'y l'a trouvée. En tout cas, moi, c'est mon genre. Y'a même une rose rouge avec un serpent tatouée sur son bras. Ça fait homme…

– Ça fait pas plutôt *bum*, Pauline?

– Ben non, toi, tu vois du mal partout! J'verrais pas Philippe avec ça, mais lui… Pis y sent bon, Jovette! Y s'met d'la poudre de bébé sur les fesses, y'en avait partout su'l' plancher d'la chambre de bain.

– Y fait quoi dans la vie, ton Bruno?

– *Waiter* dans une taverne pis planteur dans un *bowling*! Deux jobs, Jovette! L'argent doit rentrer des deux côtés! Avec un homme comme ça, une femme a sûrement pas à s'user les genoux sur un plancher.

Jovette laissa échapper un soupir quelque peu désapprobateur et demanda:

– Tu penses plus à Ti-Guy, Pauline? Pis à Dédé non plus?

– Ben… heu… j'y pense… Mais j'ai-tu d'leurs nouvelles? Y m'a pas appelée une seule fois depuis que j'suis partie!

– Pauline! C'est à toi à l'faire! C'est à toi à d'mander à voir ton enfant! Ti-Guy va pas insister si tu t'manifestes pas…

– Ben oui, mais j'viens juste de partir… Laisse-moi l'temps de m'virer d'bord! Faut que j'regarde en avant, Jovette, pas juste en arrière.

– J'veux bien, mais qu'est-ce que tu vois en avant, Pauline?

– Bruno Clouette, c't'affaire! Y'est libre, y cherche, pis moi aussi!

– Pis, en arrière, qu'est-ce que tu vois?

– Ti-Guy, sa mère, Saint-Calixte, juste d'la marde pis d'la déprime!

– Pis ton p'tit, Pauline? Ton enfant, ton Dédé?

– Lui, j'y en veux pas, mais y veut pas d'moi! C'est pas d'ma faute, ça!

Lundi, 25 février 1952, Jovette venait à peine de se lever lorsque le téléphone retentit dans la cuisine. S'empressant de répondre, elle entendit sa mère lui dire avec un sang-froid peu ordinaire chez elle:

— Jovette, c'est moi. Ton père est mort cette nuit.

Sans sourciller, indifférente, aussi stoïque que si elle lui avait parlé d'un voisin, Jovette demanda:

— Une autre crise? Le cœur n'a pas résisté?

— Oui, comme tu l'dis, mais ça faisait trois jours qu'y dé-périssait. Avant, y semblait s'améliorer, y gueulait d'plus en plus, y levait déjà la main…

— Tu vois? J't'avais prévenue… Bon débarras! J'regrette, maman, mais j'éprouve aucune peine, aucun regret. Sa mort, c'est ta délivrance pis la mienne, parce que moi, j'vais enfin me l'enlever d'la tête. J'vais r'commencer à avoir le cœur tendre, maman, ça faisait trop longtemps qu'y'était dur comme du fer à cause de lui.

— Tu sais, y'a plus jamais parlé d'toi… Y'a plus demandé…

— Parce qu'y savait qu'c'était peine perdue, que j'serais jamais r'venue pour lui pardonner. Parlons plus d'ça, maman, qu'est-ce que tu vas faire? Les p'tits frères s'occupent de tout? Avez-vous besoin d'argent pour l'enterrement?

— Non, Jovette, ton père avait des assurances. Mais j'dé-testerais pas t'avoir auprès de moi pour les funérailles.

— J'ai pas l'intention d'y aller, j'veux plus revoir le village, le passé…

— Écoute, Jovette, ça va avoir l'air louche, personne sait rien ici de c'qui s'est passé sauf Ti-Guy, pis lui, y'est muet comme la tombe. Ça va avoir l'air drôle que ma fille soit pas là pour le service. Pour les paroissiens qui savent rien, c'est ton père, Jovette, pas l'commerçant du coin. Tu comprends? Tes frères seraient mal à l'aise d'avoir à expliquer ton absence pis moi aussi. T'habites à Montréal, pas aux États-Unis… Viens au moins pour l'enterrement si tu tiens pas à rencontrer les gens du village lors de l'exposition du corps. Fais juste un aller-retour, viens avec ton ami ou viens avec Pauline…

— Non, pas elle. J'ai pas envie qu'a sème le trouble chez les Gaudrin. Ça risque de tourner mal si a rencontre la veuve ou la blonde à Ti-Guy. Pis pour Philippe, j'aime mieux pas. J'lui ai rien caché, y sait tout, mais j'veux pas qu'y soit en présence de mon père, même mort! J'veux qu'le père soit sous terre quand vous ferez sa connaissance. J'te l'présenterai quand on s'mariera, maman, pas avant. Pis là, pour pas que ça r'garde mal, j'vais aller aux funérailles. J'vais prendre l'autobus la veille, mais j'reviens dès qu'y va être en terre. J'peux pas m'permettre un long congé, à la *shop*, c'est l'temps de l'inventaire. Mais toi, ça t'a pas trop secouée, ébranlée?

— Non, ça va, Jovette. J'pensais pas qu'ça m'arriverait, mais dès que l'curé lui a fermé les yeux, j'ai senti un gros poids d'moins sur mes épaules. J'ai eu comme un soulagement pis là, j'ai r'gardé tes frères avec une sorte de sourire. Ils me l'ont dit, Jovette. C'est comme si j'leur faisais comprendre que c'était la fin de mon calvaire.

— Tu vas recommencer à vivre, maman, tu vas voir. T'auras même plus ton mal de dos ni tes supposés rhumatismes dans l'bras. C'est lui qui t'causait c'te maudite tension-là! Tu vas décompresser, tu vas voir, tout va se replacer…

— Donc, j't'attends, Jovette? On l'expose juste deux jours, tu sais. Le curé a trouvé ça drôle, mais j'lui ai dit que j'voulais que ça soit vite fait.

— T'as bien fait, maman. Tu l'as assez vu, l'écœu… J'me r'tiens, tu sais. C'est pas parce qu'y a fini par lever les pattes que j'ai davantage de respect pour lui! Pis compte pas sur moi pour lui faire chanter des messes! Pas même un lampion à dix cennes, maman. Rien! J'veux juste l'oublier au plus sacrant!

J'ai tellement prié pour qu'y crève! Depuis qu'j'ai treize ou quatorze ans... Depuis qu'y a mis...

Jovette éclata en sanglots et sa mère de lui dire:

– Ne remue pas les cendres, ma grande, ça va juste te faire revivre de bien mauvais moments. Oublie-le, Jovette, tourne la page, r'garde en avant... T'as toute la vie qui t'attend astheure...

– Oui, j'sais, balbutia-t-elle en se mouchant, mais c'est pas demain la veille que j'vais faire le deuil de tout c'qu'y m'a fait. J'en parlerai plus, j'te l'promets, mais j'ai un trou dans l'cœur que j'suis pas prête de remplir, maman. À moins que l'amour de Philippe...

– C'est lui qui va tout cicatriser. J'le connais pas, mais j'sens que l'bon Dieu a mis un bon gars sur ta route. Après l'diable en personne, tu sais de qui j'parle, pis tous les démons qui sautaient dans ton lit, y'était temps que l'Seigneur te fasse rencontrer un ange, pis j'sens qu'tu l'as trouvé, ma grande.

Pauline aurait souhaité accompagner Jovette, ne serait-ce que pour revoir «son fils» comme elle le prétextait, mais l'amie de toujours avait vite saisi dans les yeux de Pauline, beaucoup plus de méchanceté que de tendresse. Elle savait qu'elle s'en prendrait à Ti-Guy, à Betty, à sa belle-mère. Elle savait fort bien que Pauline ne voulait pas venir offrir ses condoléances à sa mère, sachant très bien que la mort du garagiste était une «bénédiction» pour la famille. Jovette refusa net et sec que Pauline se joigne à elle et cette dernière, frustrée, l'avait boudée jusqu'au lendemain. Constatant néanmoins que Philippe n'y allait pas, Pauline finit par comprendre que Jovette désirait être seule pour régler ses comptes avec le corps encore chaud et l'âme damnée de son père. Du moins, elle fit mine de comprendre et se promettait bien de se rendre dès le printemps et semer un peu de pagaille dans ce magasin d'où aucune nouvelle ne lui parvenait. Pas même de son fils. Pas même une lettre de Ti-Guy pour lui dire que Dédé allait bien. Lorsqu'elle s'en était plainte à Jovette, cette dernière lui avait dit la veille de son départ pour Saint-Calixte: «Pas de nouvelles, bonnes nouvelles, Pauline», tout en lui promettant de lui revenir avec tout ce qu'elle désirait savoir. Guy Gaudrin, à l'instar de sa mère, allait certes assister à l'enterrement du regretté «monsieur Biron», un paroissien aimé et respecté, comme l'avait dit en chaire le nouveau curé qui ne connaissait guère le triste sire qu'on allait mettre en terre.

Tel que convenu, Jovette arriva à Saint-Calixte tard le second soir de l'exposition du corps et elle attendit que le cercueil soit fermé pour recueillir les condoléances des retardataires de la paroisse, dont Gertrude et la veuve. Elle avait tout mis en œuvre pour ne pas voir son père, même inerte. Elle avait craint de reculer d'horreur juste à la vue de ses mains, chapelet noué entre les doigts. Ces mains qui, naguère, avec du sang dans les veines, s'étaient tant de fois posées sur son corps pour caresser ses parties génitales. Ces mains, celles de son père, qui avaient retenu de force ses mains à elle sur son membre raide, braguette ouverte. Et ce, alors qu'elle avait douze ou treize ans, bien avant qu'il la pénètre et qu'il exige d'elle les pires saletés qui soient. Ces mains qu'elle avait appris à haïr, à fuir jusqu'à nourrir l'envie de les voir, un jour, gicler leur sang sur les murs… de deux solides coups de hache!

Le soir venu, seule avec sa mère, elle lui avait demandé:
— Tu vas rester ici, maman? Tu ne veux pas venir vivre en ville?
— Non, vraiment pas. Tes frères vont prendre la relève au garage et ils ont promis de veiller sur moi, Jovette. D'ailleurs,

y sont pas prêts de s'marier, ces deux-là, y vont avoir besoin d'leur mère pour un bout d'temps. Et puis, comme ma vie s'est écoulée ici, j'me vois mal dans le bruit d'la ville. Tu m'comprends, j'espère?

– Oui, ben sûr, mais avec tous les mauvais souvenirs...

– Y vont disparaître, Jovette, tes frères vont rafistoler la maison, le garage... Y vont même jeter par terre la remise qui t'servait...

– N'en parle pas, maman, juste à la voir, j'ai peur de vomir... Oui, qu'on la démolisse, qu'on plante des arbres, qu'on fasse en sorte que plus rien de ce dépotoir ne reste en place, pas même une planche.

Au moment où Jovette, fatiguée, comptait se retirer pour dormir jusqu'au petit jour, un coup discret sur la porte attira son attention. Sa mère entrouvrit le rideau et reconnut Ti-Guy qui semblait vouloir être introduit.

– Ouvre-lui, maman, y'a sûrement des choses à m'dire, celui-là.

Ti-Guy entra, salua madame Biron puis, apercevant Jovette, il lui dit:

– J'suis content de t'voir... J'sais qu'c'est pas l'moment, mais si t'avais dix minutes à m'consacrer...

– Pas l'moment? À cause du père? Voyons, Ti-Guy, t'as oublié?

– Non, j'voulais juste être correct... Ta mère, tes frères...

– Ma mère et mes frères savent que t'es au courant, Ti-Guy. Pis là, maman, si tu voulais nous laisser seuls, j'pense que tu l'gênes...

– J'vous laisse, j'ai une bonne journée dans l'corps, moi, j'ai besoin d'sommeil. Bonsoir, Ti-Guy, pis merci pour les fleurs pis la carte.

— Y'a pas d'quoi, Madame Biron, c'est la moindre des choses.

La mère partie, Jovette prit place sur le divan et Ti-Guy, en face d'elle, lui dit sans plus de préambule:

— J'veux pas qu'tu l'prennes comme un flirt, Jovette, mais j't'ai jamais vue aussi belle. Paraît qu't'as un homme dans ta vie?

— Oui, un bel homme pis un bon gars, Ti-Guy. J'savais qu'la Carmen pis moi, ça s'rait de courte durée. J'pensais... mais j'me trompais. Pis, fais-moi pas r'venir en arrière malgré moi... Qu'est-ce que j'peux faire pour toi?

— Pas grand-chose, j'voulais juste avoir des nouvelles de Pauline.

— Pourquoi tu lui écris pas? T'as son adresse, non? Pourquoi qu'tu m'demandes à moi c'qu'a pourrait t'dire au bout du fil?

— Parce qu'est méchante, Jovette! Si j'l'appelle, ça va être l'enfer! J'tiens pas à réveiller les morts, moi! J'refais ma vie p'tit à p'tit, j'prends soin d'mon Dédé, la mère l'élève du mieux qu'a peut... Tu connais Pauline? Si j'me manifeste, j'suis cuit! Pis comme a m'donne pas d'ses nouvelles...

— Oui, j'sais, excuse-moi... Pas facile, Pauline, pis soupe au lait en plus... Je l'ai chez moi, je l'sais. Mais là, va falloir qu'a trouve autre chose parce que si j'me marie, Phil va venir vivre chez nous.

— Tu t'maries? Ça, c'est une bonne nouvelle!

— Ça devrait être au mois de mai ou juin, mais dans l'temps comme dans l'temps, les bans sont pas publiés. Pis Pauline, si tu veux l'savoir, elle a un gars dans sa vie. J'sais pas son nom... Bruno, j'pense... J'l'ai jamais vu, a fait l'ménage dans sa maison, mais paraît qu'y l'aime pis qu'ça risque d'être sérieux.

– Ben, ça, ça ferait mon affaire! Si a pouvait s'caser, moi, j'pourrais l'faire de mon côté avec Betty. Si a voulait renoncer au p'tit, j'pourrais d'mander l'divorce pis refaire ma vie, tu saisis?

– Oui, j'saisis… Pis ta Betty, c'est tout un pétard, Ti-Guy! J'lai vue en arrivant, a sortait du *snack-bar* pis ma mère l'a saluée. Belle comme ça, c'est sûr que Pauline doit pas la blairer.

– Écoute, j'l'ai mariée à cause de l'enfant, j'voulais qu'y porte mon nom. Elle, j'l'aurais jamais mariée, tu l'sais, tu m'connais… Mais j'l'ai fait pis j'ai même essayé qu'ça marche, mais Dédé l'a jamais intéressée, a l'aime pas, Jovette, a l'a toujours r'gardé d'travers. Pauline est pas faite pour être une mère. Pis le p'tit le sentait, y la fuyait!

– Oui, j'imagine pis j'te crois… Mais qu'est-ce que tu veux que j'fasse?

– J'veux juste que tu m'tiennes au courant d'sa vie. Pis, si t'as d'l'estime pour moi, tu pourrais peut-être l'influencer à renoncer au p'tit…

– Ça, jamais, Ti-Guy! Jamais j'influencerai une mère! Quelle qu'elle soit! On m'a arraché le mien, mon enfant… Pis j'm'en suis jamais guérie…

– Toi c'est pas pareil, t'avais peut-être l'instinct plus fort…

– Peut-être, mais c'est pas une raison, Ti-Guy. Si jamais Pauline renonce à son enfant, ça viendra d'elle, d'elle seule, pis j'te jure que j'lui dirais d'y penser deux fois avant d'le faire! Donc, compte pas sur moi pour ce rôle-là, t'es pas tombé sur la bonne personne, comme tu vois! J't'aime bien, j'veux t'voir heureux, tu l'mérites, mais j'peux pas m'embarquer dans une chose comme celle-là. N'importe quoi, Ti-Guy, mais pas ça!

– Ça va, j'ai compris pis j't'en veux pas, j'avais oublié pour toi… Mais si tu peux juste me tenir au courant de c'qui s'passe dans sa vie, juste ça, Jovette.

– Ça, j'peux l'faire, parce que tu m'as souvent sortie du trou, toi. Si Pauline part vivre avec lui, j'vais t'prévenir, mais rien d'autre! Tu t'arranges avec le reste!

– C'est tout c'que j'veux, Jovette, j'en d'mande pas plus.

– Changement de sujet, tu t'arranges bien avec le magasin d'ton père?

– Oui, ça va, ça marche… Betty me donne un bon coup d'main pendant qu'la mère s'occupe du p'tit. J'suis devenu plus sérieux…

– Pis pas mal plus beau, aussi. J'veux pas t'lancer des fleurs, mais t'es encore le plus beau gars du village, mon p'tit verrat!

Ils éclatèrent de rire et d'un compliment à un autre, elle lui demanda:

– Betty pis toi, c'est sérieux? Ça risque-tu de t'conduire encore au mariage?

– J'y pense, Jovette, pis c'te fois-là, ce s'rait d'plein gré, pas obligé.

– A doit t'aimer en maudit pour rester dans un coin perdu comme par icitte?

– Ben… j'en vaux pas la peine? Tu viens d'me dire…

– P'tit maudit! Vaniteux à part ça! Oui, t'en vaux la peine, mais elle, c'est pas un restant d'champ d'framboises! Plus belle que ça…

– Oui, j'sais, pis j'l'aime comme un fou! Ma mère aussi! Pis, on dirait que le p'tit essaye de s'rapprocher d'elle de temps en temps.

– Toi, t'as envie d'être heureux, pas vrai?

– Heu… oui, comme toi, Jovette. Pis pour toi comme pour moi, y'est à peu près temps, tu penses pas? Surtout si on laisse la marde en arrière!

Le lendemain, c'est avec une certaine précipitation que le service funèbre avait été célébré. Jovette avait avisé le curé de ne pas s'éterniser, qu'elle avait un autobus à prendre dès la cérémonie religieuse terminée. Et, tel que projeté, elle sauta dans le premier autobus, avant même que son père soit en terre. Elle avait embrassé sa mère, ses frères, elle avait serré quelques mains dont celles de Ti-Guy et Betty, et elle avait accepté, une fois de plus, les condoléances de la veuve et des autres commères. Repartie comme elle était venue, Jovette éprouva un vif soulagement lorsque le village ne fut plus en vue. Son passé dans le néant, la plaie encore au cœur, elle espérait de tout son être que les preuves d'amour de Phil dissiperaient ses tourments les plus ancrés.

Chapitre 9

Pauline en était à son quatrième «grand ménage» chez Alfred Clouette et, les deux fois précédentes, le fils qu'elle désirait tant revoir avait été absent. Ce qui l'avait mise en rogne puisque Bruno lui avait laissé savoir, dès le premier jour, qu'il s'intéressait à elle et que sortir ensemble ne serait pas bête. Mais en ce vendredi du début d'avril, il était là. Il dormait comme un loir, selon le père qui, dès l'arrivée de Pauline, s'était esquivé pour retrouver les retraités et leurs parties d'échecs. Et, toujours selon le père, Bruno avait travaillé fort la veille, il ne fallait pas trop faire de bruit, éviter l'aspirateur avant qu'il soit debout… Bref, Pauline devait s'avérer plus que discrète pour que «monsieur» fils, ne soit pas indisposé par sa présence. Pourtant, la levée du corps ne se fit pas attendre. Dès que le paternel eut franchi la porte d'entrée, le fils ouvrait celle de sa chambre. Faisant fi de la pudeur cette fois, il passa devant Pauline en très petite tenue pour se rendre aux toilettes. Juste un caleçon blanc, torse nu, échevelé, faisant mine de se frotter les yeux qu'il avait grands ouverts. Elle aussi!

À la vue du mâle qui l'avait tentée dès le premier jour, Pauline sentit quelques frissons lui parcourir l'échine. Elle

attendit qu'il sorte de la salle de bain et, se posant délibérément sur son chemin, elle lui dit d'un ton enjôleur:

– Tiens! Monsieur Bruno! En forme, ce matin?

– Ouais, si on veut, mais lâche le «Monsieur» pis appelle-
moi juste Bruno. On l'avait décidé l'autre fois…

– C'est vrai, mais c'est loin l'autre fois, j'avais oublié…
Faut dire que j'suis revenue deux fois depuis sans même t'apercevoir. T'étais en voyage? Ben… si c'est pas indiscret…

– Pantoute! Non, j'étais chez l'un des frères de mon père.
Y'avait d'la job en masse, j'ai pris congé d'la taverne pour deux
semaines, parce que mon oncle payait pas mal cher mes services. J'suis bon dans' menuiserie pis dans' plomberie aussi.

– Dis donc, t'as tous les talents? Y'a-tu queq' chose que tu
sais pas faire?

– Oui, un bon café, pis tu s'rais ben fine de m'en faire un!

Ce disant, Bruno s'était installé sur l'un des divans du salon
sans même se vêtir. Une jambe allongée sur un coussin, l'autre
par terre. Ce qui donnait tout à loisir à Pauline de contempler
ou, du moins, d'imaginer ce qui la «chatouillait» jusqu'à la
chute des reins. Elle en avait envie, elle en avait besoin, elle
le voulait là, sans plus attendre. Là! Quitte à laisser la va-
drouille et le tablier tomber par terre. Elle revint de la cuisine
avec un bon café qu'elle venait de lui verser et Bruno, sourire
aux lèvres, la remercia tout en lui disant:

– Tu sens bon, pis moi, les parfums excitants, ça m'fait…

– Ça t'fait quoi? osa-t-elle.

– Fais-moi pas parler mal, pis viens t'asseoir à côté d'moi.

– Aïe! J'suis icitte pour travailler, moi… Si ton père…

– Arrête de jouer les «agace», arrive que j'te dis, y'a d'la
place pour deux.

Souriant du terme peu élégant à son endroit, encore plus
en haleine, Pauline s'avança et, discrètement, s'enhardit à poser

une fesse sur le bras du divan. La sentant près de lui sans qu'elle soit contre lui, il l'attira d'une main ferme et Pauline, boulotte, tomba à la renverse sur Bruno, le sein gauche sur son organe génital. Lascive, sensible à ce contact, elle se sentit fortement rougir et se surprit à trembler.

— Dis-moi pas qu'c'est moi qui t'fais c't'effet-là? T'es-tu gênée, Pauline? T'es pourtant une femme mariée...

Retrouvant son aplomb, le regardant dans les yeux, elle lui tâta un bicep de sa grosse main tout en glissant l'autre sur le ventre ferme de son «mâle» tatoué. Lui, plus en appétit, plus vorace, sans la moindre timidité, lui déchira presque le linge sur le dos. La jupe, la blouse, le soutien-gorge, tout était par terre. Pauline, décontenancée, n'avait plus que sa culotte et la main ferme de Bruno qui s'y glissait... indélicatement. Il avait tout de la brute, elle le sentait. Il avait tout de l'animal, elle le savait. Et c'était, du fond de ses tripes, ce qu'elle cherchait.

— Viens dans ma chambre, c'est trop étroit ici. Viens, suis-moi!

C'était un ordre et Pauline, impatiente d'être prise, possédée, le suivit sans mot dire. Déjà à bout de souffle dans son excitation, elle était incapable de lui donner la réplique dans ses énoncés quasi... orduriers! Elle répondait à peine, mais les spasmes, les rougeurs, les sursauts lorsqu'il glissait ses mains entre ses cuisses, valaient tous les discours pervers dont il semblait raffoler. Au point de lui dire en la jetant férocement sur son lit:

— Moi, j'aime ça quand une fille parle mal, quand a mord, quand a devient sauvage... Pis, j'suis capable d'en prendre!

Sans être à la hauteur de ses attentes, voluptueuse, elle se roula sur le lit, tourna sur une fesse, le fit taire d'un mamelon qu'elle lui enfonça dans la bouche et, pour ne pas être en reste, elle lui retira son sous-vêtement d'un geste brusque. Les yeux rivés sur le membre raide qui s'offrait effrontément, elle en tomba amoureuse. Follement amoureuse! Pas de l'homme, mais du membre! Et, à son grand bonheur, Pauline sentit son pouls battre à tout rompre pour un organe sensible qui n'était pas... le cœur!

Après l'amour, après l'extase, gavé, quelque peu surpris, Bruno lui dit tout en s'allumant une cigarette:

– J'te sentais capable, mais pas à c'point-là! Tu connais ça un homme, toi! Comment ça s'fait qu'ton mari...

– Parle pas d'lui, ça vaut pas la peine. Mon mari pis toi, c'est deux, Bruno. Toi aussi, t'as rien à prouver, t'es tout un mâle, tu sais... Un peu *rough,* mais quand on est capable de l'prendre...

– Ça t'dirait de r'commencer, d'essayer d'autres choses?

– J'ai du ménage à faire, moi.... Pis, tu d'vrais en avoir eu assez...

La tirant sur le lit alors qu'elle tentait d'enfiler sa culotte, il la renversa et, à genoux sur elle, il lui dit:

– T'en voulais? Tu vas en avoir! J'ai dit qu'j'avais pas fini!

– Bruno! T'es quand même pas une bête! Pis, y'a d'autres jours...

Elle ne put ajouter quoi que ce soit et pour cause. Bruno Clouette venait de faire de Pauline Pinchaud sa chose. Sans retenue, sans savoir-vivre. Et c'est sans répit qu'elle dut se soumettre à tous ses fantasmes, sans même oser le moindre cri. Parce que Bruno, sur un matelas, la dominait. À un pouce près de la brute, il tentait de lui faire oublier la main qui lui serrait trop le bras, le genou qui lui meurtrissait la cuisse, dans un baiser violent. Impudique, indécente, elle endura ce qui était à deux pas d'être des sévices par amour pour le vice. Par amour pour le membre, les bras, les mollets, les fesses, les reins et les mains de son amant quasi… dément. Puis, épuisée, anéantie, elle s'endormit sur sa poitrine ferme, alors que, d'une main vicieuse, il lui tripotait les vergetures d'un bourrelet du bas-ventre.

Une belle journée d'avril, un soleil magnifique, le printemps, quoi, et Jovette rentra éblouie de sa journée de travail à la Peg Top.

— Mon Dieu! T'as ben l'air heureuse! T'as-tu croisé Tyrone Power? lui demanda Pauline.

— Mieux qu'ça, j'ai vu Philippe à midi, c'est décidé, on s'marie le mois prochain, Pauline! Le 17 mai, c'est lui qui a choisi la date, y m'a fait sa demande officielle, pis c'est pas moi qui l'ai fait languir, j'ai dit oui tout d'suite!

— Tu t'maries où? Dans la paroisse ici? À Saint-Calixte?

— T'es-tu folle? Ni l'une ni l'autre! Comme j'suis d'la campagne pis lui d'la ville, on avait l'choix, paraît-il. Phil a dérouté l'curé, il lui a dit que j'restais chez sa sœur qui habite dans la paroisse Sainte-Cécile, pis c'est là qu'on va nous marier. J'te dis qu'y passe vite à l'action, lui! J'en savais rien encore, pis y'avait tout planifié! Pis ça va être plus proche pour tout l'monde. Un mariage discret, tu comprends. Ses parents, ses deux sœurs, son beau-frère, ma mère, mes frères, pis toi, Pauline. Après le mariage, on va tous aller manger à l'hôtel Windsor, Phil a réservé trois grandes tables. Pis c'est lui qui va payer pour tout l'monde!

— Aïe! C'est pas une p'tite affaire! Vas-tu t'marier en blanc, Jovette?

— Non, pis surtout pas d'robe longue, c'est un mariage intime. J'vais m'trouver une robe de dentelle beige jusqu'à la cheville pis un *pill box* avec une p'tite voilette. J'ai mon idée, ça va être beau.

— J'en doute pas, mais j'aurais une faveur à te d'mander...

— Vas-y, j't'écoute.

— Penses-tu qu'Bruno pourrait m'accompagner? Tu sais, mon *chum*...

— Ton *chum*? Tu sors avec sérieusement, Pauline? *Steady*?

— Ben... oui! Pis, si t'aimes mieux... Ça fait trois fois qu'on couche ensemble.

— Ça, ça m'surprend pas, mais t'es certaine qu'c'est ton *chum* pis qu'c'est un bon gars? J'voudrais pas qu'la famille de Phil... T'es une femme séparée, Pauline... Une mère en plus...

— J'te ferai pas honte, Jovette, Bruno sait s'tenir. C'est un gars à sa place. Y s'habille bien, y boit raisonnablement... J'sortirais pas avec un *bum,* tu m'connais!

— Bon, ça va, viens avec lui si ça t'convient, c'est pas un invité d'plus qui va déranger Philippe. La seule chose qui m'fait d'la peine, c'est que j'pourrai pas inviter Ti-Guy. Tu sais, c'est quasiment un p'tit frère pour moi.

— Ben, oublie-le ou oublie-moi, Jovette! Si tu penses que j'vais l'affronter avec sa grue, sa... C'est elle ou moi!

— Ben, c'est toi, voyons! Monte pas sur tes grands chevaux! J'disais ça comme ça... Ti-Guy pis moi, on a eu une si belle complicité...

— Mon œil! Y'a fait semblant de t'protéger, Jovette Biron! Ça l'empêchait pas de t'sauter! Y s'est pas privé, l'p'tit cochon! Pis j'sais c'que j'dis, j'l'ai eu moi aussi pis j'l'ai marié. Pis toi, t'as pas haï ça avec lui... Tu l'as toujours dit!

— Bon, ça va, oublie ça, Pauline, Ti-Guy sera pas là. Mais j'te défends de m'juger comme tu viens de l'faire. J'te juge-tu, moi?

– Heu… non, c'est vrai. Excuse-moi, j'me suis emportée. Mais quand j'pense à lui pis sa pute aux grandes jambes, j'bouille!

– Ben, enlève le canard de ton rond d'poêle pis laisse r'tomber la vapeur, y'aura personne d'autre à mes noces. Pis ça va être court…

– C'est vrai, j'oubliais, y'a l'voyage après… Vous allez où?

– À New York, Pauline! Philippe veut aller à l'opéra, voir des grands spectacles, vivre dans un hôtel chic, pis moi, ça va m'permettre d'aller magasiner dans les boutiques où vont les actrices. Penses-y, New York après avoir vécu à Saint-Calixte! C'est un cadeau d'la vie!

– Chanceuse! Là, j't'envie! Pis vous allez prendre l'avion, j'imagine?

– Ben sûr, pis en première classe! On n'irait pas là en machine, ça prendrait au moins deux jours… Quand j'y pense, New York! J'vais peut-être avoir la chance de croiser des acteurs, y'en a qui s'y rendent pour faire du théâtre.

– J'te l'souhaite, Jovette! Pis ton voyage, tu l'mérites! Aïe! c'est la grande vie qui t'attend… Vas-tu laisser ta job dans les cigares en revenant?

– C'est déjà fait, Pauline! Aujourd'hui même! D'ici les noces, j'ai congé! En revenant de voyage, j'commence à la bijouterie avec mon mari. Madame Philippe Jarre, c'est pas pour les cigares. Pis ça, c'est lui qui me l'a dit! Mais dis-moi, pour le logement, t'as pensé à quelque chose?

– T'en fais pas pour moi, Jovette, Bruno m'a demandé d'aller vivre avec lui pis son père. Y peut plus s'passer d'moi! J'savais bien que j'trouverais! Pis, j'te dis qu'Bruno, ça vaut dix fois un Ti-Guy!

– Dans un lit?

– Ben ça parle au diable! Qui te l'a dit?

C'est avec réticence que le vieux monsieur Clouette avait accepté Pauline sous son toit. D'autant plus que son fils comptait en faire sa concubine. De telles expériences n'avaient jamais été favorables à Bruno et ça, le père le savait. Il craignait de revivre les cauchemars d'antan, d'autant plus que ça faisait deux ans que son fils n'avait pas manifesté le désir d'avoir une femme en permanence dans son lit. Le paternel, qui craignait sans cesse les réactions soudaines de son damné fils, y était allé avec le dos de la cuiller.

– Ça va coûter cher en nourriture, une personne de c'te corpulence-là...

– Pis? C'est moi qui paye, le père, pas toi. De l'embonpoint, c'est un signe de santé, a va travailler sans arrêt, est forte comme un bœuf.

– T'oublies qu'c'est une femme mariée, Bruno, pas une femme libre.

– Bah! Son mari l'a sacrée là! Est toute seule, le père, a l'a juste une amie en ville, pas d'parenté. Pis, j'l'haïs pas, a fait mon affaire.

– Ouais, pour c'que tu veux d'une femme, toi! Le vice, juste le vice, Bruno. C'est pas d'mes affaires, mais j'ai pas envie d'passer des nuits blanches avec tes grincements d'matelas, moi!

– Aïe! On a parlé souvent d'ça, l'père, pis y'a des maisons d'pension pis des hospices pour les vieux de ton âge. Si c'est ça qu'tu veux, t'as juste à continuer à m'provoquer. Astheure que la mère est plus là, y'a plus personne pour me r'tenir, tu sais...

Le vieux s'était tu. Plongé dans son journal, il venait de craindre une fois de plus ce que Bruno appelait «la déportation» quand il le contrariait. Voyant que le père ne disait plus rien, le fils ajouta:

— Pis à part ça, le temps qu'ça va durer, a va faire à manger. Tu vas être mieux nourri, l'père. T'as fini d'manger du Catelli en canne pis des cretons!

— C'est pas ça qui m'dérange, Bruno, mais j'ai peur que ça r'commence... Tu sais c'que j'veux dire, hein? Pis ça, j's'rais plus capable de l'prendre... T'as rendu ta mère presque folle avec les autres...

— Parle pas d'la mère, j'y suis pour rien, a s'mêlait pas d'ses affaires, a courait après l'trouble, a leur ouvrait les bras... Pis, avec Pauline, y'a rien d'tout ça qui risque d'arriver. C'est pas une astineuse, elle! C'est une femme soumise, une femme qui dit toujours oui avec le sourire.

Et c'est avec ce supposé sourire constant et cette prétendue soumission que Pauline franchit le seuil du logement des Clouette, père et fils, alors qu'avril tirait sa révérence.

Samedi, 17 mai 1952. Jovette, fort en beauté, franchissait le seuil de l'église Sainte-Cécile au bras de son frère qui lui servait de père. Philippe, debout aux côtés de son père, attendait avec un doux sourire celle qui allait devenir sa femme. Madame Biron pleurait d'émotion, les sœurs du marié étaient souriantes et la maman de «Phil» semblait heureuse de voir son fils prendre femme. Et ce, même si elle eut souhaité pour son aîné une jeune fille avec un peu plus de culture que Jovette Biron, surveillante dans une fabrique de cigares, fille d'un «défunt» garagiste de la campagne et, de surcroît, fille-mère d'un enfant qu'elle avait dû abandonner. Mais comme Philippe l'aimait et que tous la considéraient, elle n'eut d'autre choix que de s'incliner et de l'accueillir comme une bru que l'on désire. Pauline, pour la circonstance, avait revêtu l'ensemble qu'elle avait porté à ses noces l'année précédente, chapeau à voilette inclus. Bruno, que personne ne connaissait, avait endossé un beau complet brun, une chemise blanche, une cravate très étroite en tricot beige, des souliers de cuir brun bien polis, et Pauline lui avait même épinglé un œillet blanc à la boutonnière. En guise de présent, elle avait offert à Jovette et Philippe un vase en verre soufflé mauve qu'elle avait déniché à rabais dans un magasin de cadeaux de la rue Papineau. Petit mariage intime, peu de monde, peu de curieux et très peu de petites filles qui, se passant le mot, ne se dérangeaient que pour les mariées en blanc avec longue traîne et voile de tulle. Mais Jovette était au septième ciel. Elle sortit de l'église au tintement des cloches avec, dans le registre comme dans le cœur, le nom de madame Philippe Jarre.

La réception à l'hôtel Windsor fut des plus réussies, même si la salle allouée était petite étant donné le nombre des convives. Le repas était succulent, le vin coulait à flots, le rye, le scotch et la bière aussi, et les mariés avaient ouvert la danse sur *Mon cœur est un violon* interprété par un orchestre sur disque. La sœur du marié se joignit au couple avec son époux et Pauline en fit autant avec Bruno qui ne savait pas danser. La réception fut abrégée par le départ du couple pour New York. L'avion quittait l'aéroport en début de soirée. Les effusions, les larmes de joie, les vœux, et tout un chacun regagna son gîte le cœur heureux. De retour sur l'avenue des Érables, Pauline et Bruno pouvaient entendre le vieux ronfler. Bruno, enivré par la bière et le rye, s'était déshabillé d'un trait en laissant tout tomber par terre. Pauline avait à peine enlevé sa jupe et ses souliers qu'il l'attira dans le lit en lui disant: «Arrive, j'en veux plein les mains» tout en la tâtant partout. Découragée, elle lui dit: «Laisse-moi au moins m'déshabiller pis lâche-moi l'poignet, tu m'fais mal!» Faisant fi de ses plaintes, il lui serra le poignet davantage et lui dit avec un regard qu'elle ne lui connaissait pas: «Toi, fais-moi jamais attendre, t'as compris? Icitte, c'est moi qui commande! Pis quand j'te veux, j'te prends! Arrive, embarque, pis fais ta job au plus sacrant!»

Le lendemain matin, réveillée tôt alors que Bruno ronflait, Pauline se rendit compte qu'elle avait encore ses bas de nylon, son soutien-gorge qui pendait à une épaule et le bracelet de Ti-Guy à son poignet. Choquée, elle regarda celui qu'elle avait pourtant tant désiré. C'était bien simple, Bruno l'avait violée! Il l'avait prise quasi de force avec des menaces et des jurons. Et, ressentant encore une douleur, elle distingua une forte rougeur sur le poignet qu'il avait tant serré. Lui, nu sur le dos, la bouche ouverte, les bras musclés derrière la nuque, cuvait encore son vin dans un demi-sommeil. Elle le regarda et elle se demanda si elle était encore amoureuse du «membre» qui, à première vue, l'avait conquise. Pourquoi Bruno se comportait-il comme une brute? N'était-elle pas réceptive au moindre de ses caprices? Ne faisait-elle pas tout ce qu'il exigeait d'elle? D'ailleurs, Pauline, toujours aussi «animale» face à la «chose», n'était guère du genre à jouer les pudiques. Mais là, se lever endolorie, humecter son poignet d'une compresse, c'était avoir mal, vraiment mal. Et non pas avoir «mal» du «bien» que lui procuraient jadis ses nuits charnelles avec l'ermite. Bruno n'était pas Sam. Il avait la main dure, il l'empoignait sans la moindre délicatesse, il la saisissait par le cou et la descendait d'un coup sec jusqu'à... Non, ce n'était pas Sam qui, naguère, avec chaleur, avec son doigt-fesses... Le corps de Sam sur lequel elle se glissait d'elle-même jusqu'au... Sam qui l'avait fait crier de jouissance au point de faire sursauter la veuve, alors que le cri de la veille avait été poussé par une vive douleur au poignet qu'il serrait trop. Un cri sec et aigu qui avait brusquement réveillé... le père.

Madame Biron jardinait dans son potager alors que ses fils, garagistes, discutaient avec des clients de passage. En moins de six mois, ils avaient doublé le chiffre d'affaires de leur défunt père. De l'extérieur, madame Biron entendit le téléphone sonner et rentra pour s'emparer du récepteur.

– Oui, allô?

– Maman? C'est moi, Jovette! J'espère que t'étais pas encore couchée?

– Voyons! À mon âge! Je me lève tôt, j'étais déjà dans le jardin. Mais toi, qu'est-ce qui t'amène de si bonne heure, ma fille?

– Philippe est parti travailler, j'suis en congé, je jonglais, j'ai pensé que c'était l'moment...

– Le moment de quoi? Parles-tu en chinois? J'te suis pas, Jovette!

– Écoute, maman, c'que j'ai à t'demander est très important, très personnel. Il faut que tu m'aides à me cicatriser le cœur, j'en ai même parlé à Phil...

– De quoi? Qu'est-ce que j'peux faire pour t'aider? Ça va pas, Jovette?

– Oui, ça va, j'suis très heureuse, maman, mais c'que j'veux savoir de toi astheure que l'père est mort, c'est...

– C'est quoi? On dirait qu't'as peur... Ta voix tremble...

– J'veux savoir où est mon fils, maman! J'veux savoir à qui l'père l'a donné avant même que j'le prenne dans mes bras! J'veux l'revoir...

– Jovette! Pour l'amour du ciel, pas ça! T'es mariée, t'as une vie, t'auras peut-être des enfants... Laisse le passé enterré...

– Non, maman, j'veux savoir où il est, j'veux voir c'qu'il est devenu... Pis là, écoute-moi bien, j'parle sérieusement, maman. J'veux pas l'revoir pour le reprendre, c't'enfant-là. Jamais j'ferais ça à ceux qui l'élèvent pis qui l'aiment. Pis jamais j'ferais ça à celui qu'j'ai mis au monde, maman! Jamais j'oserais troubler sa paix pis, c'qui est fait est fait... C'est juste par curiosité, par instinct aussi... J'en ai parlé à Philippe qui m'appuie, maman. Il m'a dit que j'allais mieux dormir le jour où j'verrais qu'il est aimé, bien élevé. J'ai besoin d'en être fière, maman, juste ça! Le père me l'a enlevé mais le bon Dieu m'a jamais défendu de l'retrouver. J'veux juste le voir, maman, pas l'ravoir!

Jovette avait la voix tremblante et sa mère, émue, lui répondit:

– Je sais que ça été la pire souffrance de ta vie, ma petite fille. J'aurais voulu l'garder, l'élever jusqu'à c'que tu sois en âge, mais lui, la main levée, les yeux sortis d'la tête... J'ai pas eu l'choix, Jovette, j'ai signé avec ton père les papiers pour l'adoption mais, c'était peut-être la volonté du bon Dieu, parce qu'y aurait jamais été aussi heureux avec nous comme il l'est avec eux...

– C'est qui ça, eux, maman? J'les connais?

– Non, Jovette. Le couple qui a adopté ton p'tit gars, c'est le frère pis la belle-sœur d'un commis voyageur qui était client ici. Mais j'ai encore leur adresse. Du bon monde, Jovette, des gens à l'aise. Elle était pas capable d'avoir d'enfants... Ils n'ont que lui, ils l'aiment, il a tout ce qu'il veut, une belle maison, ils ont de l'argent...

– Oui, ça va, mais y'a-tu au moins un nom, c't'enfant-là?

– J'ai su qu'ils l'avaient baptisé Christian. J'ai trouvé qu'c'était beau.

– Ils habitent où ces gens-là? Tu crois qu'ils accepteraient...

– Jovette! T'as pas l'intention d'les ébranler au moins, d'leur faire faire du mauvais sang, d'les mettre à l'envers... J'ai juré de jamais rien dévoiler, c'était l'entente. Ils avaient peur qu'un jour tu reviennes à la charge, que tu réclames le p'tit, mais j't'avertis, y'est à eux en bonne et due forme. T'as plus aucun droit sur lui... Pis, pense à lui, y t'connaît même pas...

– J'sais tout ça, maman, pis j'veux rien perturber, Philippe non plus. J'veux juste avoir bonne conscience, c'est la dernière chose à tenter d'régler dans ma tête... Tout c'que j'te demande, dis-moi même pas leur nom, c'est de les contacter si t'es capable et de leur demander, pour que j'vive en paix, de voir mon p'tit gars une seule fois. Tout c'que j'voudrais, maman, c'est qu'ils aillent dans un restaurant avec lui où j'pourrais l'voir sans même qu'y s'en rende compte. Juste à m'donner le signalement d'la mère ou du père, pis j'vais m'arranger pour le regarder le temps d'un p'tit cinq minutes, pas plus. J'pourrais même arriver au dessert pour qu'y repartent plus vite... Penses-tu qu'tu pourrais faire ça pour moi, maman? Dis-leur que ça va m'permettre de poursuivre ma vie l'âme en paix, sachant que le p'tit est heureux avec eux. Dis-leur que j'leur adresserai même pas la parole. Juste le voir, maman. Une fois. Une seule fois dans ma vie... Supplie-les s'il le faut, mais j'veux pas mourir un jour sans avoir jamais revu celui qu'j'ai mis au monde. J'mérite pas ça, maman... Pas après tout c'que j'ai enduré...

– Calme-toi, Jovette, arrête de pleurer, dis plus rien ou c'est moi qui va éclater... Écoute, j't'promets rien, j'vais essayer, mais j'peux pas insister... On a juré, tu comprends? C'est elle qui a passé les nuits blanches, c'est elle qui a consacré ses jours en lui donnant tout son amour. C'est une mère exemplaire, on me l'a dit. Elle l'a pas enfanté, Jovette, mais elle a veillé sur lui avec un cœur de mère...

– J'te crois, maman, pis j'remercie le ciel qu'y soit tombé dans une si bonne famille. Mais le voir, le regarder, juste une fois... Juste pour voir s'il a quelque chose de moi parce que l'père du p'tit, tu sais...

– Oui, j'sais, Jovette, mais réveille pas tous les malheurs de ta jeunesse, ça m'crève le cœur! Pour le p'tit, j'vais essayer, j'te promets de faire tout c'qu'une mère peut faire. T'as assez pleuré dans ta vie, ma fille. J'vais même insister un peu... Pis j'vais t'rappeler dès que j'serai fixée.

Jovette avait raccroché en se dégageant d'un grand soupir de soulagement et d'espoir. Christian! Son fils qui devait avoir maintenant neuf ans. Sûrement un beau garçon... Et puis, avec de tels parents adoptifs. Elle essuya une larme et, les yeux dans le vide, elle se remémorait le jour où, dans une virulente douleur, il sortait de son corps. Puis, plus rien. Elle avait à peine perçu le cri du nouveau-né, vu son petit visage rond comme dans un nuage, mais dès le cordon coupé, son père avait quitté la chambre avec le bébé. Les bras tendus, les larmes de ses seize ans sur l'oreiller, elle avait le vague souvenir de sa mère qui lui épongeait le front tout en lui murmurant des mots réconfortants. Sa mère qui, telle une sage-femme, l'avait accouchée pour que personne au village ne sache... Et ce, même si quelques commères, dont Emma Gaudrin, l'avaient aperçue aux abords de la remise, sa prison, le ventre rond. Retrouvant ses esprits, elle avait téléphoné à Philippe pour lui dire d'une voix émue:

– Il s'appelle Christian. Ma mère va faire son possible. Pis si le bon Dieu le veut...

– Il le voudra, ma chère, et lorsque tu t'enlèveras ce poids du cœur, lorsque tu verras qu'il est heureux, nous en ferons des enfants. Pas un, Jovette, plusieurs!

Trois jours s'écoulèrent et madame Biron donna enfin signe de vie.

– Jovette, c'est moi… Tiens-toi bien, j'leur ai parlé, j'leur ai tout expliqué et ils acceptent.

– T'es pas sérieuse, maman? J'vais revoir mon enfant? J'vais pouvoir…

– Jovette, je t'en prie, calme-toi… Tu vas voir «leur» enfant, pas le tien, ma fille. Et tant que tu n'auras pas fait le deuil de cet enfant que tu as perdu malgré toi, tu n'seras pas heureuse. Ils ont accepté, Jovette, mais ça n'a pas été facile. D'abord méfiants, ils ont eu peur que ce soit là une manœuvre pour le reprendre ou, du moins, essayer. Ils m'ont fait jurer encore une fois et lorsque je leur ai dit que tu étais mariée, que tu aurais tes propres enfants, que tu voulais juste le voir pour mourir un jour l'âme en paix, je les ai sentis fléchir. Elle surtout qui semble avoir le cœur sur la main. Ils acceptent la façon dont tu veux les rencontrer, mais lui, le père, m'a bien spécifié que ce ne serait qu'une fois et pas plus de dix minutes, sans leur adresser la parole. J'ai juré pour toi, Jovette. C'était leur condition et le seul moyen pour toi de voir le p'tit sur une banquette de restaurant. J'ai juré sur la tête de cet enfant et je t'en supplie, fais pas en sorte que ça devienne un parjure. Va falloir te comporter avec discrétion, avec dignité…

– Maman! Pour qui tu m'prends? Philippe sera là! J'veux l'voir, pas le leur arracher! Ça s'peut-tu manquer d'confiance en moi à c'point-là…

– C'est pas l'manque de confiance, Jovette, mais avec l'émotion… Des fois, dans un sursaut…

– T'en fais pas, j'ai d'la retenue, le p'tit s'apercevra même pas que j'suis là. Tu sais, maman, j'ai toujours été une enfant sensible, mais avec c'que l'père a fait d'moi, j'me suis endurcie. Non pas qu'j'ai un cœur de pierre, j'suis encore fragile, mais j'ai la larme moins facile. J'pleure presque plus, maman. Depuis longtemps. Toutes mes larmes, j'les ai laissées dans la remise quand j'avais des étrangers par-dessus moi, pis mon propre père après. J'ai plus d'larmes, maman, j'ai juste le cœur qui saigne encore, pis ça, Dieu merci, ça s'voit pas.

La rencontre avait été prévue pour le dimanche suivant au restaurant Electra de la rue Sainte-Catherine Est. Un terrain neutre. Sans doute très loin de la maison des parents adoptifs de son enfant et très loin de la sienne également. Il avait été convenu que la dame en question serait vêtue de noir des pieds jusqu'à la tête et qu'elle porterait une croix en or au cou. Le petit serait en habit du dimanche. Un petit complet beige, une cravate de soie rouge et de beaux cheveux bruns soyeux, peignés sur le côté. Délicat, avec de belles manières, il serait assis à côté de son père, vêtu d'un complet bleu, et il dégusterait sans doute un *Ice Cream Soda* au chocolat, son dessert préféré. Jovette, pour ne pas être en reste, avait fait dire à la dame qu'elle choisirait une banquette à proximité de la leur et qu'elle porterait, ce jour-là, une robe verte et un ruban orné d'une émeraude au cou. Philippe serait de noir vêtu, de dos à eux, elle, face à l'enfant.

Et telle que planifiée, la scène se déroula. Sans qu'aucun autre client ne s'empare de la table qu'elle avait, dans sa tête, sélectionnée. À peine entrée, elle vit d'un seul coup d'œil la dame en noir de dos et, à côté d'un homme charmant et bien vêtu, le plus beau petit garçon de la terre. Cheveux bruns et soyeux, frêle, joli sourire, vêtu tel un petit bourgeois, Christian, son fils, avait l'allure d'un petit prince entouré d'un roi et d'une reine. Voyant que son mari fixait une table, la dame se retourna et ses yeux croisèrent ceux de Jovette. Une jolie dame un tantinet ronde, vêtue comme une carte de mode, les diamants aux doigts, l'étole de vison sur un bras. Et lui, on aurait pu jurer qu'il était juge ou ministre, tellement son col empesé tout comme son complet à rayures étaient impeccables. Mais, nonobstant cette allure quelque peu noble, Jovette décela d'un seul regard tout l'amour qu'ils avaient pour «son» enfant. Elle ne versa aucune larme, mais elle sentit son cœur battre à tout rompre. Elle aurait souhaité que le petit la remarque... Il la regarda, baissa les yeux, la regarda une autre fois et lui rendit le sourire qu'elle n'avait pas pu s'empêcher de lui offrir. Un seul sourire, sans savoir qui elle était. Un sourire comme un enfant en fait un à une femme qui le subjugue parce qu'elle est belle. Un sourire qu'elle garderait à tout jamais ancré dans sa mémoire. Et, de sa part, un sourire plus intense. Un franc sourire parce qu'elle en était fière. Un incomparable sourire... de mère.

Elle n'avala rien, elle buvait son café, elle avait les yeux rivés sur lui. Philippe, plus discret, s'était retourné une seule fois pour voir l'enfant qui la troublait. Et il l'avait trouvé beau. Très beau avec ses cheveux de soie, ses yeux verts, son délicat visage ovale, ses mains d'artiste. Un petit gars qui avait l'air d'un ange mais qui, de sa beauté, allait peut-être un jour susciter quelques drames. Un enfant gâté certes, mais un enfant qu'on aurait souhaité serrer dans ses bras. Dix minutes s'écoulèrent et, alors que le petit recevait son dessert favori, Jovette baissa la tête et murmura à son mari:

– Viens, allons-nous en, c'est l'heure, c'est le moment.

– Déjà? Tu n'aimerais pas le voir se lever, marcher, passer juste à côté?

– Non, Philippe, je voulais le voir, que ça, et je l'ai vu. Je garderai ce visage dans mon cœur mais viens, partons, ils seront plus à l'aise...

– Ne devaient-ils pas partir en premier, nous après?

– Oui, mais je les sens figés, ils ont vu le petit me sourire.

Sur ces mots, Jovette se leva suivie de Philippe et, jetant un regard à la table une dernière fois, elle vit son fils qui, penché sur son *Ice Cream Soda,* ne voyait rien d'autre que la mousse au chocolat. Poliment, discrètement, elle remercia d'un léger signe de tête le père qui l'observait. Fait accompli, cœur assoupi, Jovette Biron venait de retirer de son âme meurtrie la dernière écharde enfoncée par son père.

Un mois ou presque que Pauline résidait en permanence chez les Clouette. Un mois ou presque qu'elle était la concubine de Bruno qui se montrait de plus en plus désagréable envers elle. Quand elle osait le regarder de travers ou le réprimander, les répliques étaient cinglantes et, un soir, alors qu'ils étaient tous trois à table, le père inclus, et qu'elle lui reprochait d'être rentré tard la veille, il se leva, bardassa les chaises et lui dit, les yeux remplis de haine: «Toé, tu viendras pas m'dire quoi faire, la servante! Ta gueule! Une fois pour toutes!» Pauline était restée sidérée. Il l'avait traitée de «servante» et lui avait dit «ta gueule» devant son père. Ce qui était un précédent puisqu'il s'était montré passablement gentil depuis qu'il lui avait tordu le poignet. Pas le meilleur des hommes, des sautes d'humeur, mais aimable. Avec, cependant, c'était dans ses habitudes, des brusqueries dès qu'il se retrouvait au lit avec elle. Ce qui ne dérangeait pas Pauline puisque tous les hommes, Ti-Guy inclus, l'avait toujours traitée sans égards lors des rapports intimes. Il y avait belle lurette qu'elle se sentait pour les hommes un «morceau de viande». Même pour Sam qui, sans gêne, l'avait surnommée «Minoune», et pour Ti-Guy qui lui disait souvent, avant de la déshabiller, qu'elle était… ragoûtante. Mais là, en ce matin particulier, se faire traiter de «servante» après avoir répondu quelques heures avant à toutes ses exigences, elle était bouche bée. Et ce qui la surprit davantage, ce fut d'entendre Clouette père murmurer à voix basse: «Bon, ça r'commence.»

Bruno avait claqué la porte et, seule avec le vieux, elle lui avait dit:

– Y'a tout un caractère, vot' fils! Un mot plus haut qu'l'autre, pis...

Regardant à gauche, à droite, il lui répondit tout bas:

– J'me d'mande c'que t'es venue faire icitte, toi! T'installer avec lui...

– J'sais pas, mais pourquoi vous avez dit: «ça r'commence»?

– Heu... comme ça, Pauline... Parce que j'connais son maudit caractère pis qu'lui pis les femmes, ç'a jamais marché comme y voulait.

– Y'en a eu beaucoup avant moi?

– C'est pas l'mot, mais ç'a été tellement court avec chacune qu'y en a dont j'me rappelle même plus le nom. Mais, garde ça pour toi, si y fallait qu'y sache que j'te parle de lui...

– Craignez pas, j'sais tenir ma langue, mais pourquoi ça marche jamais? Y'est pourtant beau gars, y'est attirant...

– Si c'est juste ça qui t'intéresse, Pauline, t'as pas fini de prendre ton trou. Mais t'as besoin d'filer doux parce qu'après les chaises...

– Ben ça, si j'vous suis bien, faudrait pas! Y m'connaît pas!

– Si j'étais toi, Pauline, j'partirais vite d'icitte. C'est pas que j'veux t'mettre dehors, mais si j'te dis ça, c'est pour ton bien. Moi, à ta place, j'filerais au plus sacrant. Pis j'sais d'quoi j'parle, j'ai...

Le père s'était arrêté net, Bruno venait de «rebondir» dans la cuisine et, d'après son regard, il avait saisi les dernières bribes de la conversation. Regardant son père en pleine face, il lui dit:

– Tu sais, y'a un hospice pas loin d'ici… On peut même jouer aux échecs…

Habitué à ses menaces, épuisé par les peurs engendrées, Alfred Clouette se leva d'un bond et, devant Pauline, pointant son malotru de fils du doigt, il s'emporta pour la première fois:

– Écoute-moi bien, toé! T'as fini d'm'écœurer avec ça! J'ai pris mes renseignements, j'ai d'mandé à ben du monde pis au propriétaire aussi, pis si y'en a un qui risque de sortir d'icitte, c'est toé mon gars, pas moé! Le bail est à mon nom depuis ben des années, t'es juste un pensionnaire dans mon logement. Pis, à ton âge, j'pourrais t'crisser dehors si je l'voulais! Alors, r'viens plus jamais sur le sujet, Bruno! T'as fait mourir ta mère avec tes beuveries pis tes crises de nerfs, mais tu m'feras pas crever, moé! T'as-tu compris? Pis si ça fait pas ton affaire, tes claques pis tes guenilles, Bruno, la porte est là!

Le vieux se rassit en tremblant comme une feuille. C'était toute une sortie qu'il venait d'exécuter après avoir tant ruminé. Essoufflé, il se tenait la poitrine, et Pauline lui versa un verre d'eau pour qu'il retrouve son calme. Bruno, estomaqué, saisi, ne sachant quoi répondre, changea de ton et, regardant Pauline, lui dit:

– Toé, viens dans' chambre, viens m'calmer, le lit est pas encore fait.

Pauline, indignée, le regarda de haut et lui répondit, confiante que le discours de son père l'avait jeté par terre:

– Si tu penses que j'suis juste une éponge, Bruno, tu t'trompes! Les toilettes sont pas loin si tu veux t'calmer! Fais comme dans l'temps, Bruno, fais comme tu fais encore quand t'en as pas assez!

Rouge de colère et de honte, Bruno, la regardant, lui murmura:

– Toé, tu perds rien pour attendre, Pauline Pinchaud! Tu t'es rangée du côté du père, hein? Ben, t'as encore rien vu, la grosse!

Malgré le précieux conseil de monsieur Clouette de quitter leur toit, Pauline préféra rester sur place et absorber la violence verbale que Bruno lui servait chaque soir. Sa dépendance affective, sa peur d'affronter la vie sans appui, lui faisaient fermer les yeux sur les pires infamies. Et comme Jovette ne donnait pas signe de vie… Comme si c'était là un rituel, Jovette semblait l'éloigner d'elle dès qu'un avenir s'ébauchait. Elle l'avait évincée alors que Carmen partageait sa vie et voilà que, depuis son mariage, Pauline ne figurait plus dans l'agenda de «madame Jarre». Jovette vivait des jours heureux avec Philippe. Elle le secondait à la bijouterie où la clientèle l'avait adoptée d'emblée. Puis, avec cet époux qui la faisait «évoluer», c'était le cinéma, les grands films de Paris avec Madeleine Robinson, Jean Marais ou Pierre Brasseur. Philippe raffolait du cinéma français. De Gabin jusqu'à Noiret qui débutait ou presque, de Cocteau jusqu'aux films de Vadim, il adorait. Il avait même insisté pour que Jovette se renseigne peu à peu sur l'histoire de France en l'intéressant aux films de Sacha Guitry et de Jean Delannoy. Il lui arrivait de céder à un film américain lorsqu'il était du genre «répertoire» comme *Sunset Boulevard* avec Gloria Swanson. Mais avant tout, il avait inculqué à sa femme le goût de la lecture. Le soir, après une journée de travail, Jovette se prélassait dans son fauteuil avec, en main, la biographie de la marquise de Pompadour, suivie de celle du célèbre peintre Eugène Delacroix. Bref, Jovette se cultivait au gré des recommandations de son mari. Ce que Samuel Bourque avait tenté «d'injecter» à Pauline, en vain, naguère, à l'aide de son vieux dictionnaire.

Madame Philippe Jarre aimait maintenant l'opéra et le théâtre. Elle avait vu *La Traviata, Carmen* et *Turandot* en compagnie de son mari. Sur scène, elle avait également vu les comédiens d'ici dans *Lorsque l'enfant paraît* d'André Roussin, ainsi qu'une pièce de Shakespeare qui, elle dut l'avouer, avait été plus difficile à «avaler» pour la profane qu'elle était. Mais Jovette, dite madame Jarre, évoluait. Son vocabulaire empruntait de plus en plus un autre sentier, les verbes s'enrichissaient, les bonnes manières aussi. Il était donc évident qu'avec une telle «ascension», Pauline Pinchaud soit de plus en plus éclipsée du paysage de sa nouvelle condition. Et cette dernière, boudeuse lorsqu'on ne lui donnait pas signe de vie… boudait! Seule, sans personne pour la conseiller et sans toucher à l'argent qu'elle avait à la banque, elle se contentait de faire le ménage en échange de trois repas par jour, d'un toit sur la tête et d'un «Hercule» presque toujours saoul qui, au lit, la mutilait beaucoup plus qu'il l'honorait. Elle s'en plaignait certes, mais ne se dérobait guère à ses rudesses. Le sang chaud, le désir de la chair ancré jusque dans les pores de la peau, Pauline Pinchaud ne pouvait se passer du côté animal d'un coït brutal. Pour elle, la jouissance se devait d'avoir un prix. Avec Bruno Clouette, «Madame» était servie.

À la mi-juin, alors que le concubinage de Pauline et Bruno allait bon train avec ses hauts et ses bas, l'huissier livra chez les Clouette un document venant de Guy Gaudrin. Une procédure officielle signée d'un avocat incitant Pauline à renoncer à son enfant en faveur de son époux qui en avait la garde constante. L'énoncé stipulait que, étant donné l'omission de ses visites et le peu d'intérêt porté à son fils, c'était là l'équivalence de l'abandon total de la part de la mère. La charge entière de l'enfant reviendrait donc au père et à la grand-mère qui lui prodiguaient tous les soins depuis sa naissance. Pauline était furieuse. Avec personne pour la conseiller, elle avait l'impression que les Gaudrin tentaient de l'évincer à tout jamais de leur famille. Et il allait de soi qu'avec une telle renonciation, le divorce suivrait. Ti-Guy se mourait sans doute d'envie d'épouser «la grande fendue de la butte», comme Pauline se complaisait à la nommer. Et qui donc avait pu leur donner son adresse, sinon Jovette? Plus que jamais en colère contre elle, elle n'osait l'appeler et, seule avec le papier entre les mains, elle eut la maladresse de le montrer à Bruno alors qu'il rentrait quelque peu éméché de la taverne Lincoln de la rue Saint-Denis. Froissant le papier tout en le lisant, il lui cria par la tête:

– Pis? Qu'est-ce que t'attends? Signe-le au plus sacrant sinon on va avoir les avocats sur les talons! J'dis «on» parce que tu restes avec moi, tu comprends? Pis, j'veux pas d'troubles, j'ai ben assez d't'avoir sur les bras! Pis entre toé pis moé, Pauline, t'en as rien à faire de ton p'tit morveux, tu t'es jamais informée d'lui! T'as rien d'une mère, tu l'sais, t'es faite pour les hommes, toé, pas pour les p'tits! Mais, juste avant, pourquoi tu d'mandes pas d'l'argent à ton mari pour lui donner l'p'tit en entier? Renoncer, ça peut être payant quand on n'est pas cave. Pis, comme y'est commerçant, c'est pas un p'tit mille piastres qui va l'gêner. Fais-ça, Pauline, écris aux Gaudrin pis demande-leur de l'argent en échange de ta signature. Pis tu feras la même chose si y veut un divorce par la suite. Ça s'paye ces choses-là! On s'débarrasse pas d'une femme comme d'une vieille moppe!

– Ouais... Y'a du vrai dans c'que tu dis, mais j'ai-tu ben entendu, Bruno? T'as-tu dit en cours de route que tu m'avais sur les bras?

– C'est juste une façon d'parler... Ça peut vouloir dire dans les bras...

– Ben, j'aime mieux ça!

Pauline aurait voulu lui dire que Ti-Guy avait déjà été généreux avec elle mais, craignant que Bruno s'empare de ses économies, elle préféra se taire et exiger de son mari la somme suggérée par le malappris. Guy Gaudrin, surpris, sa mère aussi, n'osait croire que Pauline «monnayait» son enfant. Selon l'avocat, c'était indigne et ça allait se tourner contre elle lors des procédures de divorce. Néanmoins, l'avocat leur suggéra de payer et se chargea lui-même de faire parvenir à la mère ladite «rançon». Dès lors, Dédé n'appartenait plus qu'à son père, à mémère et à... Betty! Pauline, chèque en main, le montra fièrement à Bruno qui la somma de l'endosser. Selon lui, ce qui était à elle était à lui. Bref, à eux! Il déposa l'argent dans son compte personnel et, comme Pauline insistait pour, du moins, un tout petit voyage, il lui proposa une auberge à Val-Morin où tout était désert dans le coin. Aucun endroit pour dépenser. Une auberge tenue par une vieille dame et une servante. Trois repas par jour, une chambre et une véranda pour regarder les arbres et fuir les mouches noires, rien d'autre. Et pas un autre client dans cette auberge bon marché qui n'attirait que les jeunes mariés sans le sou et les retraités maladifs. Bruno avait sa provision de bière et de vin, Pauline, son Kik Cola et son Orange Crush. Trois jours interminables dont deux de pluie durant lesquels ils firent l'amour à longueur de journée. Charnel, plus «cochon» qu'un porc, bestial, vorace, Bruno Clouette lui en donna pour ses... mille piastres!

Mais c'est à leur retour, alors que Pauline, peu satisfaite du voyage, voulait administrer son propre argent, qu'elle reçut sa première claque. Hors d'elle, voulant tuer le mal dans l'œuf, elle lui avait crié: «Ben, mon écœurant... » et elle en reçut une autre, plus retentissante encore, qui la fit tomber à la renverse sur le lit. Sautant sur elle, il lui saisit les poignets, les serra si fort qu'elle cria, et lui dit avec du fiel dans la voix, du venin dans les yeux:

– Écoute-moé ben, la grosse! J'ai été assez patient avec toé! Là, c'est moé qui mène pis tu vas faire c'que j'vas t'dire. J'veux plus d'mains sur les hanches ni ta p'tite bouche pincée, tu comprends-tu? T'es plus juste la servante icitte, t'es ma femme, ma moitié, ma concubine. On est accotés! Pis si tu veux pas avoir de raclées ou d'claques sur la gueule, t'as juste à la fermer. T'es pas la première que j'dompte, la grosse, pis t'es mal placée pour me t'nir tête. T'as plus d'mari, pis à part moé, j'me d'mande ben qui voudrait d'toé! T'as rien pour attirer un homme, ma grosse salope!

– Bruno, arrête, tu m'fais mal! Lâche-moi ou j'crie au meurtre! Pis tu pourras pas me r'tenir icitte, toi! Pas avec c'que tu viens de m'dire! Une grosse salope, moi? Ben, on va voir! J'vais peut-être sortir avec des bleus, mais j'vais sortir d'icitte, Bruno Clouette! Y'a pas un écœurant qui va m'garder d'force, tu m'entends?

Il avait tellement compris qu'elle reçut une autre gifle en plein visage.

– Envoye! Fesse! Maudit lâche! Un batteur de femmes! C'est ça qu'ton père voulait dire, hein? Envoye, fesse, dévisage-moi, mais ça va pas finir là, j'te l'jure! J'suis pas les niaiseuses que t'as eues avant, moi! Pis là, si tu m'lâches pas, j'crie d'tous mes poumons!

Il desserra lentement les mains de ses poignets et, juste au moment où Pauline allait s'asseoir sur le lit, il lui asséna un coup de poing en plein visage. À deux pouces de l'œil gauche, sur le côté du nez. Sous l'impact, Pauline perdit conscience. Le souffle court, des spasmes nerveux, agitée par moments, elle reprit conscience, elle ne savait combien de temps après, pour sentir une débarbouillette froide sur son front et monsieur Clouette qui la regardait avec compassion. Bruno n'était plus là. Volatilisé! Sans doute en train de boire pour noyer sa peur. S'il fallait que Pauline, quoique robuste, soit fragile? Monsieur Clouette la souleva et lui dit pour la rassurer:

– J'suis arrivé à temps, Pauline, mais y faut qu'tu sortes d'icitte. Tu comprends-tu, astheure? Attends pas d'sortir sur une civière! Bruno est un violent, t'es pas la première, y'a même essayé sur moé mais y'a baissé la main juste à temps.

Pauline pleurait à fendre l'âme. Assise sur le lit, elle venait de voir dans le miroir de la commode, son visage tuméfié, l'œil enflé, le nez presque cassé.

– J'vais porter plainte, Monsieur Clouette, j'vais l'faire arrêter...

– Ça donnera rien, Pauline... Y'en a une qu'y a déjà essayé, mais comme y disait qu'a l'était sa concubine, y'ont pris ça comme une chicane de ménage. Y'ont même pas rien noté dans leur calepin. Tu couches avec, t'es quasiment sa femme aux yeux d'la loi, pis à moins d'un meurtre... C'qu'y faut, c'est qu'tu partes, que tu t'pousses comme toutes les autres. Prends ton linge pis décampe, y t'cherchera pas, y va essayer d'en trouver une autre... Le pire, c'est qu'ça marche à chaque fois, mais j'te jure que t'es la dernière qui rentre icitte à temps plein! J'te l'jure sur la tête de ma défunte!

– J'peux pas partir, y'a mis tout mon linge sous clef dans le porte-manteau. J'ai rien, pas même ma sacoche. Pis y'a pris tout mon argent, y l'a mis dans son compte. J'avais mille piastres, monsieur Clouette!

– Ouais... ben t'es mieux d'oublier ça. Même aux yeux d'la loi, Pauline, tu y'as donné, y te l'a pas volé. Là, tu vas prendre tes choses pis tu vas déguerpir avant qu'y r'vienne.

– Y'a gardé la clef que j'vous dis!

– Y'a rien là, on va défoncer. Un porte-manteau, c'est pas un coffre-fort.

Et d'un coup d'épaule suivi de trois coups de marteau, la porte céda et Pauline put s'emparer de tous ses effets. Le vieux, sensible à la douleur qu'elle ressentait au visage, lui remit cent dollars de sa poche pour qu'elle puisse prendre un taxi et se débrouiller jusqu'au lendemain. Elle le remercia, s'engouffra dans la voiture qu'il avait appelée et le taxi démarra en trombe au moment où Bruno, ivre, titubant, tournait le coin de Gauthier et Des Érables. Marchant en se retenant souvent après les poteaux de téléphone, il monta l'escalier en s'enfargeant, poussa la porte, et constatant que Pauline n'était plus là et que le porte-manteau était ouvert, il s'écria:

– Où c'est qu'a l'est? C'est toé, l'père qui l'as aidée?

Alfred Clouette, voyant que son fils n'était guère solide, le saisit à la gorge et lui dit d'un ton qui laissa l'autre la bouche ouverte:

– Toé, t'as fini d'fesser les femmes, mon écœurant! Pis si ça prend un homme pour te donner une volée, j'vas t'la donner, moé! Pis, t'as fini de m'faire chier, mon p'tit calvaire! À partir de maintenant, tu travailles, t'arrêtes de boire ou j'te crisse dehors cul par-dessus tête avec ton *stock*! C'est-tu assez clair, ça? Pis, y'a plus une fille qui va rentrer icitte, j'te l'jure! Pauline, c'était la dernière! Pis, son argent, tu vas me l'donner parce que c'est moé qui lui ai donné cent piastres pour se débrouiller. J'vais le r'prendre pis l'reste, a va l'ravoir...

– J'peux pas, l'père, j'l'ai dépensé, j'l'ai bu avec mes *chums* pis les filles. Pis j'ai acheté des habits, des chemises, des sousvêtements...

Le vieux lâcha prise et Bruno faillit tomber sur le dos. À terre, son père debout, grand devant lui, il murmura:

– J'veux ben essayer d'changer, mais j'ai pas d'aide…

– Promesse d'ivrogne! Aide-toi pis le ciel t'aidera! lui répondit le père.

Bruno, rampant, tentait de se diriger vers sa chambre lorsqu'un flacon de gin tomba de sa poche arrière. Voulant le reprendre, le père posa le pied dessus et, se penchant, le ramassa pour le fracasser de toutes ses forces dans l'évier. Bruno, apeuré, stupéfait devant son père pour la première fois, n'en menait pas large. Regagnant sa chambre, constatant que plus rien de Pauline n'était là, pas même une jarretière, il se mit à pleurer comme un enfant. Avec ses muscles, ses épaules carrées, son tatouage et son corps d'Adonis, il pleurait tel un bébé privé du sein de sa mère. Et pour compenser la perte de sa concubine, dans un effort inqualifiable, en dépit de son ivresse avancée, il tenta avec fureur, en vain, de… se soulager.

Pauline, assise dans le taxi, le visage tuméfié qu'elle tentait de dérober au chauffeur qui la regardait par le rétroviseur, n'avait donné aucune adresse.

– Vous allez où, Madame?

– Heu… J'sais pas encore, roulez un peu, j'vais y penser…

Elle trouva ses verres fumés dans son sac à main, elle appliqua un peu de fard sur l'ecchymose qui rougissait et, constatant que le chauffeur tournait en rond, elle lui dit:

– Allez en direction du nord, j'vous dirai quel chemin prendre.

Le taxi roulait rue Saint-Denis et Pauline jonglait. Bien sûr qu'elle avait songé à Jovette, à la seule adresse qu'elle connaissait. Mais comment faire? Jovette était mariée, Philippe était là, lui qui l'intimidait. Malgré tout, prise de panique, sans soutien, sans personne, elle donna au chauffeur l'adresse de sa meilleure amie. Sur le perron, sa valise, ses sacs à ses pieds, elle ne pouvait se décider à peser sur le bouton de la sonnette. De l'extérieur, elle pouvait distinguer deux silhouettes à table en train de souper. Mais, anéantie, seule, apeurée, elle sonna. Quelques secondes, quelques pas, et c'est Jovette qui vint ouvrir suivie de Philippe. Apercevant Pauline, le visage défait, l'œil enflé, le nez tuméfié, elle s'écria:

– Pauline? Pour l'amour du ciel, qu'est-ce qui t'arrive?

Pauline, chancelante de honte, appuyée sur le cadre de la porte, murmura entre ses sanglots, la bouche un peu croche...

– Jovette, aide-moi... Jovette, Philippe, aidez-moi, s'il vous plaît!

Chapitre 10

Philippe regardait Jovette d'un air maussade. Elle, mal à l'aise, lui murmura en sachant très bien ce dont il s'agissait.

– Je sais, Philippe, je sais et je vais faire en sorte qu'elle parte au plus tôt. Moi aussi, j'en ai marre, mon amour. Si elle pense qu'elle va rester ici jusqu'à ce que les feuilles tombent, elle se trompe. Surtout avec l'enfant qui vient, notre quiétude…

– Tu crois pouvoir t'en défaire le plus tôt possible, Jovette? Tu sais, entre avoir le cœur sur la main et être victime de son bon vouloir, il y a une marge. Après deux semaines, il me semble que Pauline devrait se sentir de trop… D'autant plus qu'elle est presque guérie et que sa mésaventure est du passé…

– Tu veux faire quelque chose, Philippe? Va à la bijouterie sans moi aujourd'hui. Le lundi, ce n'est jamais occupé et, si je reste seule avec elle, je te jure qu'elle va faire ses valises d'ici demain.

– Comme tu voudras, ma chérie. Ce n'est pas que je veuille être dur avec elle, mais…

– N'ajoute rien, je la connais, tu sais. Si je ne prends pas les grands moyens, elle ne sortira jamais d'ici, Philippe. Pas d'elle-même. Laisse-la moi, je m'en charge.

Depuis son arrivée dans la maison des Jarre, Pauline s'était rapidement sentie à l'aise. Après avoir raconté son drame, après avoir attiré leur compassion avec ses meurtrissures, le vol de son argent, sa fuite, son désespoir, elle avait vite séché ses larmes et s'était empiffrée du rôti de porc aux ananas et de la tarte aux cerises que Jovette avait cuite au four la veille. Bref, elle avait partagé leur repas et avait volontiers accepté la chambre «d'invité», tout en étant déçue de ne se voir servir qu'une tasse de thé durant la soirée. Avec Philippe, aucune boisson gazeuse n'entrait dans la maison, sauf du Club Soda pour son scotch. De plus en plus, Jovette apprenait à mieux vivre, à mieux manger, à faire davantage attention à sa santé. Elle avait même cessé de fumer sur les instances de son mari. Tout ça faisait partie de son «évolution», avait-elle dit à Pauline qui, malgré leur amitié, trouvait que «la Biron-Jarre» commençait à la faire... chier! Et Pauline fit mine d'être ravie lorsque Jovette lui annonça:

– Je suis enceinte, Pauline! Philippe est fou de joie! J'aurai enfin un petit être dans mes bras! Et Jovette lui raconta aussi sa rencontre avec son fils, Christian, l'émotion ressentie, les merveilleux parents adoptifs qui l'entouraient de leur amour... Pour Pauline, les bonheurs de Jovette s'avéraient un peu trop nombreux comparés aux siens. Elle voulait bien admettre que la pauvre fille avait eu «ben d'la misère» dans sa jeunesse, mais là, trop de joies, c'était aussi navrant pour l'amie qu'elle prétendait être. Elle trouvait que Jovette récoltait un champ de blé... pour une tige d'ivraie. Et ça la fatiguait! Même plus, ça la dérangeait! Jovette qui, maintenant, parlait presque «sur le bout de la langue», la bouche en cœur, le verbe pointu. En s'efforçant, bien sûr, mais en y parvenant tout de même. Et «son» Philippe qui vouvoyait encore Pauline en l'appelant «Madame

Gaudrin». Sur insistance, il avait fini par opter pour le prénom, mais sans déroger du «vous», en prétextant que la familiarité… engendrait le mépris! Ce qui l'agaçait joliment, c'est
qu'elle devait sans cesse surveiller son langage et ses manières.
De plus, elle n'avait pas le choix que de les écouter parler de
théâtre ou du cinéma français. Il lui vantait l'immense talent
de Louis Jouvet, la justesse d'interprétation d'une Madeleine
Sologne, alors qu'elle n'avait en tête que Tyrone Power, Alan
Ladd et Veronica Lake. Décidément, la nouvelle vie de Jovette
lui «hérissait le poil des bras», mais elle ne la lui reprocha pas.
Trop heureuse, sans doute, de manger à sa faim des mets raffinés dont Philippe raffolait. Le saumon grillé, le filet mignon
sauce poivrée, le caviar, le bœuf bourguignon, les desserts flam-
bés… Elle en était presque arrivée à oublier le Kik Cola et les
cup cakes aux fraises. Trois bons repas, une jolie chambre, ses
hôtes absents du matin jusqu'au soir, Pauline n'avait vraiment
rien à faire. Jovette était devenue particulière et sa maison relui-
sait de propreté. Donc, seule, le visage guéri ou presque, le gros
fauteuil du salon à sa portée, des romans empruntés à la bibliothèque du quartier avec la carte d'abonnée de Jovette, c'était
la dépendance souhaitée, le confort rêvé. Sauf que ce jour-là,
Jovette était encore à la maison lorsque Pauline, à onze heures
pile, retira les couvertures, s'étira paresseusement et se pencha
pour glisser ses pieds courts et dodus dans ses pantoufles.

Bâillant, s'étirant encore, elle se dirigea vers la cuisine et
fut surprise d'y trouver Jovette qui, mine de rien, parcourait
le journal du matin.

— T'es là? T'es pas allée travailler? Es-tu malade, Jovette?
— Non, tu vois bien, j'suis habillée, maquillée. Non, j'ai décidé de prendre la journée de congé parce qu'on a à s'parler
toutes les deux.

– J'te vois v'nir, toi! J'peux-tu au moins déjeuner avant?

– Bien sûr, ça discute toujours mieux quand on n'a pas le ventre creux.

Pauline, méfiante, peu contente du ton qu'empruntait Jovette, n'allait quand même pas se priver d'un déjeuner pour faire causette. Elle but un jus d'orange, se fit rôtir trois œufs au miroir avec du jambon, des saucisses, des tomates tranchées puis, après, des rôties avec du beurre d'arachide mélangé à du miel. Puis, avec un thé bien chaud dans sa tasse, elle dit à Jovette, tout en rotant d'aise:

– Bon, ça va, tu peux parler, mais j'sens qu'ça va pas être agréable.

– Pourquoi dis-tu ça, Pauline? Parce que tu sens que ça dérange que tu sois ici? Alors, si c'est le cas, je n'ai plus rien à dire.

– C'est ça, hein? Vous aimeriez que j'décampe Phil pis toi, non?

– Si tu l'prends sur ce ton, oui, Pauline! Parce que Philippe et moi, nous aimerions retrouver notre intimité. Un hébergement temporaire, ce n'est pas une pension à vie, Pauline. J'attends un enfant et Philippe désire que ce soit dans la quiétude…

– Aïe! Tu vas m'arrêter ça, toi! C'est-tu nécessaire de m'parler avec le bec en trou d'cul d'poule parce que t'évolues, Jovette? Si c'est ça «s'élever» comme tu dis, ben, j'préfère rester comme j'suis! Moi, les fausses Françaises… Pis j'sens qu'tu t'forces pour lui faire plaisir! T'aimes pas plus l'opéra que j'aime aller au cirque! Arrête de t'prendre pour une autre, Jovette! Tu peux r'garder où tu t'en vas, mais oublie pas d'où c'que tu viens!

– Bon, c'est assez, Pauline! J'suis pas restée ici aujourd'hui pour que tu fasses mon procès et encore moins que tu m'insultes! Tu veux que j'te parle comme d'habitude? Sans «m'élever» comme tu dis? C'est ben simple, tout c'qu'on veut, Phil pis moi, c'est qu'tu fasses tes valises pis qu't'ailles loger ailleurs. On veut être seuls tous les deux, on veut une vie à deux, Pauline! C'est-tu si dur à comprendre, ça?

— Ben, sur le ton qu'tu me l'dis, aussi ben dire que tu m'sacres dehors, Jovette! Plus clair que ça, y'a juste une vitre! Ben, t'en fais pas, j'vais pas vous embêter longtemps. J'prends mes affaires pis j'sacre mon camp! Pis comme c'est pas la première fois que j'prends la porte...

— Non, non, Pauline, pas cette fois! Tu vas pas t'en aller en m'faisant sentir coupable, toi! Chaque fois que tu t'es r'trouvée dans' marde, j't'ai toujours recueillie comme un chien battu! Pis, c'te fois-là, c'est l'cas d'le dire, t'étais défigurée! J't'ai toujours sortie du trou, Pauline! Pis t'as eu ben des chances pourtant... Sam, Ti-Guy, t'as même eu un p'tit pour pas t'sentir toute seule dans la vie. Mais, non, t'as toujours tout fait foirer! Y'a rien qui marche pour toi, même pas l'bonheur, Pauline! Parce que t'es pas bien quand ça va bien! Tu cherches toujours les trous d'boue! Pis, quand y s'agit des hommes, les trous d'cul! Comme Marande, comme ton Réal pis ton Bruno! Des *bums*, des pas bons, des brutes! On dirait qu't'aimes ça être garrochée, toi! Pis moi, j'en ai assez de t'ramasser, Pauline! J'ai fait une croix sur mon passé, j'suis mariée, j'attends un enfant, pis j'ai pas envie d'passer à côté d'ma chance pis d'mes joies, moi! Tout c'que j'te d'mande, c'est d'partir, de faire ta vie pis de m'laisser faire la mienne. C'est-tu assez franc pour toi, Pauline? Tu pourras dire c'que tu voudras d'moi, mais tu pourras jamais dire que j'ai un visage à deux faces!

— J'ai... j'ai jamais pensé ça, Jovette. Exagère pas...

— Écoute, t'as encore d'l'argent à la banque, y'a des logements pas chers à louer partout, y'en a même des meublés.

Fais l'tour, va voir, paye d'avance, pis trouve-toi des ménages dans des bonnes maisons. Pis si t'as besoin d'références, donne mon nom, Pauline, mais d'ici ce soir...

– Ça veut dire qu'y faut que j'parte drette-là, ça?

– Pas drette-là, mais avant que Phil revienne ce soir. Si tu veux, j'peux t'aider à faire tes valises. Pis si t'rends dans l'bout de Mont-Royal ou d'Rachel, y'a plein d'chambres à louer, y'a même des p'tits meublés...

– Aïe! C'est d'là qu'j'arrive! C'est l'boutte de Bruno, ça! J'ai pas envie de me r'trouver nez à nez avec lui, moi! Pas dans c'coin-là, c'est du monde *cheap,* Jovette! Ça parle comme ça marche, c'est plein d'tavernes, c'est d'la potée...

– Ben, c'est pas ça qui devrait t'déranger, Pauline! C'est en plein l'genre de monde que t'as toujours cherché! Y parlent pas avec le bec en trou d'cul d'poule, eux autres!

– Tu ris-tu d'moi, Jovette Biron? Tu m'prends-tu pour une fille de basse classe?

– Pauline... J't'en prie, pousse-moi pas à bout, j'suis enceinte, j'ai déjà des nausées. Tu devrais pourtant savoir...

Penaude quoique choquée, Pauline se leva, attacha le cordon de sa robe de chambre de chenille et, regardant Jovette, lui dit:

– Excuse-moi, j'devrais comprendre, t'as raison... T'as toujours été là pour moi, toi. J'vais partir, j'vais débarrasser l'plancher, j'vais t'laisser vivre, mais j'veux pas t'perdre comme amie, Jovette. Pis laisse-moi pas pendant des mois sans nouvelles...

– Y'est pas question qu'tu m'perdes comme amie, Pauline, on a vécu trop d'choses ensemble... Si j't'ai laissée un peu dans l'ombre, c'est que Phil a pris toute la place dans ma vie, tu comprends? Pis, avec la venue d'un bébé... Y'a autre chose aussi. Phil ne tenait pas tellement à revoir Bruno dans les parages. Y l'a pas aimé à première vue le jour de nos noces, pis comme tu restais avec lui... Mais là, Pauline, va falloir qu'tu penses un peu à toi...

– Oui, j'devrais, mais des fois... J'ai des vertiges, des maux d'tête qui m'rendent hors de moi. J'ai beau prendre des pilules...

– As-tu vu un docteur? Qu'est-ce que tu prends comme pilule?

– Ben, des pilules à trois pour dix cennes sur les cartons des restaurants.

– Pauline! C'est pour les p'tites vieilles qui ont l'mal imaginaire, ça! Pis, dis-moi pas qu'ça existe encore des Madelon pis des Sedozan? On n'est plus en 1940, Pauline! Prends au moins d'l'aspirine! Mais tu devrais voir un docteur. C'est peut-être un problème de femme... As-tu essayé des Midol, au moins?

– Non, parce que ça m'prend n'importe quand, n'importe où, pas juste dans l'temps d'mes règles. Pis, c'est pas les nerfs, ç'a commencé avant que j'rencontre Bruno. On dirait qu'j'ai une armée d'poux qui m'marchent sur la tête pis qui piochent sur des clous! Ah, pis, *so what!* J'veux pas t'embêter avec ça.

Vers quatre heures en ce même après-midi, Pauline quittait la rue Guizot avec sa valise, ses sacs à poignée, sa sacoche, son argent. Dans le taxi, malgré ce qu'elle avait dit à Jovette, elle demanda au chauffeur d'être conduite à l'angle de Papineau et Mont-Royal. Elle se souvenait avoir vu une maison de chambres dans ce coin-là. Puis, qui sait, peut-être qu'avec un peu de chance, elle croiserait un mâle en quête d'une femelle?

Seule, dépourvue de débrouillardise, apeurée, tremblante, elle sonna à la première maison de chambres qu'elle croisa.

Un concierge dans la quarantaine, s'informant de ses intentions, accepta de lui louer une chambre pour la nuit tout en lui disant:

– Écoutez, Madame, j'sais pas si ça vous tente, mais ma vieille mère est à l'hôpital. Elle en a pour au moins deux mois. Ça vous dirait d'prendre son logement en attendant qu'a r'vienne? C'est propre comme un sou neuf, c'est bien meublé, y'a trois pièces pis une salle de bain, sauf que c'est un troisième étage. Mais y'a un beau balcon en avant pis des arbres... Tout c'que vous auriez à faire, c'est d'payer le loyer jusqu'à c'qu'elle revienne. Pis ça, c'est si a revient, elle en mène pas ben large...

– Ben sûr que ça m'tenterait! C'est dans l'coin?

– Pas tout à fait, mais pas loin. Vous connaissez la rue Fullum?

– Heu... non... C'est pas la rue de la prison des femmes, ça?

– Oui, mais c'est une belle rue, avec des voisins, des enfants... C'est tout près d'Ontario. Du bon monde, des gens bien éduqués.

– Ben, ça m'va, mais pas à soir, j'suis épuisée.

– J'pensais à demain, Madame, à soir, j'vais aller tout préparer.

– Correct, j'le prends! J'vous paye d'avance?

– Non, juste la chambre pour à soir. On s'arrangera pour le reste.

Pauline déposa sa valise et ses sacs sur la chaise de la chambre, pas tout à fait propre, qu'elle venait de louer. Fatiguée, elle se lava à la serviette et, affamée, commanda des mets chinois d'un restaurant juste à côté. Le soir venu, histoire de prendre l'air et décompresser, elle prit son sac à main et fit une promenade rue Papineau sans trop s'éloigner de son gîte.

Quelques *bums* dans la trentaine la lorgnèrent, un jeune de quinze ou seize ans, boutonneux, lui fit un clin d'œil et un vieux osa lui demander: «Vous êtes toute seule?» Passant son chemin, elle n'en était pas moins flattée. Des voyous comme Bruno, un «p'tit jeune» comme Ti-Guy et un vieux comme Sam. Somme toute, l'histoire se répétait et Pauline Pinchaud, plus que dodue, varices aux jambes, couperose sur les joues, plaisait encore aux hommes de toutes les générations. On aurait pu jurer qu'une odeur charnelle les attirait tous vers elle. L'odeur de son Fresh Wind mêlée à sa sueur. Mais Pauline, pourtant en quête, n'avait pas le cœur à la bagatelle. Pas un soir où, seule, sans appui, sans espoir, elle devait faire son nid. Marchant encore, quelle ne fut pas sa surprise de reconnaître le club de nuit où Marcel Marande travaillait. Marcel Marande! À ce seul nom, ses jambes devinrent molles. Il avait beau avoir été immonde envers elle, elle était prête à tout effacer pour un seul baiser. Elle se revoyait au lac Desnoyers, au chalet, dans la baignoire bleue, le trèfle à quatre feuilles en or autour du cou. Elle se revoyait dans ses bras alors qu'en sourdine Peggy Lee chantait lors de leurs vibrants ébats. Leurs ébats! Elle en souriait. Ses fantasmes à sens unique, ses exigences, ses extravagances. Et son joli sourire lorsqu'il l'appelait «la p'tite» en l'attirant entre ses jambes. Puis, un ciel noir, l'orage, les retrouvailles, les insultes, les injures, les humiliations, la peur… La peur de lui alors que, enceinte, il l'avait menacée de l'exterminer… Mais là, à deux pas de l'endroit où il travaillait, Pauline n'avait plus rien à perdre. Pas plus belle, pas vraiment plus laide que lorsqu'il l'aimait, qui sait si, avec le temps, les souvenirs, la nostalgie… Attendant que quelques clients se présentent, elle s'avança timidement pour se rendre compte que le portier n'était pas Marande mais un type de la même taille, du même âge ou presque.

Marcel avait-il changé d'endroit? Était-il devenu le gérant de l'établissement? S'avançant, gênée, ne sachant par où commencer, elle lui demanda dès qu'il fit un geste pour lui ouvrir la porte:

– Excusez-moi, Monsieur, mais j'ai un ami qui travaille ici. Vous connaissez Marcel Marande, vous?

– Heu... bien sûr. Vous êtes de sa parenté? Un ami, vous dites?

– Oui, ça fait au moins deux ans que j'l'ai pas vu. J'passais par hasard...

– Eh bien! Vous allez être déçue, ma petite dame. Marcel Marande n'est plus ici. Non seulement plus ici, mais plus de ce monde. Y'est mort en prison d'une péritonite y'a six mois. Y'avait mal, on l'a pas cru, on l'a pas opéré pour l'appendicite, ça s'est compliqué, pis y'a crevé tout seul dans sa cellule. Vous l'saviez pas? Étiez-vous en dehors de la ville?

Pauline avait cru défaillir. Pâle, tremblante, elle s'était éloignée après l'avoir vaguement remercié. Marcel Marande qu'elle avait tant aimé avant sa trahison était mort en prison. Marcel, son chalet, ses yeux de séducteur, son corps qu'il allongeait sur la banquette de son taxi, ses pulsions, ses faveurs, tout ça, plus rien. Marcel Marande qu'elle avait tant aimé, avant et même après l'outrage, était avec Sam au-dessus des nuages, dans le néant de l'éternité. Ce soir-là, seule dans sa chambre, tout comme elle l'avait fait pour Sam, elle se mit à pleurer. Marcel Marande, n'en déplaise à ceux et celles dont les chats avaient été sauvagement écrasés, avait été pour elle le grand amour d'un bel été.

Depuis trois jours, Pauline se la coulait douce dans le petit logis de la rue Fullum. Le seul inconvénient, c'étaient ces trois étages qu'elle avait à descendre et monter dès qu'elle sortait acheter un pain, du lait ou des mille-feuilles à la crème à la pâtisserie du coin. Lourde sur ses jambes, à bout de souffle, elle montait les marches une à une, la main droite sur la rampe, l'autre sur la poitrine, car son cœur battait aussi fort que lors de ses ébats les plus… physiques! Si lourde, si grosse, pourtant si jeune, chuchotaient les voisines pour la plupart maigrelettes, la cigarette au bec. Et lorsqu'elles voyaient «madame Pinchaud», comme elle se faisait appeler, revenir avec un Kik Cola et deux boîtes de *chips* Maple Leaf, il était évident qu'on ne voyait plus son obésité comme une maladie des glandes, mais plutôt comme la «résultante» de sa gourmandise. Pauline leur parlait peu. Elle n'avait pas envie de se dévoiler, de raconter sa vie et de repartir «connue» dès que la vieille reviendrait chez elle. Pour une fois, elle avait décidé d'être discrète, de ne pas parler de son mari, encore moins de son enfant. Et devant son mutisme évident, les commères avaient fini par se taire, tout en supposant entre elles qu'elle avait des choses à cacher, «la grosse» du troisième. Un soir, alors qu'après s'être rendue siroter un Coca-Cola dans un bar, elle revint avec un gars plutôt bien de sa personne, les langues se firent aller. Le lendemain, pour les faire taire, Pauline avait glissé à l'une d'entre elles: «J'suis assez contente, mon frère qui reste à Saint-Martin est venu m'visiter, hier soir!» Alors que le garçon bien mis était un client du bar avec lequel elle avait eu des «accointances» à sens unique. De sa part à elle, bien entendu, car c'était sur cette ferme promesse que le beau gars avait grimpé jusqu'au troisième étage.

Ses maux de tête empiraient et les migraines pouvaient durer deux jours lorsque «les poux» revenaient lui marteler le crâne. Hors d'elle, elle consulta un médecin qui lui donna des comprimés très forts tout en lui disant: «Si avec ça, on n'enraye pas le mal, Madame, faudra songer à des piqûres.» Pauline avait téléphoné à Jovette pour lui parler de ses malaises, pour s'informer de sa grossesse, pour lui laisser son numéro de téléphone, mais madame Jarre, malgré son amitié, ne la rappela guère. Ce qui fit sentir à Pauline qu'elle était seule sur terre et qu'elle se devait, désormais, de meubler sa vie. N'importe comment avec n'importe qui. Retirant l'argent qu'elle avait à la banque, elle se mit à fréquenter les clubs, les salles de danse et, peu à peu, le port où les débardeurs, tout comme jadis, reluquaient les femmes qui s'y aventuraient. Bien sûr qu'elle trouva des partenaires de danse et des amants d'un soir, elle payait toutes les dépenses. La plupart du temps, elle les saoulait et les ramenait ivres morts dans sa chambre. Et c'était bien souvent sur un corps inerte, sans la moindre érection, qu'elle s'endormait pour ne pas être seule. Au petit jour, dès que réveillé, à sa vue, l'amant disparaissait sans laisser d'adresse. À vingt-cinq ans ou presque, Pauline Pinchaud faisait fuir le moindre «soûlon» qui retrouvait la raison. Et ce, même après en avoir assouvi un ou deux au réveil, alors que le membre assoupi… reprenait vie.

Un soir, alors qu'elle s'était aventurée dans un bar fréquenté par les marins, les ouvriers clandestins de passage, les débardeurs, et que l'un d'eux lui payait «la traite» tout en buvant sa bière, le serveur s'approcha d'elle et lui dit:

– Aïe! C'est Pauline, ton nom? Y'a un gars là-bas qui t'connaît.

– Où ça? demanda-t-elle en cherchant des yeux.

– Là, au fond, avec la chemise bleue, le gars tout seul.

Levant la tête, elle faillit s'évanouir. Seul à une table, la bière devant lui, les yeux sournois, Léo qui lui souriait comme si de rien n'était. Léo! Son beau-frère! Celui qui avait menti au point de la faire chasser de sa maison. Celui qui l'avait privée des caresses du gros bébé triste qu'elle aimait tant. Celui qui avait convaincu sa sœur que c'était elle qui avait tenté de le séduire en son absence. Retrouvant sa colère d'antan, elle aurait voulu se lever et le gifler devant tout le monde, mais une cellule plus fonctionnelle, plus virulente, lui fit adopter un tout autre stratagème. S'excusant auprès de l'homme qui lui avait payé un *Coke,* elle se leva et se dirigea en droite ligne vers Léo.

— Toi, ici? J'peux pas l'croire! T'as-tu trouvé une job en ville?

— Non, j'suis d'passage pour deux soirs, je r'pars demain, j'suis juste venu voir mon ancien patron au cas où, mais ça marche pas… Y'a pas d'travail! Faudrait que j'reste en ville, mais avec ta sœur et la marmaille…

Faisant mine de rien, elle lui demanda:

— Les enfants vont bien? Pis, Édouard, toujours aussi beau, aussi fin?

— Oui, pas mal fin… Mais, dis-moi, tu m'en veux encore, Pauline?

— T'en vouloir? Pourquoi, Léo?

— Ben… j'ai menti, c'était moi, tu l'sais… Mais c'était toi ou moi pis si Raymonde avait appris la vérité, c'était la fin de not' mariage. Moi, avec tous les enfants, j'pouvais pas prendre de chances… J'sais qu't'as payé pour c'que t'as pas fait, mais j'pouvais pas risquer ma famille…

— Ben oui, je l'sais, c'est correct, ça m'a pas fait mourir… mentit-elle. Pis, ma sœur, coupable ou pas, j'ai toujours été sa bête noire.

— Oui, j'sais, parce qu'est jalouse de toi, Pauline. Parce que t'es plus belle qu'elle, plus désirable…

— Pour être désirable, j'l'ai bien vu, t'as essayé deux fois, Léo. Mais le mari d'ma sœur, tu comprends... Du moins, dans l'temps...

Ouvrant grand les yeux sur la dernière phrase, il demanda:

— Qu'est-ce que tu veux dire par là? Ça veux-tu dire qu'astheure...

— Ben, j'reste plus là, Léo, pis j'ai rien contre toi. Tiens! j'te paye une grosse Dow tablette comme tu les aimes! Pis, tu restes où à Montréal? Chez des amis?

— Non, dans un p'tit motel pas cher pas loin d'ici. Rien de luxueux, juste un lit, une toilette, une chaise, mais comme c'est juste pour dormir...

— Ou emmener d'la visite, le beau-frère! J'te connais, tu sais!

Riant de bon cœur, sûr de lui à présent, il glissa sa main dans la sienne et lui dit en la regardant dans les yeux:

— Toi, Pauline, j'te ferais pas mal... Tu m'as toujours tenté... T'as-tu quelqu'un? T'es-tu toute seule à soir?

— Aussi seule que toi, Léo. Pis, peut-être avec la même idée...

— Tu veux dire que tu m'suivrais si j'te l'demandais? C'est pas grand, tu sais... On s'rait pas mieux chez vous?

— Non, j'ai des voisins, y voient tout, y'ont la langue sale!

Content, humant d'avance le plaisir, Léo glissa l'autre main sur sa cuisse.

— Pas icitte, c'est public! Bois ta bière pis après, on va y aller si t'es encore en forme.

— J'ai déjà pas mal bu, Pauline, j'devrais peut-être la laisser là, celle-là.

— Dis-moi pas que j't'ai payé la traite pour que ça reste sur la table?

– Ben non, c'est correct, j'suis capable… C'est pas une Dow de plus qui va m'sacrer par terre… Surtout avec une fille comme toi…

– T'as-tu ton char? T'es-tu venu en taxi?

– À pied, Pauline, le motel est juste à côté. On voit l'enseigne d'icitte.

Pauline le fit boire, elle fit mine de boire avec lui en trempant à peine les lèvres dans le verre qu'il lui avait servi. Jouant la femme un peu «pompette», elle lui dit en lui passant la main dans les cheveux:

– Tu veux qu'on y aille? On va fermer bientôt pis, avant qu'un autre…

Léo se leva, il avait peine à marcher droit. Elle le soutint en lui tenant le bras alors que, haletant, il lui tripotait une fesse. Indignée par le geste, elle aurait voulu le gifler mais, se contenant, elle lui dit fort gentiment:

– Attends au moins qu'on soit dans l'noir, Léo. On peut nous voir ici.

– Pis? On sait où c'qu'on s'en va! lança-t-il en riant grossièrement.

Ils entrèrent dans la petite chambre du motel qui sentait l'humidité. Le lit était défait, Léo avait «piqué» un somme l'après-midi. Titubant, ivre à souhait, il voulut déshabiller Pauline, mais elle insista pour qu'il enlève tous ses vêtements avant elle. De peine et de misère, il enleva sa chemise, retira son pantalon, ses bas et se retrouva en caleçon sur le bord du lit. Un caleçon vert avec une bordure blanche. Il voulut l'enlever, mais Pauline lui demanda d'attendre. D'une main lente, elle déboutonna sa blouse et dégrafa son soutien-gorge alors qu'il l'attirait à lui en lui empoignant solidement les cuisses. Tombée à la renverse sur lui, elle le laissa lui manipuler les seins alors qu'elle le débarrassait de son caleçon vert «bouteille».

Nu comme un ver, elle se rendit compte que, l'alcool aidant, Léo ne parvenait pas à être «puissant» et elle en souriait. Pauline se laissa quelque peu tâter et en éprouva même… un certain plaisir. En manque et dans sa démence charnelle, elle se devait d'admettre, tout en s'y refusant, que Léo la tentait avec son corps de bûcheron, sa bouche charnue, ses mains chaudes et habiles. Il insista pour qu'elle se prête à quelques gestes, histoire de lui prouver sa virilité, mais Pauline, adroite, se laissa tomber sur lui en lui mordillant les oreilles et en lui fermant les yeux de ses lèvres. Exactement ce qu'il fallait pour que Léo, saoul comme une botte, la tête sur l'oreiller, Pauline lui chuchotant des mots tendres, sombre dans un profond sommeil. Elle attendit qu'il ronfle avant de se lever, de boutonner sa blouse, de remettre ses souliers et de sortir de cet endroit infect, non sans avoir glissé dans son sac à main, le caleçon vert de son beau-frère. Et c'est à bord d'un taxi que Pauline Pinchaud, souriante, triomphante, rentra chez elle.

Deux jours plus tard, riant seule, au comble de sa vengeance, Pauline se rendit au bureau de poste afin d'expédier un petit colis à sa sœur à Saint-Lin. Un petit paquet mou qui devait arriver cinq jours plus tard. Lorsque Raymonde se rendit chez la postière du village, celle-ci lui remit le colis sur lequel il n'y avait aucune adresse de retour. Intriguée, elle revint à la maison, dénoua les cordes du paquet et trouva à l'intérieur le caleçon vert de son mari et une lettre. Stupéfaite, elle put lire, alors que Léo était au boulot, les plus vieux en classe et son gros Édouard en pleine sieste:

Chère Raymonde,
Tiens je te renvois le caleson de ton mari! Je saurais pas quoi en faire pis je veux pas de souvenir de lui. Tu dois te

demandé comment je l'ai eu non? Ben figures-toi don que ton écœurant de mari est venu me relancer jusqu'a Montréal. La il m'a encore fait des avance, il m'a même tripotée devant les clients d'un bar. Il était sou comme une botte, il cherchait une femme pis quand il m'a vue, il a oublié toutes les autre. Parais que je suis plus sensuelle que toi que j'ai la peau plus douce.

Je l'ai suivi Raymonde jusqu'a son motel après l'avoir fait boire comme le cochon qu'il est. Je l'ai suivi parce que je voulais que tu sache que c'était lui qui s'était essayé sur moi chez vous et non le contraire. Tu l'as cru, tu m'as traité de chatte en chaleur, tu as même dit devant les enfants que je putassait depuis l'âge de 13 ans. Pis si j'ai bonne mémoire, tu m'as accusée d'être responsable de sa fly ouverte! Tu t'en rappelles, Raymonde? Pourtant, j'étais innocente et c'était lui ton écœurant de mari qui tentait de me faire des passes des que tu avait le dos tourné. Il avait même essayer de me tâter pendant que j'avais le gros dans les bras. Mais tu m'as pas cru, tu as préférer fermer les yeux sur le doute pis tu m'as jetée dehors comme une salope. Tu as même dis a tes enfant que j'étais du poison pis tu leur a défendus de me laisser voir mon gros après mon départ. Je l'ai jamais oublié, Raymonde. C'était la deuxième fois que tu me sacrais dans la rue, mais cette fois-la, pour une accusation dont j'étais pas coupable.

Avec le temps, je pardonne mais j'oublie pas. Pis c'est drole, mais je savais qu'un jour j'aurais la chance de te prouver que ton mari était le plus dégoutant des hommes. Vouloir tromper sa femme avec sa sœur ça prend du guts, non? Imagine-toi pas que j'ai couchée avec lui, Raymonde. J'ai fait semblant d'être intéressée, je lui ai même payer la bière pis je l'ai suivi jusqu'a son motel. Pis t'en fais pas il a même pas eu la force de me pogner une fesse, il était presque raide mort des qu'il a touché son oreillé. Il a essayé mais ça levait pas, tu comprend? Je l'avais nâqué avec une dernière bière pour être sure que rien n'arrive pis j'ai pris son caleson avant de partir pour te l'envoyer par la malle en souvenir. Pour que tu sache enfin que ton mari est un salaud de la pire espèce! Ben sur que j'aurais pu couchée avec lui pour te faire rager, mais il m'intéresse pas. Faudrait qui commence par se laver. Comme c'est la ça doit pas sentir bon chaque soir dans ton lit. Moi, ça m'a donné mal au cœur.

Je te laisse Raymonde, j'ai pas l'intention de te revoir ni d'avoir une réponse de ta part. Cette fois c'est a Léo que tu devras parler. Tu as du le chercher son caleson vert quand tu as fait ton lavage? Pis lui, quand il s'est rhabillé le lendemain, dégrisé, il a du se demander ou il était passé, non? Ben, tu lui diras que c'est moi qui l'a ramasser sur le plancher du motel ou il l'a enlevé. Pis ça s'arrête la, Raymonde. Je te devais un chien de ma chienne? Tu l'as!

Pauline

Quelques jours plus tard, alors qu'elle s'apprêtait à laver sa vaisselle, le téléphone sonna. C'était Jovette qui, prise de certains remords, voulait avoir des nouvelles de celle qu'elle avait brusquement évincée. Pauline, au son de la voix de son amie, lui dit:

– Tiens! J'pensais qu'tu rappellerais jamais, toi! D'la manière que tu m'as fait prendre la porte…

– Écoute, Pauline, j'm'excuse, mais c'était la seule façon pour que tu comprennes qu'une vie à deux, c'est pas une vie à trois. Pis là, avec le bébé qui s'en vient… Pis, ça m'surprend qu'tu m'accueilles de cette façon, on s'était pourtant expliquées, toi et moi. Faut-tu que j'recommence?

– Ça va, j'ai compris. Qu'est-ce qui t'amène? T'as du nouveau?

– Pas tellement, mais j'voulais savoir comment ça allait, toi. Tu t'débrouilles bien? T'as trouvé des ménages à faire?

– Non, j'vis d'mes rentes. J'avais encore pas mal d'argent à' banque.

– Pauline! Passe pas à travers! Arrange-toi pas pour te r'trouver dans la misère! Ménage, étire, trouve du travail!

– Ben, pour l'instant, j'me paye la traite, Jovette! J'me repose des planchers pis des tours de rein à épousseter à tour de bras.

– C'est quoi t'payer la traite? Des hommes, j'suppose?

– En plein ça! Pis j'en trouve pas mal, j'suis pas en peine!

– Ça s'comprend, si tu les bourres, si tu payes pour ton agrément...

– Des fois, pas tout l'temps... J'pogne encore, Jovette, j'suis pas une bonne femme de cinquante ans! Pis, tu l'croiras pas, mais j'ai rencontré Léo dans un club. Tu sais d'qui j'parle? Le chien sale de mari d'ma sœur! Pis tu devineras jamais c'que j'ai fait. J'te dis qu'la Raymonde, a doit avoir la fale basse depuis qu'a reçu l'paquet.

Et Pauline de raconter à Jovette, en détail, sa rencontre avec Léo, le coup du motel, le caleçon volé posté à sa sœur...

– T'as pas fait ça, Pauline? Là, tu dépasses les bornes! Imagine! Y'ont une flopée d'enfants... On brise pas une famille juste pour se venger...

– Aïe! Y m'a fait passer pour une menteuse, tu l'oublies? Y m'a fait passer pour une truie qui l'avait cerné, la langue pendante! J'promenais l'bébé, Jovette, pis a l'a cru! Ça m'a valu d'être encore dans' rue! Ah! l'écœurant! Imagine quand j'l'ai eu à portée d'la main... Y l'a payé c'qu'y m'a fait, l'cochon! Pis elle aussi! A m'a jetée deux fois dehors, la chipie, tu l'oublies-tu?

– Ouais… on sait ben, mais j'pense aux enfants, à ton «gros» qu't'aimais tant…

– T'as pas à t'en faire, a va l'garder, son Léo! Pour les enfants! Sans lui, c'est la Saint-Vincent-de-Paul, a l'sait! A va l'garder, mais a va savoir que c'est un cochon pis que j'suis pas la seule à qui y r'trousse le jupon. A m'a jugée sans m'laisser l'temps de m'expliquer? Ben là, est fixée! A va savoir une fois pour toutes que son écœurant couche avec n'importe quelle femme, même sa belle-sœur si y'en a la chance. Pis l'caleçon vert est là pour le prouver! Ah! le salaud! T'aurais dû y voir les babines quand y'a été sûr que j'marcherais avec lui. Mais y'a frappé un mur sans s'en apercevoir. J'l'imagine à quatre pattes en train d'chercher son sous-vêtement en d'sous du lit! Y'a dû s'gratter la tête! Pis j'espère qu'y est r'venu chez lui avec le membre échauffé qui s'baladait dans sa grosse salopette raide!

Pauline avait éclaté d'un fou rire pour s'arrêter et lancer un «Ouch»!

– Qu'est-ce que t'as? T'es-tu fait mal, Pauline?

– Non, c'est mon mal de tête qui vient de m'fendre le crâne en deux. Ça arrive d'un coup, j'm'y attends pas, mais ça fait d'plus en plus mal pis ça dure de plus en plus longtemps.

– As-tu vu un docteur? Prends-tu des remèdes?

– Des pilules, des piqûres, mais ça soulage juste un brin. J'peux être deux jours sans rien pis, d'un seul coup, c'est comme un coup d'masse. Mais va falloir que j'vive avec, ça semble être incurable. Quand ça m'traverse d'un bord pis d'l'autre d'la tête, j'me mets d'la glace. Y'a juste ça qui m'engourdit…

– Pourquoi tu vas pas voir un spécialiste?

– Pour qu'y m'arrache mon argent? Dans l'cul! Y'en ont tous assez eu! Pis toi, Jovette, rien d'neuf à part ça?

– Mon Dieu, j'allais l'oublier, c'est un peu pour ça que j't'appelais...

– Qu'est-ce qu'y a?

– Y'a qu'la veuve est morte, Pauline. Elle a rendu l'dernier souffle mardi dernier. C'est ma mère qui me l'a annoncé. Elle avait d'l'eau sur les poumons pis y paraît que, même à l'agonie, elle voulait ses cigarettes. Le cœur a fini par flancher. On l'a enterrée avec ses hommes. Moi, ça m'a surprise, elle est partie ben vite.

– Ben, pas moi! A fumait comme une cheminée! Pis j'vas sûrement pas la brailler, j'lui ai souhaité cent fois d'crever! Vieille maudite! C'est un bon débarras! Quand j'pense qu'a respirait encore de l'air avec sa tête de squelette! Vieille...

– Pauline! Un peu d'respect! Tu parles d'un être humain, pas d'une jument ou d'une pouliche.

– Ben, j'pense que j'aurais plus d'sympathie pour une jument! Au moins, elle aurait servi à quelque chose, elle! Tandis que la Charlotte... Quand j'pense qu'est avec Sam, ça m'démange! On devrait l'sortir de c'trou-là, lui, le mettre ailleurs! La veuve dans la même fosse, c'est trop d'honneur. Avec Piquet pis l'premier en plus... A s'ennuiera pas, la vlimeuse! Ben ça m'fait pas d'peine, Jovette, pis que l'diable ait son âme!

– Pauline! C'est un sacrilège c'que tu dis-là! Parlons-en plus, veux-tu?

– Pas d'problème, j'me sens soulagée, mais j'me demande à qui elle a laissé toutes ses choses. Y'avait des affaires à moi chez elle...

– Non, Pauline, plus rien. Ti-Guy qui connaît bien sa logeuse est allé faire l'inventaire avec elle. Tout c'qu'il a rapporté pour te l'donner, c'est l'dictionnaire de Sam. Y'avait rien d'autre du passé chez la veuve, pas même un portrait.

Émue, la voix quasi éteinte, Pauline balbutia:

– Y'a... Y'avait l'dictionnaire? Pis Ti-Guy l'a...

– Oui, il l'a pris pour toi, Pauline. Y va m'le faire parvenir par Bob quand y va venir en ville, pis j'te l'remettrai.

– Ben ça, ben là... j'suis contente. C'est c'que j'voulais le plus comme souvenir de Sam. Son dictionnaire avec ses portraits pis ses images. Pis ça sentait bon, c'te vieux livre-là... Ça va me l'rappeler... Pis là, Jovette, j'te laisse, la tête me fend pis j'peux plus l'endurer. J'te r'mercie d'm'avoir appelée. Pis rappelle-moi parce que moi, chez vous, j'appelle pas. J'ai peur de tomber sur Philippe.

– Pis? Y'a rien contre toi, tu sais.

– Y m'aime pas, j'le sens, y m'endure, mais y m'blaire pas.

– Ben non, tu t'fais des idées...

– Peut-être, mais j'aime mieux qu'ça soit toi qui m'appelles.

– Correct, j'vais l'faire, mais prends soin d'toi pis fais attention à ton argent.

– Oui, oui, j'ai pas douze ans! Toi, des fois... Bye, Jovette.

Avec la tête qui lui fendait, pressée de raccrocher, Pauline avait totalement oublié d'annoncer à Jovette que Marcel Marande avait, lui aussi, trépassé.

Une heure plus tard, c'était le fils de la vieille dame qui l'avisait que sa mère sortait de l'hôpital le lendemain, que Pauline devait quitter le logement, qu'il était prêt à lui louer une chambre rue Papineau. Serviette froide sur le front, elle lui avait répondu: «Non, merci, oubliez la chambre. Je s'rai partie d'ici onze heures, ça vous va?» Et le type, sentant qu'elle était désappointée, lui accorda un sursis jusqu'à midi le lendemain, pour qu'elle puisse refaire sa valise, remplir une fois de plus ses sacs, prendre sa sacoche et descendre les trois étages à pied avec son *stock*.

Étendue sur son lit, un sac de glace sur la tête, Pauline songeait à tout ce qu'elle avait vécu depuis trois ans. Son arrivée à Saint-Lin, le rejet de sa sœur, son arrivée à Saint-Calixte, le curé Talbert, Piquet puis l'ermite qui l'avait reçue froidement le premier jour. Elle revoyait la butte, la balançoire, le shack, Sam en petite tenue, elle, revêtue d'un drap de lit... Puis l'orage, sa peur, sa peau contre celle de Sam, le cri qui avait fait sursauter la veuve et, depuis, tous les ébats dans la cuvette comme dans le lit à une place... pour deux. Seule dans son lit avec le sac de glace sur la tête, elle souriait en revoyant toutes ces scènes voluptueuses. Elle l'entendait l'appeler «Minoune», elle le revoyait lui expliquer l'accident de son doigt-fesses, puis elle revivait les instants où, dans le lac, une autre fois, il lui apprenait encore à nager, une main sur la poitrine, l'autre sur les parties intimes. Elle entendait encore les murs crier de froid, elle revoyait les fentes du shack se calfeutrer de glace et, à la lueur de la chandelle, elle voyait Sam plongé dans l'histoire de Bonaparte alors qu'elle, écrasée, un *cup cake* à la main, lisait les petits romans d'amour de la défunte Clarisse. Que de souvenirs, que de beaux jours!

Puis, ses sourcils se froncèrent alors que défilèrent des images sordides. La corneille sur la grille, les crises de jalousie de l'ermite, ses hurlements quand elle rentrait tard la nuit après avoir quitté les bras de Marcel. Ses aveux, ses larmes, l'amour dont lui seul était capable envers elle. Le berceau, le panier d'osier blanc, l'ourson en peluche, le petit cœur en argent, les alliances qu'elle n'avait jamais vues, son attente, puis le désespoir et la fin dont le ciel l'avait épargnée.

Pauline, triste, repentante malgré sa terrible migraine, laissa couler une larme. Cherchant encore dans ce grand livre du passé, elle revit Marcel, leur première danse, leur première nuit, son fol espoir, son triste choix... Et le prix à payer pour avoir cru en ce poison à rat. Elle revoyait Marcel, *doorman* d'un cabaret, ses insultes, ses injures... Et Pauline ne pleura pas sur ces images. Mais, en si peu de temps, Piquet, Sam et Marcel étaient tous trois dans l'au-delà. Et voilà que la veuve venait d'y monter à son tour, sans doute pour dénoncer Marcel à Dieu d'avoir écrasé son chat de ses pneus. Et, surtout, ce dont Pauline était jalouse, pour revoir Sam et se jeter dans ses bras.

Pauline aurait souhaité que tout ce qu'elle revoyait ne fut qu'un mauvais rêve, mais, hélas... Malgré un repentir entremêlé de quelques joies, c'était un passé encore plus récent qui s'animait pour elle. Là, après les autres, c'était Ti-Guy qui refaisait surface. Elle se souvenait du premier regard du jeunot qui, avec quelques boutons d'acné, la reluquait. Elle se rappelait leur rencontre au bal du vingtième anniversaire du commerce de son père où, seule avec Piquet, ignorée de tous, il s'était approché d'elle pour l'inviter à danser. Elle se voyait encore humant son eau de Floride, déboutonnant sa chemise sur une botte de foin, après deux verres de vin. Et elle revit l'extase de ce premier corps à corps où, quasi imberbe, il avait posé ses lèvres de dix-sept ans sur les siennes, tout en soulevant sa jupe avec, en bouche, des paroles impures. C'était grâce à lui qu'elle avait connu Jovette, c'était grâce à Ti-Guy, apeuré par son père, qu'elle avait abouti chez celle qui allait devenir sa «grande» amie. Elle revit le moment où, hébergée par Ti-Guy après l'abandon de Marcel, elle s'était laissée choir dans ses bras, sur les chansons de Frank Sinatra. Sa chambre

356

d'écolier, son lit de petit matelot, son éjaculation précoce. Ti-Guy Gaudrin qui, aveuglé par le vice, la trouvait ragoûtante. Ti-Guy qui, même sobre, n'avait jamais souligné, même d'un regard, sa cellulite, ses varices, ses vergetures, sa coupe-rose… et ses quelque deux cent cinquante livres.

Ti-Guy qui, longtemps après, était venu la relancer jus-qu'à Saint-Lin. Plus beau, plus homme, toujours aussi char-nel. Elle se souvenait du subterfuge pour l'attirer dans un motel et se livrer sur elle à ses plus bas instincts. Ce motel qui, dès lors, allait devenir le «sanctuaire» de leurs ébats, même le dimanche. Ce flirt qui, peu à peu, devint sérieux. Le rejet de Madeleine… pour elle! Pauvre Pauline! Dans ses mémoires, elle oubliait que le «rejet» des autres n'avait été «rejet» que parce qu'elle était enceinte. Puis, Bob, Fleur-Ange, le renvoi cruel de sa sœur, le cœur serré par l'éloignement du «bébé triste» qu'elle adorait, le mariage, la naissance de Dédé, la rue Mozart, le retour à Saint-Calixte, la belle-mère, l'enfant qui la fuyait, son départ, Betty, son retour en ville, et tous les malheurs qui avaient, depuis ce jour, suivi.

Ébranlée par tant de souvenirs, allongée sur son lit, la tête enroulée dans une serviette froide, Pauline Pinchaud jonglait. Dès le lendemain, l'éviction, la valise, les sacs, l'horizon, le néant… Une chambre quelque part, peut-être? Un héberge-ment chez une mégère qui en ferait, une fois de plus, une ser-vante à genoux sur des planchers de bois franc? Non, non et non! Pauline ne pouvait s'imaginer que tel allait être son des-tin, alors que Jovette, Philippe, leur maison, leur enfant à ve-nir… Puis, dans sa tête, minée de plus en plus par la folie, un objet, un souvenir, le dictionnaire. Ce gros livre de chevet que Sam, du haut du ciel, venait de lui léguer. Ti-Guy allait le faire

parvenir à Jovette qui le lui remettrait, un jour, quelque part?
Pourquoi? Allongée, Pauline n'envisageait aucun «quelque
part», aucun nouveau sentier. Pauline ne pouvait croire qu'un
autre train sans gare allait être son sort. Pas quand, sur papier,
devant Dieu et les hommes, elle portait encore le nom de...
madame Guy Gaudrin.

Lorsque le propriétaire de la maison de chambres se présenta rue Fullum le lendemain pour y préparer le retour de sa
mère, il trouva sur la table, une note qui se lisait comme suit:

*Je suis partie de bonne heure à matin. J'ai décidée d'al-
ler vivre à campagne. Comme j'ai tout payée d'avance, je
vous doit rien et je laisse le logement dans un bon état. Merci.*

Pauline Pinchaud

Tel que mijoté dans sa tête une partie de la soirée et de la
nuit, Pauline était à bord de l'autobus qui la déposerait à Saint-
Calixte quelques heures plus tard. Avec sa valise, ses sacs, sa
sacoche et le regard dans le vide. Elle avait décidé d'aller
chercher elle-même le dictionnaire de Sam et, par le fait même,
se «réinstaller» auprès de son mari, de son enfant et de sa
belle-mère. Avec l'intention surtout de mettre la Betty dehors.
Comme si un tel coup de maître, une telle volte-face, pouvait
se faire en criant «ciseau» ou, parce que, dans son sac à main,
elle avait une copie de son contrat de mariage qui stipulait
qu'elle était bel et bien madame Guy Gaudrin.

Elle descendit à Saint-Calixte avec tout son *stock* et,
comble de malheur, Gertrude, revenant du cimetière où elle
avait déposé des fleurs sur la tombe de la veuve, l'aperçut.

Courant de ses longues jambes sans être vue de qui que ce soit, elle atteignit le magasin général et, à bout de souffle, haletante, elle cria à Ti-Guy devant Betty et quelques clients:

— Elle est là, Ti-Guy! Elle vient de débarquer! J'l'ai vue comme j'te vois!

— Qui ça? demanda-t-il tout en remettant un sac à une cliente.

— Pauline! Ta femme! J'pensais qu'j'avais la berlue, mais c'est elle, Ti-Guy! Pis a semble revenir pour de bon, a l'a tous ses bagages avec elle.

Guy Gaudrin avait blêmi. Betty le regardait, n'en croyant pas ses oreilles et Emma, attirée par les hauts cris lancés par Gertrude, faillit perdre connaissance en apprenant que «la grosse» avait les deux pieds sur le trottoir de la rue Principale.

— T'es sûre, Gertrude? Tu t'méprends pas?

— Non, la mère, a s'trompe pas, pis j'savais qu'un jour ou l'autre a r'viendrait par icitte. On n'est pas sortis du bois avec elle…

— Qu'est-ce que tu vas faire? Tu vas pas la laisser rentrer icitte, Ti-Guy? Appelle la police, fais-la arrêter! Ça s'peut pas qu'a r'vienne comme ça!

— Va-t-en ailleurs avec le p'tit, la mère. Va passer la journée chez Hortense au presbytère, reste pas là. Betty pis moi, on va s'arranger avec ça. On va attendre qu'a s'montre la face…

Mais Pauline, peu pressée de semer le trouble, avait demandé au chauffeur de taxi de l'endroit de la conduire à l'hôtel avec ses bagages. Ti-Guy vit passer la voiture et, aucun doute, c'était bien Pauline qui, sur la banquette arrière, regardait droit devant elle. De loin, il vit le taxi s'immobiliser et Pauline grimper les quelques marches de l'hôtel avec le chauffeur et ses bagages derrière elle. Regardant Betty, il lui dit:

– On va attendre la suite, a viendra pas aujourd'hui, a doit avoir un plan.

Puis, constatant que Betty tremblait comme une feuille, il la prit dans ses bras, la serra contre lui et lui dit:

– T'en fais pas, mon bébé, a va rien déranger icitte, elle.

– *Are you sure?* demanda-t-elle en anglais, comme lorsqu'elle était nerveuse et qu'elle s'oubliait.

– J'suis là, t'as rien à craindre pis, crois-moi, a va r'partir aussi vite qu'est arrivée. Aie pas peur, mon bébé, y'a rien qui va nous séparer, surtout pas elle. Quand j'pense que j'l'ai mariée… Maudit cave! J'aurais pu avoir la garde de Dédé sans elle.

Et pour rassurer la jeune beauté qui partageait ses jours et ses nuits, Ti-Guy l'embrassa dans le cou tout en lui caressant les seins d'une main.

Pauline était entrée à l'hôtel à la grande surprise du tenancier qui la reconnut et qui hésitait à l'accueillir comme une cliente.

– Toi, Pauline? Tu viens-tu ici pour louer une chambre?

– En plein ça! J'ai l'droit, non? Pis j'ai d'quoi payer d'avance. En plus, j'suis plus la Pauline que t'as connue su'l' tabouret, j'suis madame Guy Gaudrin pour ton information. Veux-tu voir mes papiers?

– Heu… non, voyons, je l'sais, pis j'ai des chambres à louer, lui répondit-il en voyant le «pognon» qu'elle serrait dans sa grosse main.

– J'veux une chambre avec vue sur la rue, pas dans la cour. J'veux la plus belle, la plus grande.

– Pour combien d'jours?

– J'peux pas te l'dire, je l'sais pas, mais tu m'chargeras les jours que j'resterai icitte. C'est comme ça qu'ça marche dans les hôtels à Montréal. J'ai voyagé, tu sais!

Il ne s'obstina pas avec elle, d'autant plus qu'elle paya la première nuit d'avance et qu'elle commanda un copieux dîner qu'elle régla rubis sur l'ongle. Un dîner si chargé que l'hôtelier aurait pu croire qu'elle commandait pour trois. Elle avala tout jusqu'au dernier biscuit avec son pudding au riz puis, satisfaite, elle regagna sa chambre où la radio jouait. Elle tourna le bouton et tomba sur une chanson de Tohama. Une chanson joyeuse, une chanson folle sur laquelle elle dansa et pivota telle une toupie et qui s'intitulait, curieux hasard, *Ma petite folie*.

Il faisait beau, Pauline s'était levée en forme et, ouvrant la radio, elle écoutait l'émission *Les Joyeux Troubadours* tout en faisant sa toilette. Lavée, cheveux frisés, appliquant son rouge à lèvres, elle changea de station de radio et c'était Lise Roy qui, sur disque, chantait *Y'a du soleil*. Une chanson de circonstance puisque le soleil brillait dans toute sa force même si, dans la tête de Pauline, c'était peu à peu la noirceur qui s'incrustait. Descendant au premier plancher, elle commanda un bon déjeuner sans parler au patron ni aux quelques commis voyageurs qui se demandaient ce qu'une femme seule pouvait bien faire dans un hôtel de passage pour hommes d'affaires. Ayant tout avalé, réglé l'addition, elle prit sa «sacoche», mit ses verres fumés et se dirigea prestement vers le commerce de feu son beau-père.

Ti-Guy, nerveux, la voyait venir à travers la vitrine. Sa mère s'était réfugiée chez Gertrude avec le petit en empruntant la porte arrière et Betty, le superbe «bébé» de Ti-Guy, était restée à la cuisine. Ti-Guy avait décidé d'affronter seul celle qui venait d'un pas plus que certain, priant même une cliente de revenir dans trente minutes si cela lui était possible.

Seul dans le magasin, la cravate dénouée, les cheveux en broussaille, il attendait de pied ferme celle qui ouvrit la porte tout en faisant tinter la sonnette. Avant qu'elle puisse dire un mot, il l'apostropha rudement:

– Qu'est-ce que tu veux? Qu'est-ce que tu viens faire icitte, toi!

– Dis donc! Tout un accueil! J'suis encore ta femme à c'que j'sache!

– Non, tu l'es plus pis depuis longtemps! Décampe, on n'a rien à s'dire!

Sortant le papier de sa sacoche, elle le lui mit sur le nez en lui murmurant:

– T'oublies que j'suis encore madame Gaudrin, mon p'tit chéri… On n'a pas divorcé, on est juste séparés de corps. Pis c'est pas parce que j'ai renoncé au p'tit que j'ai renoncé à toi, Ti-Guy…

La sentant étrange, quelque peu déséquilibrée, il lui demanda:

– T'as-tu bu, toi? On dirait qu't'as pas toute ta tête, tu parles drôle, t'as les yeux p'tits pis givrés…

– J'prends des pilules pis j'me donne des piqûres parce que j'ai des migraines, Ti-Guy. Pis si j'suis r'venue…

– Oui, j'voudrais ben savoir pourquoi?

– Ben, si j'suis r'venue, c'est pour reprendre ma place à côté d'toi. T'es mon mari, j'suis ici chez moi, pis l'autre, où qu'a soit, a juste à sortir avant que j'la maudisse dehors moi-même, Ti-Guy! C'est moi, madame Gaudrin, ta femme! Elle, la concubine, la grande fen…

– Un mot d'plus pis tu sors d'icitte la tête la première, Pauline!

– Ah, oui? Mais tu sauras que j'pourrais r'venir par la porte d'en arrière avec la police. J'suis en droit, on est mariés, tu l'sais.

Désespéré, Ti-Guy tenta de la raisonner en lui offrant un autre arrangement. Faisant résonner la caisse, il lui demanda:

— Combien tu veux pour t'en aller pis plus jamais revenir? J'suis prêt à payer, Pauline, mais va falloir signer des papiers...

— Ben, tu peux t'les fourrer dans l'cul, tes papiers, Ti-Guy Gaudrin! J'veux pas d'argent, j'veux ma maison, j'veux mon mari!

À ces mots, Betty fit irruption et Pauline, l'apercevant, s'écria:

— Tiens! T'étais là toi? Cachée? T'as pas la conscience claire, hein? Quand on sort avec un homme marié, ma fille, faut savoir décrisser quand la légitime revient. J'te donne cinq minutes...

— Grouille pas d'là, bébé! Laisse-la parler! somma Ti-Guy.

— Bébé! C'est comme ça qu'tu l'appelles, ta traînée? Bébé! Pis tu fais semblant d'être heureux avec elle? Comme tu l'faisais avec moi? A l'sait-tu la Betty qu't'as l'vice au corps pis qu'juste une femme, ça t'suffit pas? A l'sait-tu que tout c'que tu veux d'une femme, c'est ton plaisir, tes cochonneries? A doit l'savoir si est encore là! Épaisse en plus!

— Non, pas épaisse, Madame, amoureuse. Et ce que vous dites de Guy, c'est pas vrai. On fait l'amour de façon normale. J'suis pas une *bitch,* Madame, j'suis une fille respectable.

— Respectable, mon œil! Quand on s'respecte, la p'tite, on sort pas avec un homme marié! Pis qu'est-ce que tu y trouves à Ti-Guy, toi? Viens pas m'dire que t'es pas capable d'en avoir...

— On s'aime, Madame, c'est tout. On est en amour, lui et moi. Et je vous ferai remarquer que je ne sors pas avec les hommes mariés, Ti-Guy est séparé, c'est pas la même chose.

— Aïe! J'suis pas r'venue jusqu'icitte pour m'expliquer avec toi, la p'tite! C'est avec mon mari qu'j'ai des comptes à régler! Alors, disparais, fais du vent, tu r'viendras à soir si y'est encore en vie. Parce qu'y a pas fini avec moi, lui, l'hos…

Ti-Guy n'en croyait pas ses oreilles. C'était la première fois que Pauline sacrait de la sorte. Elle n'était pas dans un état normal. Elle semblait même dangereuse avec ses yeux fous, ses dents serrées, ses poings fermés. Gentiment, il fit signe à Betty de partir et cette dernière, apeurée, alla se réfugier sur la butte avec son père et sa mère. Mais, ayant croisé Emma Gaudrin, elle lui avait dit:

– Elle est folle, elle a pas toute sa tête, elle semble dangereuse. J'ai peur pour Ti-Guy, Madame Gaudrin. Puis, laissez pas Dédé venir au magasin.

Emma, inquiète pour son fils «adoré», confia Dédé à Gertrude et, armée d'un marteau dissimulé dans un sac, elle se dirigea vers l'épicerie non sans avoir dit à Betty:

– Compte sur moi, a va sortir de là, la grosse truie! Pis, si a touche à un cheveu d'mon Ti-Guy, j'l'assomme!

Décidée, rouge comme une tomate, Emma Gaudrin traversa la rue en même temps qu'une paroissienne qui se dirigeait vers le magasin.

– Rentrez pas, revenez plus tard, Madame Loubier, j'ai un problème à régler. Y'a une folle dans l'magasin!

– Quoi? Voulez-vous qu'j'appelle la police?

– Pas nécessaire. A va sortir en morceaux si a s'énerve, j'ai tout c'qu'y faut. Grosse effrontée! Oser revenir après l'argent que j'lui ai donné!

Emma entra d'un coup sec dans le magasin et, voyant que Pauline invectivait Ti-Guy, elle lui lança brusquement:

– Toi, hors d'icitte! T'as fini d'nous écœurer, Pauline Pinchaud! J'te donne trois minutes pour sacrer l'camp ou j'te sors par le fond d'culotte!

Surprise, ne pouvant s'imaginer que sa belle-mère lui parlerait de la sorte, Pauline devint livide, bleue, puis rouge de colère.

– C'est vous la belle-mère qui m'parlez comme ça? On sait ben, c'est plus facile à faire sa fraîche quand on a volé le p'tit d'sa bru, pis qu'on y a fait signer des papiers d'renonciation. Mais vous m'faites pas peur, Madame Gaudrin, pas plus que vot' fils pis la bonne à rien qui vit icitte avec lui.

– Pour c'qui est du p'tit, t'as rien à m'reprocher, toi! Tu t'en es jamais occupé! C'est moi qui a changé ses couches pis qu'y a fait passer ses coliques depuis qu'y est né, c't'enfant-là!

– Ben, si vous l'aviez pas fait, j'l'aurais fait!

– T'as menti! Tu sais même pas c'que c'est que d'être une mère! Tu l'as jamais aimé, ton fils, pis y l'sentait, y t'fuyait comme la peste!

– Ben là, va falloir qu'y s'habitue parce que j'suis r'venue pour rester! Je r'prends ma place, la belle-mère! Que ça vous plaise ou pas! Pis à soir, Ti-Guy, c'est avec ta femme que tu couches, pas ta traînée! Pis à partir de demain, je r'prends l'magasin avec toi, pas les planchers, j'suis plus servante. Pis là, j'ai faim! Y'a-tu quelque chose à manger? J'ai un creux, j'faiblis.

La mère et le fils s'étaient regardés. Il était évident que quelque chose ne tournait pas rond dans la tête de Pauline. Elle n'était pas dans un état normal et, pourtant, elle était sobre. Ti-Guy fit livrer un message à Betty, la priant de rester chez ses parents jusqu'au lendemain. Parlementant tout bas avec sa mère, il avait décidé de prendre Pauline en charge, mais il ne voulait pas qu'Emma subisse les affronts de sa bru en la provoquant sans cesse de ses yeux ronds. Madame Gaudrin ne voulait pas quitter le magasin, elle craignait qu'il arrive un malheur à Ti-Guy s'il restait seul avec Pauline. Ce dernier insista au nom de son enfant et, par mesure de précaution, elle décida d'aller passer la nuit chez Gertrude avec le petit. Cette dernière, heureuse de l'accueillir, était plus que ravie d'apprendre qu'un drame ou presque se jouait au village. Depuis l'esclandre de Sam, depuis tous les départs, c'était l'ennui total à Saint-Calixte. Et Ti-Guy, prenant sa mère à part, lui avait juré que Pauline reprendrait l'autobus dès le lendemain, quel que soit le montant à verser. Et, de là, juste après, les procédures en divorce... au plus sacrant!

Seule dans la cuisine, Pauline se berçait tout en feuilletant avec minutie le dictionnaire de Sam que Ti-Guy lui avait remis. Quelques minutes avant, elle avait fouillé dans le garde-manger et s'était vautrée dans le foie gras, les petits pains de blé entier, la tarte au sucre, les chocolats fourrés importés de Belgique, les *chips,* la bière d'épinette et, pour finir le plat, elle s'était versé un grand verre de vin rouge, elle qui ne buvait pas. Furetant dans le dictionnaire, elle retraça la page où l'on parlait de Jules Massenet. Sur le portrait, on pouvait encore distinguer la trace de sang brun d'une bestiole écrasée. Puis, encore dans le deuxième section du vieux livre, elle retrouva les pages sur Napoléon et, cette fois, pour faire «chier» Jovette à son retour, elle lut à trois reprises tout ce qu'on disait de Pauline Bonaparte, la sœur de l'empereur qui portait son prénom. Elle apprit donc par cœur ce que Sam avait tenté de lui inculquer, une ligne à la fois, alors qu'il voulait l'instruire. Elle lisait, prenait des notes, les glissait dans son sac à main. Elle voulait, un de ces jours, montrer à Jovette qu'elle aussi pouvait «s'élever» sans pour autant parler avec le bec en «trou d'cul d'poule».

Ti-Guy n'en revenait pas. Servant les clients, s'occupant de la caisse, il venait, à son insu, jeter un coup d'œil et Pauline, sage comme une image, se berçait tout en lisant le dictionnaire. Sage après avoir été hystérique. Calme après avoir été colérique. Mais il s'en méfiait. Il avait toujours craint les eaux dormantes. D'autant plus que, pendant qu'il était pris avec elle, celle qu'il appelait «son bébé» se morfondait dans le chalet de son père. Sa Betty, sa jeune «beauté» qu'il honorait de son savoir-faire chaque soir, sauf si elle était indisposée. Betty qui lui avait fait oublier toutes les femmes. Betty qui, douce comme de la soie, faisait l'amour comme un petit chaton. Et lui, tout comme un chaud lapin. Que d'ébats, que de relations, que d'amour, que de baisers, que de gestes... sans que ce soit du vice. Parce qu'avec Betty, le cœur était aussi de la partie. Ils étaient amoureux fous l'un de l'autre. Un regard sur Pauline qui tournait les pages et Ti-Guy ne comprenait pas... Comment allait-il se défaire d'elle sans ameuter tout le village? Et pendant qu'il cherchait un moyen, Pauline, calme et sereine, passait du résumé de Marie Stuart à celui de Franz Liszt pour se rendre jusqu'au Roi-Soleil, afin de prendre des notes et d'impressionner, le temps venu, Philippe Jarre qui croyait tout connaître. Épuisée, elle ferma le dictionnaire et le porta à ses narines. Malgré le temps, le livre sentait Sam, il sentait même le shack et Pauline, rêveuse, revoyait l'ermite tourner délicatement les pages avec l'index ou son doigt-fesses.

Ti-Guy ferma le magasin vers six heures et, retrouvant Pauline au salon, il lui dit d'un ton ferme:

– J'sais pas où tu vas passer la nuit, mais sûrement pas ici. Betty habite avec moi, j'dois aller la chercher...

À ces mots les yeux de Pauline dégagèrent une lueur méchante, voire diabolique. Craignant une réaction, Ti-Guy ajouta plus calmement:

– Il faut que tu comprennes, Pauline, depuis qu'on est séparés, j'ai refait ma vie, moi. Pis toi aussi si je m'rapporte aux propos de Jovette. T'étais pas toute seule à ses noces. T'avais un gars...

– Un *bum!* Un sans-cœur! Une brute! Si ç'avait pas été d'son père, j'serais morte! Y m'tapochait pis j'étais pas la première!

– Pas chanceuse, c'est vrai, mais c'est pas parce que ç'a pas marché pour toi que ça marche pas pour moi. Betty...

– Prononce même pas son nom, j'peux pas la sentir, c'te maudite-là! Pis toi, Ti-Guy, tu l'as pas connue après not' séparation, tu m'trichais déjà avec elle pendant qu'j'étais encore icitte! Pis marié ou pas, père ou pas, ça la dérangeait pas, la garce! T'as été attiré par son corps, hein? Parce qu'elle était aussi bien faite qu'une actrice! Maudit vicieux! Juste le cul, Ti-Guy! T'es venu au monde pour être plus souvent tout nu qu'habillé, toi! Ta mère a d'quoi être fière! Quand j'pense qu'à quinze ou seize ans, tu t'faisais déjà aller avec Madeleine! Une femme de l'âge de ta mère! Tu vois bien qu't'as jamais été normal! Y'avait...

– Aïe! Ça va faire, syncope! J'ai rien à prendre de toi, Pauline! T'arrives comme un cheveu sur la soupe, tu débarques avec tes bagages, pis tu penses qu'on va s'mettre à genoux devant toi? Ben, tu t'trompes! J'te mettrai pas dehors à soir, mais demain, veux, veux pas, tu sautes dans l'autobus pis tu t'effaces dans' brume! Pis, si c'est d'l'argent qu'tu veux pour me crisser la paix, dis-moi combien, j'vais te l'donner, mais ça va être la dernière fois, t'as compris? Après, c'est l'divorce! J'pourrais même écrire au pape pour faire annuler le mariage, t'as renoncé à ton enfant, t'es une mère dégénérée!

– Fais ça, pis j'te tue, Gaudrin! lui lança-t-elle avec des dards dans les yeux. Pis j'en veux pas d'ton argent, j'te l'ai dit, j'veux reprendre ma place. Dehors la pute! Pis si ta mère est pas contente, qu'a l'aille vivre chez Gertrude pis qu'a m'laisse le p'tit, j'vas m'en occuper.

Cela dit, Pauline, à la grande surprise de Ti-Guy, se versa un autre verre de vin. Elle le narguait du regard, il cherchait une solution...

– Pis tu bois, astheure? Depuis quand? T'as jamais bu avant...

– Oui, juste avec toi Ti-Guy! Pis juste du vin rouge... C'est toi qui m'as appris, tu t'en rappelles? Pis, c'est drôle, mais ça soulage mon mal de tête...

Elle avait changé de ton. Doucereuse, les yeux gonflés et embués par l'alcool, elle commençait déjà à avoir la bouche pâteuse. Se levant en titubant légèrement, elle s'approcha de lui et voulut l'encercler de ses bras potelés. Ahuri, stupéfait, il s'en dégagea, marcha de long en large.

– Pauline! On est séparés, j'en aime une autre... T'as bu, toi! Tu vas pas commencer à m'tourner autour...

Il n'avait pas terminé sa phrase qu'il sentit une main se poser sur sa fesse, l'autre sur son membre. Sursautant, il tenta de la repousser, mais elle serrait si fort de la main droite qu'il en éprouva une douleur. Poussé à bout, soudainement violent, il la repoussa avec une telle raideur qu'elle s'affaissa par terre. Le regardant, elle lui dit, l'œil rempli de haine:

– Tu m'as pas toujours bousculée comme ça dans l'temps! Tu t'débattais pas, Ti-Guy, quand j'te sautais dessus pour plus t'lâcher! C'était l'jeu qu't'aimais l'plus! Plus j'serrais, plus tu venais...

– Arrête, Pauline, tu m'écœures! Tu t'comportes comme une fille de rue! Dans l'temps, c'était dans l'temps! C'est plus ça, maintenant! Pis, si tu t'avises de m'faire une autre passe,

j'te crisse dehors! Y'a des limites, syncope! Coudon, t'es-tu
sur les drogues jusqu'aux oreilles, toi?

— Des remèdes, Ti-Guy! Pour mes maux d'tête qui m'per-
cent le crâne de bord en bord. Le docteur m'a mise sur des
pilules pas mal fortes pis des tranquillisants en même temps.
Y'a juste ça qui m'soulage…

— C'est-tu ça qui t'fait perdre la boule, Pauline? T'es pas
normale depuis qu't'es icitte! T'as des bibites en dessous des
cheveux…

— J'ai peut-être ça, mais j'suis encore ta femme pis j'pars
pas demain, comptes-y pas! J'reste icitte, Ti-Guy! J'sais plus
où aller! Jovette a changé d'vie depuis qu'a l'a marié son prince
de Galles, pis moi, faire des ménages, j'suis plus capable. J'ai
un mari, j'ai un nom, j'ai un toit, j'ai décidé d'm'en servir. Pis
si tu veux plus d'moi, j'm'en sacre, tu vas m'avoir pareil dans
les jambes. Tu peux sortir avec ta Betty, tu peux même coucher
avec si ça t'démange, mais tu vas m'avoir devant les yeux. Pis
un jour, tu vas en avoir des remords. Parce que j'étais une bonne
femme pour toi, moi…

— Aïe! À d'autres! L'ermite, Marande, moi, les autres en
ville, ceux avant, ceux après… T'as couché avec tout c'qui
branle, Pauline!

— Ça prend un chien sale pour me traiter de fille de rien!
Un jour, tu vas l'payer! Tu s'ras pas toujours beau, tu sais, tu
vas vieillir, tu vas grisonner, pis la Betty, a va t'laisser. Ton
temps achève…

— Là, tu m'écoutes pour la dernière fois, Pauline. J'te garde
à coucher, tu prends l'sofa, j'prends ma chambre, j'te veux
pas, pis demain, tu r'prends l'autobus avec ton *stock*. Pis tu
r'partiras pas les mains vides…

Anticipant un autre coup d'éclat, elle le regarda et dé-
confite lui dit:

– Ben, si c'est c'que tu veux, j'ai pas grand-chose à dire…

Puis, se prenant la tête à deux mains, debout, hurlant de douleur, tournant sur elle-même, elle se mit à pleurer.

– Qu'est-ce que t'as? Qu'est-ce que j'peux faire?

– Vite, d'la glace, ça presse, ça va sauter, ça va éclater!

Ti-Guy lui donna un seau rempli de cubes de glace et, sans les enrouler dans une serviette, elle les fit fondre sur son front, sur sa tête, sur sa nuque… L'eau lui coulait sur le visage, sur la poitrine, sur les mains, mais, peu à peu, elle se soulagea de cette violente attaque. Ti-Guy n'avait jamais rien vu de pareil. Angoissé, stressé, il avait cru la dernière heure de Pauline arrivée. Retrouvant un tantinet son calme, il lui demanda avec une certaine compassion:

– Veux-tu que j'aille quérir le docteur, Pauline?

– Non, j'ai c'qu'y m'faut… Ça m'a pognée sans que j'm'y attende… C'est comme ça quand j'suis à bout d'nerfs… Donne-moi ma seringue dans ma sacoche pis le tube avec le liquide.

– Tu t'piques? On peut pas t'soigner autrement?

Sans répondre, Pauline s'injecta dans le bras alors que Ti-Guy avait détourné la tête. Les injections le faisaient frémir. Revenant peu à peu de son spasme douloureux, elle lui dit:

– J't'ai dit en arrivant icitte que j'me piquais. Ça vient du docteur, ça fait partie des calmants… Pis là, va t'coucher, j'vas faire pareil! Ta mère couche pas icitte, hein? Le p'tit non plus?

– Non, y'a juste toi pis moi dans la maison. Fallait qu'on s'parle…

– Ben, c'est fait, on n'a plus rien à s'dire. Moi, j'ai besoin d'dormir! Demain, on verra, Ti-Guy… Peut-être que j'partirai, ça va dépendre… Peut-être que non… À soir, j'ai plus la force…

Et c'est toute vêtue que Pauline s'endormit sur le divan, le vin et l'injection aidant. La sentant dans les bras de Morphée, Ti-Guy monta, se déshabilla et se coucha sans «son bébé» pour une fois. Les mains derrière la nuque, intrigué par l'étrange comportement de Pauline, il se leva et verrouilla sa porte. Pour rien au monde, il n'aurait voulu qu'elle monte et qu'elle... Lui qui, pourtant, il n'y avait pas si longtemps, ne vivait que pour les vifs «coups de main» qu'elle lui donnait.

Il était trois heures du matin lorsque Guy Gaudrin, à demi assoupi, fut réveillé par une odeur de papier brûlé. Humant, sentant que ça venait du rez-de-chaussée, il se leva et descendit quatre à quatre l'escalier. La cuisine, ampoules éteintes, était illuminée. Les rideaux brûlaient, le prélart, les fleurs séchées... Il se servit d'un vase et avec l'aide d'un tapis, il parvint à maîtriser le brasier. Encore sous l'effet du choc, une lueur lui parvint du salon. S'y précipitant, il vit Pauline, à demi nue, une torche entre les mains, mettre le feu aux tentures. S'emparant d'une grosse serviette trempée, il tira sur la tenture et étouffa le feu par terre avant d'être asphyxié. Puis, bondissant comme un loup, il sauta sur Pauline, lui enleva la torche qu'il éteignit de son pied nu, et la renversa sur le divan en lui criant de toutes ses forces:

– Es-tu folle? Tu voulais m'tuer? Tu voulais tout brûler?

Consterné, il regardait sa femme qui, assise sur le divan, fixait le néant sans répondre. Puis, sans dire un mot, elle enfila sa robe, ses souliers, prit sa sacoche et s'étendit sur le divan.

– Ça va vraiment pas, Pauline. J'appelle le docteur, bouge pas d'là, faut faire quelque chose.

Il se rendit à la cuisine, composa le numéro du docteur, appela sa mère chez Gertrude, la priant de revenir sans le petit et, de retour au salon, Pauline n'était plus là. Il l'appela, la chercha partout, tourna en rond sur son dessous de pied qui le torturait et aperçut la porte de la remise grande ouverte. N'osant sortir à moitié nu, il l'appela, l'appela, en vain. Sa mère arriva et faillit mourir juste à l'idée que sa maison eût pu flamber. Le docteur soigna Ti-Guy, le calma d'un sédatif et, cherchant Pauline des yeux sur la rue Principale, ne la vit pas. Peut-être s'était-elle cachée? Elle allait certes tôt ou tard sortir de l'endroit où elle s'était terrée. Mais, pendant ce temps, en pleine nuit, Pauline marchait sur la route entre Saint-Calixte et Saint-Lin. On la chercha toute la nuit dans les parages, mais Pauline, épuisée, malgré le vent frisquet d'automne, s'était endormie en pleine nature dans un champ de vaches. Au petit matin, reprenant sa marche, une voiture s'arrêta et un gentil monsieur s'offrit de la conduire là où elle allait. Elle lui dit qu'elle se rendait chez Bob à Saint-Lin, rien de plus. Il tenta d'amorcer une conversation, mais la jeune femme semblait d'un autre monde. À Saint-Lin, apercevant le *snack-bar* du village qui portait le nom de Bob, il y déposa la jeune femme et poursuivit sa route. Pauline, cheveux défaits, les yeux hagards, les bas roulés sur ses souliers, entra et tomba dans les bras de Bob qui la transporta au salon. Fleur-Ange la ranima mais ne put soutirer un mot d'elle. Visiblement, Pauline n'avait plus toute sa tête. Éberlué, Bob téléphona à Ti-Guy et lui dit:

– Arrive! Ta femme est ici! A réagit pas, a parle pas, ça semble grave.

– Garde-la à vue, elle a tenté de mettre le feu au magasin. Pis, j'me d'mande comment a s'est rendue chez vous en pleine nuit… A tenait à peine debout.

– J'ai vu un char la déposer à matin. Un char que j'connais pas. Sans doute un bon Samaritain qui s'est rendu compte que ça clochait… Y'a même pas débarqué… Mais Pauline savait où elle allait, elle. À peine rentrée, a m'a r'gardé pis a l'a perdu connaissance dans mes bras. Là, c'est Fleur-Ange qui la surveille, mais qu'est-ce qui s'est passé? Comment ça s'fait qu'est r'venue jusqu'à Saint-Calixte? A voulait-tu ravoir son p'tit?

– Non, c'est moi qu'a voulait ravoir, Bob! J'te dis qu'on a passé tout un quart d'heure avec elle! La mère est au bord de la crise de nerfs, Betty est chez son père pis Dédé chez Gertrude. J'l'ai gardée pour la nuit, j'ai fermé ma porte à clef, mais j'la sentais bizarre. Pis, en pleine nuit, elle a tenté de mettre le feu partout. Un peu plus, pis j'avais plus d'commerce, Bob! J'en *shake* encore! Là, tu la gardes, tu l'attaches s'il le faut, le docteur se met en route pis moi avec. C'est grave son affaire, elle a des maux d'tête à s'garrocher sur les murs. Pis quand ça la prend, a perd la carte, a peut même tuer! J'dis pas ça pour t'énerver, Bob, mais éloigne les p'tites d'elle. Pis laisse pas Fleur-Ange toute seule avec! On arrive le docteur pis moi. Pis la police de Saint-Lin est déjà avertie, a doit pas être loin.

Bob raccrocha, se dirigea vers le salon et vit Fleur-Ange qui épongeait le front de la pauvre jeune femme. Soumise, sans dire un mot, rassurée, Pauline tenait la main de Fleur-Ange dans la sienne. Comme une enfant tenant la main de sa mère. Malgré lui, ému, Bob laissa échapper une larme.

Chapitre 11

Pauline était allongée sur le divan et, peu à peu, ses traits s'adoucissaient. Voyant Fleur-Ange entrer avec une tasse de thé, elle lui sourit et lui demanda:

– Qu'est-ce que j'fais ici? Ti-Guy est-tu avec moi?

– Non, Pauline, tu t'es ramassée ici après avoir fait du grabuge au magasin des Gaudrin. Tu t'souviens de rien?

– Heu… non… Pourquoi j'serais allée là, on est séparés Ti-Guy pis moi, y reste même avec une autre femme… J'comprends pas, j'étais sur la rue Fullum, j'avais loué le logement d'la vieille… J'suis-tu en train de virer folle?

– Écoute, Pauline, t'as des problèmes de santé. T'as des trous d'mémoire, pis ça, c'est pas normal à ton âge. Ti-Guy s'en vient avec un docteur qui va t'examiner.

– Ti-Guy? De quoi y s'mêle, lui? J'en ai un docteur, c'est lui qui m'donne mes pilules pis mes piqûres pour mes maux d'tête. J'ai pas besoin de personne d'autre… Pis, j'comprends pas pourquoi j'suis ici… C'est-tu Ti-Guy qui est venu m'chercher en ville? J'suis venue comment… J'me rappelle, j'ai fait du pouce, le gars voulait m'causer, mais j'avais pas l'goût de parler… De Montréal jusqu'à icitte, tu comprends… Mais qui j'suis v'nue voir? J'suis contente de t'voir, Fleur-Ange, pis

Bob aussi, mais j'ai pas l'habitude de déranger pis d'arriver sans être invitée. Oh! j'y pense! Faudrait pas qu'ma sœur apprenne que j'suis ici! Pas après c'que j'lui ai fait! T'as pas su pour son mari, hein?

— Non, quoi?

— Le caleçon vert! Le paquet qu'elle a reçu! Ç'a pas dû être drôle...

Et Pauline pouffa de rire alors que Fleur-Ange et Bob, médusés, ne comprenant rien de son histoire, la regardaient avec une certaine pitié.

C'est le chef de police de Saint-Lin qui arriva le premier. Bob voulut l'évincer, lui dire que Pauline était sous sa protection, mais l'autre, demandé par Ti-Guy, «le mari», cherchait sans doute une bonne raison de polir... sa badge! S'approchant de Pauline qu'il connaissait, pourtant, il lui demanda solennellement:

— Vos nom et prénom, Madame?

Le regardant, elle demanda à Fleur-Ange:

— Qu'est-ce qu'y m'veut, lui? J'ai-tu volé queq' chose?

— Non, Pauline, c'est juste une routine, ce sera pas long.

Impatient, le chef de police recommença, calepin à la main:

— Vos nom et prénom, Madame?

— Pauline Pinchaud, servante.

— Pourquoi servante? Ça fait partie d'vot' baptistère?

— Ben non, voyons! C'est mon métier, j'suis servante depuis mon enfance.

— Savez-vous que vous êtes accusée d'avoir mis le feu, Madame?

Pauline, éberluée, regardant Fleur-Ange, lui demanda:

— C'est-tu une vraie police? Y joue à quoi avec ses questions plates, lui?

Au même moment, Ti-Guy et le médecin firent irruption dans la pièce et le fils Gaudrin, prenant le policier à part, l'informa qu'il retirait sa plainte et que sa présence n'était plus nécessaire.

– On dépose pis on retire? Même avec un acte criminel de sa part?

– C'est mon droit, non? C'est ma femme, pas une étrangère et pis, l'acte criminel, c'était plutôt accidentel. Donc, rien à déclarer.

Le policier, déçu de ne pas avoir d'enquête à poursuivre, lui qui n'en avait jamais, retourna dormir dans son petit bureau de la rue transversale. Pour une fois qu'il aurait eu la chance d'aller en ville…

Le docteur s'approcha de Pauline, mais apercevant Ti-Guy, elle lui dit:

– Tiens! T'es là toi aussi! Tu m'as ramenée chez Bob? T'avais-tu peur que j'brise ton ménage, Ti-Guy? Pourtant, c'est fini nous deux…

– Pourquoi t'es revenue d'abord? Pourquoi t'es débarquée au village?

Pauline se gratta la tête, scruta sa mémoire et lança d'un trait:

– Pour venir chercher le dictionnaire, c't'affaire! C'est Jovette qui m'a dit qu'tu l'avais pis que tu m'le gardais! Trop *cheap* pour venir m'le porter, hein? Ben j'suis venue l'chercher!

– Avez-vous mal à la tête, Madame? lui demanda le médecin.

– Non, pas pour le moment pis réveillez pas les morts, vous! Juste à n'en parler, c'est assez pour que ça r'vienne…

– Voulez-vous m'laisser voir c'que vous prenez pour les soulager?

– Ben, des pilules, des piqûres… J'ai tout ça dans ma sacoche. R'gardez!

Fleur-Ange ouvrit le sac à main et sortit les fioles et les injections. Le docteur examina le tout puis, hochant la tête, il dit à Ti-Guy:

– D'après c'que j'vois, c'est incurable. Les nerfs se coincent…

– Pis ça fait mal en maudit! ajouta-t-elle. Paraît qu'c'est d'famille, ma mère avait ça, ma grand-mère avec. Mais elles, ça s'comprenait, c'étaient des folles! On les a même enfermées à tour de rôle!

– C'est vrai? questionna le médecin en regardant Ti-Guy.

– Sa mère, oui, mais la grand-mère, j'savais pas, on n'en a jamais parlé.

– Pourquoi vous vous adressez à lui, docteur? Qu'est-ce qu'y connaît d'ma famille, lui? Si j'vous l'dis, moi! C'est-tu moi vot' patiente ou non? Me prenez-vous pour une enfant?

– Non, Madame, simple formalité. Monsieur est votre mari.

– Mari, mon œil! Ç'a duré l'temps d'une rose! Y m'trompait même pendant… Pis j'aime mieux pas parler, ça s'rait gênant pour lui devant Fleur-Ange.

Le médecin se leva, regarda Ti-Guy, l'attira dans une autre pièce et lui dit:

– Tout c'que j'peux faire, c'est d'faire parvenir mon rapport à son médecin traitant. Je vais tout inscrire, car le cas s'aggrave, la maladie dégénère. De retour en ville, il ne faudrait pas qu'elle soit laissée à elle-même. Connais-tu quelqu'un sur qui tu peux compter, Ti-Guy?

– Ouais… J'vais m'arranger, j'connais des gens, j'vais faire le nécessaire.

Le médecin parti, Ti-Guy regarda Pauline avec une vive sympathie.

— R'garde-moi pas avec c't'air-là, j'suis pas à l'agonie! Tu peux r'tourner avec elle, j'te r'tiens pas. De toute façon, Bob va à Montréal après-midi pis y va m'déposer en ville.

— Où ça? Pas n'importe où… Chez Jovette, j'espère?

— Non, elle pis son *stuck-up* de mari, merci pour moi! J'connais d'autre monde, j'sors pas des boules à mites, Ti-Guy! Pis, ça t'regarde pas! J'me mêle-tu d'tes affaires, moi? Tu devrais l'savoir, j'suis même pas rentrée au magasin, hier, j'veux plus jamais r'voir ta mère! Tout c'que j'voulais, c'était l'dictionnaire!

Il était évident que Pauline ne se souvenait pas de tout le trouble qu'elle avait causé la veille. Dans sa crise de folie, hors d'elle, neurones meurtris, tout s'était passé dans un état second, pas même dans un rêve. Ti-Guy, abasourdi, regarda Bob qui lui fit signe de ne rien ajouter, de ne pas envenimer…

— J'peux au moins t'donner d'l'argent, Pauline?

— Pourquoi? J'en ai! Pis comme t'as plus à m'faire vivre…

— Écoute, c'est d'bon cœur. J'aimerais ça qu'tu l'prennes, t'en as pas tellement… Tiens! Juste deux cents piastres pour que tu manques de rien en arrivant en ville.

— Pourquoi tu m'donnes ça? J'suis plus ta femme… C'est-tu parce que t'as la conscience chargée avec la pute qui a pris ma place?

Avant que les mots prennent des proportions démesurées, Ti-Guy tourna les talons, sauta dans son camion et démarra en trombe après avoir salué Bob et sa femme. Pauline, l'argent entre les mains, regarda Fleur-Ange et lui dit:

— Ben, j'vas l'garder son argent! Ça va l'empêcher d'aller s'confesser! Pis, j'l'aime plus, tu sais, Fleur-Ange! C'est mort, notre affaire!

– Veux-tu prendre une douche, Pauline? Bob doit partir après l'dîner...

– Bonne idée, mais penses-tu qu'avant d'partir, j'pourrais avoir un bol de soupe? Le déjeuner, ça fait longtemps que j'l'ai digéré...

– Voyons, Pauline! Comme si j'te laisserais partir sans t'offrir à manger! J'ai un ragoût d'boulettes, du pâté chinois, du poulet en sauce pis comme desserts, d'la tarte aux pommes, au sucre, du gâteau aux bananes...

– Ben, si c'est pas trop demander, j'prendrais un peu d'tout, Fleur-Ange!

Bob avait fait le trajet entre Saint-Lin et Montréal tout en écoutant des propos sans queue ni tête de la part de Pauline. Elle lui parlait de ses «amants», de Réal, de Bruno, de quelques débardeurs dont elle ne se souvenait plus des prénoms, puis elle lui raconta dans un fou rire son aventure avec Léo, le mari de sa sœur.

– T'as vraiment fait ça, Pauline? T'aurais pu briser leur ménage...

– Voyons donc! Comme si Raymonde pouvait faire un pas sans lui! Avec sa gang d'enfants! Y'a beau être paresseux pis vicieux, c'est quand même lui qui met le pain sur la table. Ma sœur a les deux pieds dans' même bottine! A l'a fait queq' cennes en tricotant, mais c'est moi qui l'a poussée dans l'dos. Plus niaiseuse qu'elle... Pis j'le regrette pas! Y m'a fait passer pour une salope pis a l'a cru! Ben là, a vient d's'apercevoir que c'est lui l'salaud d'la famille, pas moi.

– Une chance que tu l'as pas croisée au village.

– À ben y penser, a m'aurait rien dit, a l'aurait eu peur que ça s'tourne contre elle. Imagine! J'aurais tout raconté devant Fleur-Ange pis toi, j'l'aurais même crié dans la rue si a m'avait

380

provoquée. Non, qu'a reste avec son ivrogne aux doigts longs, c'est tout c'qu'a mérite.

– On arrive, Pauline, j'te dépose où? Dans l'nord d'la ville?

– Heu… non, un peu plus bas si tu peux. J'veux pas aller chez Jovette, son mari a l'air bête. J'ai des amis sur la rue Sainte-Catherine.

– Tu restais pas sur Fullum? C'est pas c'que tu disais, hier?

– Heu… oui, mais j'ai déménagé. Tiens! Laisse-moi là, j'vais m'arranger avec le reste! Juste là, au coin d'la p'tite église.

– Ben, t'es juste au coin de Saint-Denis pis Faillon…

– Ça fait rien, arrête, j'descends, y'a des restaurants dans c'coin-là.

– T'as pas dîné? Fleur-Ange t'a pas servi une grosse assiette?

– Oui, oui, mais j'ai encore l'estomac dans les talons. J'ai pas mangé assez d'pain avec mon repas. Là, avec un bon souper dans l'corps…

Bob n'insista pas et déposa Pauline là où elle l'avait demandé. Elle le remercia, il repartit et, dans le rétroviseur, il la vit héler un taxi.

Il était six heures du soir lorsque Pauline, la valise à la main, le dictionnaire dans un sac, loua une petite chambre infecte de la rue Sainte-Catherine à l'angle de la rue Montcalm. Pas loin de l'endroit où, jadis, Sam habitait, alors qu'il était *shoe shine boy* dans le salon de barbier de Tobie où sa «grande amoureuse» venait le relancer. Pas loin de l'appartement de l'ermite devant lequel elle s'était déjà arrêtée, regrettant que leurs «ébats» n'aient pas eu lieu là, à la chaleur, plutôt que dans la froidure du shack, en dessous d'une «couverte», le ventre gelé collé contre le membre «brûlant» de Sam.

Ayant déposé ses effets dans sa chambre, elle partit à pied en quête d'un restaurant qu'elle dénicha pas loin. Elle commanda un gros repas avec un carafon de vin rouge. Parce que, depuis quelque temps, depuis ses crises et ses médicaments, Pauline digérait passablement bien le vin. Même si elle préférait de loin le Coca-Cola, la bière d'épinette, l'Orange Crush et la *root beer* Hires. Ce qu'elle aimait du vin, ce n'était guère le goût, mais l'alcool qu'il contenait et qui lui permettait de dormir comme un loir, à moins qu'un mal de crâne à se jeter sur les murs ne surgisse. Et le vin, elle s'en rendait compte, lui enlevait toute gêne quand elle partait pour une chasse... à l'homme. Aucune timidité! Embonpoint, vergetures, cellulite... ou pas. Tout comme au temps où, avec Ti-Guy, le vin aidant, elle ne s'était guère souciée de la sueur des articulations de ses gros bras, les doigts dodus enfouis... dans sa braguette.

D'une semaine à l'autre, d'une voisine à une autre, Pauline apprit qu'une vieille demoiselle du quartier se cherchait une servante, logée, blanchie, nourrie. Une vieille fille de soixante-dix-neuf ans qui avait une jolie maison, mais qui ne pouvait plus l'entretenir elle-même. Seule depuis la mort de son frère qui vivait avec elle, mademoiselle Sicotte avait la réputation d'être une personne maussade, peu affable, qui offrait cependant de bons gages à qui travaillait pour elle. Pauline s'était pourtant juré de ne plus habiter sous le toit d'une patronne, mais esseulée, prise avec sa valise dans une maison de chambres, dépensant pour ses repas au restaurant, elle savait que sa petite «fortune» fondrait comme glace au soleil. De plus, avec ses migraines, les médicaments à payer... Là où elle logeait, il faisait froid, elle avait besoin d'un logis chauffé. Le mercredi précédent, elle avait fêté ses vingt-cinq ans seule, sans le moindre vœu, bref, sans que personne ne souligne l'an de plus qu'elle accusait en ce cinquième jour de novembre. Évidemment, Ti-Guy n'avait même pas cherché à se manifester. Pas même au nom de son enfant. Et comme elle ne voyait guère Jovette... De tout façon, cette dernière ne savait même pas où elle habitait. Du fait, personne ne le savait, pas même son mari, et personne ne cherchait à le savoir, surtout pas... son mari!

Elle se présenta chez la demoiselle en question, une vieille fille revêche, petite, mince comme un fil, un peu comme la veuve, mais plus âgée, plus ridée, avec des mains sèches et le visage comme un pruneau. La première question adressée à Pauline, sans un sourire, fut:

– Vous avez des références, Madame?

Pauline sortit les références de Jovette qui dataient de quelques années, justifiant le vide par le fait qu'elle s'était mariée puis séparée.

– Bon, j'tiens pas à connaître votre vie, mais en autant que vous soyez propre, à l'ordre, j'veux bien vous prendre à l'essai. Venez demain avec vos affaires pis j'vous montrerai votre chambre. Vous n'avez pas cinquante-six mille valises, j'espère?

– Non, juste une, Mademoiselle Sicotte, pis c'que j'ai sur le dos.

– Bon, ça va, mais j'vous prends à l'essai. J'vous promets rien.

Pauline était repartie, mi-heureuse, mi-malheureuse. Elle aurait souhaité virer son capot de bord, envoyer promener la vieille pimbêche, mais elle n'en pouvait plus de regarder les quatre murs de sa chambre. C'est pourquoi, ce soir-là, elle se rendit dans un petit bar près du port et, une heure plus tard, après un verre de vin et un sourire à un gars d'environ trente-sept ans, bien bâti, la lèvre dure, elle se retrouva dans un motel de passe où, durant une heure ou un peu plus, elle se livra à l'animal qui ne l'avait guère épargnée. Ce qui ne l'empêcha pas de rentrer chez elle joyeusement... contentée!

Quatre jours chez mademoiselle Sicotte et Pauline crut devenir folle. Non seulement la vieille la faisait travailler comme un bœuf, mais elle surveillait ses moindres gestes. Du matin jusqu'au soir, elle l'avait sur les talons. Et le plus odieux de ce calvaire, c'est que mademoiselle Sicotte comptait le pain, le beurre, bref, chaque bouchée qu'elle prenait. Le matin, Pauline avait droit à deux rôties avec une noix de beurre, de la marmelade et une tasse de thé avec un carré de sucre, un soupçon de lait. Le midi, c'étaient de très petites portions de bœuf haché ou une seule pointe d'un pâté au poulet qu'elle faisait elle-même, sans poulet ou presque. Jamais de dessert sauf des biscuits secs et un petit bol de pudding au tapioca. À ce régime, il était évident que Pauline allait perdre du poids, mais comme elle trimait dur, elle faiblissait. Un soir, hors d'elle, elle avait dit à sa patronne: «J'mange pas à ma faim, icitte! J'ai l'ventre creux, j'ai plus d'force!» Insultée, la vieille avait répondu: «Vous avez pourtant des réserves! Laissez votre estomac manger vot' graisse! Vous serez plus alerte, vous traînerez moins d'la patte!»

Pauline savait que l'emploi allait être de courte durée. La moitié des gages qu'elle recevait servait à aller se bourrer la panse au restaurant le soir. De plus, la patronne lui refusait de remplir la baignoire quand venait l'heure du bain. Pauline n'avait droit qu'à un fond d'eau tiède et à un morceau de savon coupé du bout d'une barre de celui qu'elle employait pour les dures besognes. C'était pire qu'au temps de la cuvette chez Sam avec l'eau «frette». Au moins, en ce temps-là, il était là, lui, pour la réchauffer dans ses bras, lui entourer les jambes de ses mollets musclés, tout en lui essuyant les fesses. Trois jours plus tard, Pauline se leva, fit sa valise et lança à sa patronne interloquée: «J'm'en vais, j'en ai assez de crever d'faim pis de m'laver au savon pour les fonds d'chaudron! J'ai peut-être des réserves comme vous dites, mais j'suis pas venue icitte pour me nourrir avec des miettes! Si c'est ça qu'vous voulez, Mademoiselle Sicotte, trouvez-vous une naine!» Puis, avant que la vieille ne réplique de sa petite voix sèche, elle referma la porte et se rendit au coin de la rue pour sauter dans le premier autobus. Pour aller où? Dieu seul le savait, le diable s'en doutait, mais pas elle. Elle se rendit jusqu'au bout de la ligne, sauta dans un taxi et se trouva une chambre bon marché sur la rue Sherbrooke tout près de Saint-Denis. Une chambre malpropre, avec une literie douteuse et des toilettes communes dans le couloir. Assise sur le lit, sa valise à côté d'elle, elle rangea ses vêtements dans le tiroir et, fouillant au fond, elle en sortit un joli poudrier antique orné d'un portrait de la reine Marie-Antoinette tenant une rose blanche entre ses mains. Puis, un cadre argenté avec le portrait de Bonaparte au combat. Elle les déposa sur le bureau pour ensuite sortir, d'un autre compartiment, une figurine représentant une ballerine de Degas. Trois petits trésors qu'elle avait vus quelque part dans le dictionnaire de Sam et qu'elle avait dérobés à mademoiselle Sicotte, d'une vieille armoire remplie à craquer de bibelots et de portraits anciens de toutes sortes. Et comme la vieille fille ne savait pas d'où Pauline venait ni où elle s'en allait, elle n'allait certes pas se mettre à sa recherche. Encore faudrait-il qu'elle se rende compte des objets subtilisés, elle qui n'avait d'yeux que pour le beurre, le sucre, le pain et les sachets de thé. Et là, après cette dure journée, fatiguée, déprimée, abattue, sentant son mal de tête lui percer peu à peu la cervelle, Pauline s'étendit, avala deux comprimés et s'endormit non sans avoir ouvert l'appareil de radio crasseux qui «grichait». Dans son demi-sommeil, la larme à l'œil par la douleur qui s'amplifiait, elle pouvait entendre en sourdine *You belong to me*, le plus récent succès de Jo Stafford.

Elle avait certes crié, hurlé, puisque le proprio de la maison de chambres frappait à sa porte à coups redoublés. Se traînant ou presque, elle réussit à ouvrir et, face à lui, elle se tenait la tête, elle titubait, elle vacillait.

– Qu'est-ce qui vous arrive? Êtes-vous malade? Tout l'monde se plaint! Vous avez crié une partie de la nuit... Les autres chambreurs sont en maudit!

– J'm'en... j'm'en suis pas rendu compte... Quel jour on est? C'est-tu le matin ou le soir?

– Dis donc, toé! Prends-tu des choses pas correctes? T'as encore ton manteau su'l' dos, t'es pas sortie, ça fait deux jours qu't'es écrasée dans l'lit! Tu viens d'où? Moi, c'est pas d'mes affaires, tu m'as payé, mais t'es pas tout' seule icitte, y'a d'autres clients...

– J'ai des migraines que j'te dis, c'est souffrant, ça m'traverse les tempes! Veux-tu voir mes pilules pis mes piqûres? Ça vient d'un docteur, crains pas. Pis là, si j'dérange, j'vais sacrer l'camp...

– Ben, ça s'rait pas une mauvaise idée parce que ça fait deux jours que tu t'es pas lavée. C'est pas un trou, icitte! C'est un...

– Aïe! Dis-moi pas qu'c'est un hôtel, c'est sale, ça pue, ça sent l'moisi! Pis où c'est qu'tu veux que j'fasse ma toilette? Dans l'lavabo juste à côté du bol? Icitte, c'est pour des *in and out,* pas pour des touristes.

– Ben, si ça fait pas ton affaire… Pis là, t'es mieux d'partir avec ton *stock* parce que dans quinze minutes, tu vas être obligée d'payer pour une autre nuit. Dépêche-toi d'sortir, j'ai des clients en attente…

Pauline aurait voulu lui rire au nez, mais sa tête la faisait souffrir. La crise avait été si forte qu'elle ne se souvenait plus de son nom de famille. Elle savait qu'elle s'appelait Pauline, elle savait qu'elle avait une valise, deux sacs à poignée et un dictionnaire, mais elle ne savait plus où elle était. Et comme il faisait noir de bonne heure, elle se sentit dépaysée lorsqu'elle se retrouva sur le trottoir. Il pleuvait, il ventait, elle n'avait pas de parapluie. Elle eut peur, elle se sentit démunie, elle pleurait, elle tournait en rond, puis elle héla un taxi. Elle regarda dans son sac à main, elle avait encore de l'argent. Dans un effort de mémoire à s'en arracher les cheveux, elle se souvint de Jovette. Soupirant d'aise, elle dit au chauffeur qui la regardait de travers: «Conduisez-moi sur la rue Guizot, j'vous montrerai la maison rendue là. Pis, r'gardez-moi pas comme ça, j'ai d'quoi vous payer!»

Le chauffeur la conduisit tout en la surveillant dans son rétroviseur, Elle parlait toute seule, elle souriait, elle pleurait, elle semblait perdue. Mais lorsqu'il fut rendu à destination, elle lui indiqua une maison à droite: «Regardez, c'est là, c'est ici que j'débarque.» Il se fit payer, lui ouvrit la portière, elle descendit sous la pluie avec sa valise et ses sacs, et le chauffeur de taxi, sans plus attendre, démarra en trombe. Il était huit heures, la lumière tamisée éclairait le salon et Pauline, marche après marche, épuisée, déposa sa valise et ses sacs sur le perron. Puis, prenant son courage à deux mains, elle sonna. Des pas, un rideau qui s'entrouvre, la porte qui s'ouvre et Pauline, de glace, gênée, se retrouva nez à nez avec Philippe. Il la regarda mais ne la reconnut pas. Les cheveux mouillés, le linge sale, les bas troués, les cernes autour des yeux, les joues rouges, un vieux béret sur la tête... Il la regarda encore, jeta un coup d'œil par terre et c'est plutôt la valise qu'il crut reconnaître. Reculant, pas tout à fait sûr de lui, il murmura:

– Pauline?

– Oui, c'est moi, excusez-moi, j'suis dans' rue... Jovette est là?

Elle n'eut pas à attendre la réponse. Jovette, emmitouflée dans une robe de chambre de satin, s'approcha de la porte et, n'en croyant pas ses yeux, demanda à celle qui, une fois de plus, s'agrippait au cadre de porte:

– Pauline? Qu'est-ce qui t'arrive pour l'amour de Dieu? T'as l'air mal en point! On t'a-tu attaquée? Parle, dis quelque chose!

Philippe était rentré. Il avait laissé Jovette avec ce gentil «démêlé».

– J'suis à bout, Jovette, j'vais tomber, j'vais crever si tu m'viens pas en aide... J't'en prie, j'ai juste toi, j'connais personne...

Émue, saisie, Jovette prit sa valise, ses sacs et, la tirant par le bras, lui dit:

– Viens, entre, reste pas là, tu vas attraper ton coup de mort!

Pauline entra et la chaleur de la maison, la lumière, la firent vaciller. Elle se retint après un bras du divan pendant que son amie la dépouillait de ses affreux vêtements. Philippe, voyant la scène, s'était retiré dans son petit atelier tout en fermant la porte derrière lui.

– Y s'attendait pas à m'voir, y m'aime pas, mais j'ai pas l'choix.

– Dis rien, reprends ton souffle… Un bon thé chaud, peut-être?

– Oui, si ça t'gêne pas… Pis j'ai pas mangé depuis deux jours, Jovette. J'ai fait une crise, j'ai été deux jours dans l'coma, j'pense. La tête me fendait, j'me pensais morte, pis…

Au même moment, de la chambre voisine, des pleurs d'enfant se firent entendre.

– Jovette! T'as eu ton bébé! C'est vrai, j'l'avais oublié… T'étais enceinte…

– Oui, Pauline, une fille, elle a un mois, elle s'appelle Laure. C'est le prénom que Philippe a choisi. Bouge pas, j'la rendors pis j'reviens.

Pauline, seule au salon, faisait le lien phonétique. Laure Jarre! Dans l'ensemble, pour elle, c'était une drôle de consonance. Mais avec un «précieux» comme Philippe, on aurait pu s'attendre à… pire! Seule, elle regarda le luxe de la jolie maison de son amie. Depuis la dernière fois, les murs s'étaient embellis, les tapis étaient neufs, moelleux, les meubles en acajou… Puis, debout face au miroir, elle recula d'un pas. Jovette revint, la regarda avec pitié et lui dit en la prenant par les épaules:

– Toi, t'as besoin d'un bon bain chaud, d'un repas, d'une chambre…

Pauline se laissa guider telle une enfant trouvée dans une ruelle. Jovette la dirigea jusqu'à la salle de bain et, revenant au salon, elle croisa Philippe qui la regarda, l'air en furie, plus que désappointé.

– Ne me dis pas qu'on va être encore pris avec elle, Jovette? On a un enfant, une maison…

– Pas pour longtemps, le temps de la remettre sur pied, elle est malade.

– T'aurais pu l'envoyer à son mari, à sa sœur, n'importe où…

– N'importe où? Voyons, Philippe, ce serait manquer de charité! Elle est malade, elle est seule, elle est trempée. Et puis, as-tu vu le temps, la pluie, le vent? On laisserait même pas un chien dehors, Philippe!

– Ça va, je m'excuse, je sais que tu vas trouver une solution mais, je t'en prie, ne la laisse pas s'approcher de la petite, Jovette.

– Pourquoi? Elle n'a pas la peste, Phil! Elle est mère, elle aussi…

– Oui, je sais, mais avec son genre de vie, du moins ce que tu m'en as dit, je ne voudrais pas que la petite écope de ses microbes et des traces qu'elle a peut-être encore… dans le creux de la main.

Chapitre 12

Décembre soufflait déjà sa première neige et Pauline, installée chez Jovette depuis quelques jours, passait ses journées au lit. Elle se levait pour manger et, prétextant une constante migraine, elle retournait dormir, disait-elle, alors que Jovette, l'oreille appuyée discrètement sur la porte, l'entendait tourner les pages d'un livre. Le dictionnaire sans doute, à l'aide duquel elle avait tenté d'impressionner Philippe, la veille, en lui parlant de Pauline Bonaparte pour laquelle Vivaldi donnait des concerts, sans même se rendre compte que les deux résumés, appris par cœur, n'étaient pas de la même époque. Philippe n'osait la rappeler à l'ordre dans ses pages d'Histoire, il craignait de la contrarier et, de plus, il ne tenait pas à devenir familier avec celle qui figeait dès qu'il rentrait. Jovette, mal à l'aise, avait de la difficulté à regarder Philippe dans les yeux. Elle le savait fort indisposé par la présence de Pauline, mais elle ne trouvait pas, cette fois, le moyen de la mettre gentiment à la porte. Fort heureusement, Pauline ne s'approchait pas de la petite Laure. Elle l'avait regardée la première journée, l'avait trouvée mignonne, pas plus. D'ailleurs, elle ne parlait même pas de son Dédé. Tout ce qu'elle avait trouvé à dire à Jovette devant le berceau de la petite, c'était: «Le gros d'ma sœur, mon préféré, mon gros bébé triste, en faisait deux comme elle à son âge. T'aurais dû lui voir les joues, sa belle face ronde, ses doigts potelés... Laure est pas mal maigrelette... La nourris-tu assez, Jovette?»

Depuis deux jours, Jovette songeait à un plan, à une stratégie pour que Pauline sorte de chez elle. Elle lui cherchait des emplois dans des maisons privées, elle s'informait même, en se faisant passer pour elle, s'il y avait de grands enfants, surtout des garçons, entre vingt et trente ans. Elle croyait qu'avec l'appât d'un homme, Pauline mordrait davantage à l'hameçon lorsque le moment viendrait. De toute façon, elle avait dit à Philippe le soir précédent: «Si j'réussis pas à la caser d'ici vendredi, j'lui paye un billet d'autobus pis j'la r'tourne à Ti-Guy. Y va pas s'en laver les mains comme ça, lui!» À bout de nerfs, irritée, Jovette retrouvait facilement son... vocabulaire. Mais le lendemain, vers deux heures, alors que Philippe était parti à son commerce et que Jovette s'occupait de sa petite, Pauline se leva en trombe et, fixant son amie, lui dit:

– C'est d'ta faute si Marcel Marande m'a sacrée là! Si tu m'avais pas gardée chez toi, y'aurait été obligé d'm'emmener en ville! Pis là y'est mort en prison! J'le reverrai plus! T'as toujours été dans mes jambes! Même Ti-Guy m'a déjà dit qu'tu parlais dans mon dos!

Voyant que Pauline avait les yeux hagards et qu'elle était dans un état second, Jovette lui cria:

– Pauline! Voyons! Qu'est-ce qui t'arrive? Tu rêves? Tu délires? T'as-tu vu Marcel mort dans tes cauchemars?

Puis, constatant que la «grosse fille» échevelée avait les mains sur les hanches et qu'elle regardait partout dans la cuisine comme si elle cherchait quelque chose, elle eut peur. Pauline promenait ses yeux fous de la table jusqu'au comptoir et, parfois, jusqu'au petit lit où reposait l'enfant. Jovette, suivant ses moindres faits et gestes, réussit à la distraire en lui disant:

– J'ai fait du thé, Pauline, j'ai des *cup cakes,* d'la tarte au sucre…

Et ce, tout en emmitouflant son enfant dans une petite couverture et en se dirigeant lentement vers la porte qui donnait sur la cour. Pauline, peu sensible cette fois aux desserts qu'elle lui faisait miroiter, continua de l'invectiver, sans bouger d'un pouce de son carré de prélart.

– Pis, Bruno! Si t'étais pas v'nue mettre ton nez, y s'rait encore avec moi! C'est toi qui t'es assise à côté d'lui à l'hôtel! J'avais pourtant assez d'Madeleine dans les jambes, fallait qu'tu couches avec, toi aussi! Pis ça, j'l'ai su'l' cœur depuis longtemps!

Bruno? Jovette ne l'avait vu qu'une fois à son mariage. Il était évident qu'en parlant de l'hôtel, Pauline reculait dans le temps et qu'elle confondait Ti-Guy avec Bruno. Mais là, apeurée, craignant un geste rude de la part de celle qui avait un peu d'écume aux commissures des lèvres, elle ouvrit brusquement la porte de la cuisine et, chaussée de pantoufles, sans manteau, son bébé dans les bras, Jovette prit la fuite à la grande surprise de Pauline.

– Tu t'en vas où? T'as honte, hein? Parce que t'es une vache…

Jovette ne l'entendait plus. Ouvrant la barrière de la ruelle, elle se dirigea vers une vieille dame qu'elle connaissait pour l'avoir saluée maintes fois et lui demanda de la laisser entrer avec son enfant. La femme qui revenait d'une petite course et qui dégageait le coin de sa galerie, s'empressa de l'héberger avec sa petite en lui disant: «Venez au salon, y fait encore plus chaud.» Puis, constatant que Jovette tremblait, c'est elle qui composa le numéro de téléphone de Philippe. Jovette lui cria au bout du fil: «Viens vite, Phil, elle a perdu la tête! J'suis chez madame... tu sais, la deuxième voisine de gauche. J'suis en sûreté, mais appelle la police, j'ai peur qu'a s'mette à tout casser! Non, non, t'en fais pas, la p'tite est correcte, j'l'ai dans les bras. Appelle vite, moi, j'bouge pas d'ici! Le numéro de téléphone?» Et c'est la dame qui l'hébergeait qui donna son numéro à Philippe qui, énervé, raccrocha pour ensuite prévenir la police d'aller arrêter la folle qui s'était réfugiée chez lui et qui avait menacé sa femme et son enfant. Puis, angoissé, nerveux, il avait crié: «Bien sûr que j'veux porter plainte! Qu'est-ce que vous croyez?»

Pauline, plus calme, était en train de fouiller dans le garde-manger, cherchant sans doute les *cup cakes* dont Jovette avait parlé, lorsque deux policiers firent irruption par la porte arrière déverrouillée. Les apercevant, elle feignit la surprise et leur cria:

– Tiens! Encore la police? C'est-tu encore Ti-Guy qui m'fait arrêter? Pis ça y'en prend deux c'te fois-là?

– Non, Madame, mais il va vous falloir prendre vos affaires, mettre votre manteau et vos bottes et nous suivre. Une plainte a été déposée.

– Une plainte? Qu'est-ce que j'ai fait? J'm'apprête à déjeuner...

Voyant que la pauvre femme n'avait pas toute sa tête, l'un des policiers, le plus âgé, lui dit d'un ton empreint de sympathie:

– Venez, Madame, prenez juste le strict nécessaire, nous allons vous offrir un bon déjeuner.

– Aïe! J'suis chez Jovette! C'est elle qui m'héberge! Pis pourquoi qu'j'vous suivrais? Avez-vous l'intention de m'mettre en prison? J'suis pas une voleuse! Dites-moi pas qu'c'est pour la bouteille de *cutex* ou la brosse de Ninon... A me l'avait donnée!

On aida Pauline à enfiler ses bottes, à mettre le manteau qu'elle leur avait désigné mais, dans un sursaut, elle leur cria:

— J'suis pas habillée! J'ai juste ma jaquette, pas même mes culottes!

— Venez, Madame, on va vous faire suivre tous vos vêtements.

— Ben, faut au moins que j'laisse une note à Jovette! A va m'chercher! A va s'inquiéter! Pis, où c'est qu'vous m'emmenez comme ça, vous deux?

— Déjeuner, Madame. On va vous servir un bon plateau.

— Ben, si c'est pour déjeuner pis m'gâter, j'dis pas non, j'ai faim. On m'nourrit aux miettes, icitte! La vieille fille compte même les raisins secs!

Pauline sortit encadrée des deux policiers et quelques badauds, des enfants compris, attirés par l'auto-patrouille, regardaient Pauline avec une vive curiosité.

— Qu'est-ce qu'ils ont à m'regarder comme ça? Ça doit être parce que ma jaquette dépasse! J'vous avais dit de m'laisser l'temps d'm'habiller!

Jovette, de la fenêtre de la voisine, se sentit quelque peu soulagée lorsqu'elle vit la voiture s'éloigner avec Pauline sur la banquette arrière. Regardant sa voisine, une larme au coin de l'œil, elle lui dit:

— Pauvre fille! Elle n'a jamais eu d'chance... Ça m'fait d'la peine, vous savez.

Puis, composant le numéro de Philippe, elle l'informa que tout était sous contrôle, mais qu'il fallait maintenant poursuivre, faire quelque chose... Ce à quoi il avait répondu d'un ton plus qu'impatient:

– Appelle son mari! C'est son problème, pas le nôtre, Jovette! C'est pourtant pas compliqué…

Jovette regagna sa demeure avec sa petite et la voisine qui voulait la rassurer de sa présence, voir avec elle si tout était intact, si Pauline n'avait pas fait du grabuge. Rassurée, elle remercia la bonne dame qui repartit puis, seule, soulagée que Pauline ne soit plus sous son toit, elle s'empressa de téléphoner à Saint-Calixte. En plein magasin, occupé en ce temps des fêtes, Ti-Guy répondit:

– Marché Gaudrin!

– Ti-Guy? C'est Jovette! J'sais qu't'es ben occupé, mais j't'appelle pour te dire que Pauline est au poste de police.

– Quoi? A l'a-tu encore mis l'feu, elle? A restait où?

– C'est moi qui l'avais sur les bras, Ti-Guy, pis a voulait plus partir. À matin, a s'est levée échevelée, folle comme c'est pas possible. A m'a insultée, a parlait du passé, de toi pis d'moi pis d'Madeleine… A parlait mal, a l'avait les yeux sortis d'la tête… J'ai dû m'enfuir avec ma p'tite pis faire venir la police.

– T'as une p'tite? Depuis quand? J'savais pas…

– Laisse faire ça, c'est pas l'moment! Là, on t'la remet entre les mains, Philippe pis moi. C'est encore ta femme, Ti-Guy, c'est ton problème. J'te donne le numéro du poste où elle est pis tu descends au plus vite, sinon a va passer la nuit en prison. Philippe a porté plainte pour qu'on la sorte de la maison, mais y va la retirer dès qu'tu vas t'en occuper.

– J'peux pas descendre en ville, le magasin est plein! On a d'l'ouvrage…

– Bon, dans c'cas-là, Ti-Guy, la mère de ton p'tit va coucher sur un grabat dans une cellule! Pis si t'as l'cœur assez noir pour laisser faire ça…

– Jovette! Syncope! Tu m'connais mieux qu'ça! J'pensais qu'tu pourrais t'en occuper jusqu'à demain...

– Non, Ti-Guy, pas une minute de plus! Y'a ben assez qu'on a encore son *stock* ici... J'ai fait ma part pis plus d'une fois depuis qu'tu l'as sacrée là! Astheure, c'est ton problème, j'm'en lave les mains. Lâche ta Betty pis occupe-toi d'ta femme, Gaudrin! Pis dis à ta mère de s'la fermer, j'l'entends chialer!

– Ça va, j'm'en occupe, donne-moi le numéro du poste, Jovette.

Cette dernière lui donna le numéro qu'il nota et raccrocha sans même un merci ni un bonjour. D'autant plus que la mère «jacassait» et qu'elle l'entendait. L'appel téléphonique terminé, Emma avait dit à son gars:

– T'es pas pour t'occuper d'ça, Ti-Guy? Tu vas pas t'mettre les pieds dans les plats encore une fois? Laisse-la aux soins de l'État!

– C'est encore ma femme, la mère! J'en suis responsable, on peut même me forcer...

– J'te l'avais dit aussi, d't'en défaire avant qu'a perde la tête!

– Aïe! Toi, le p'tit pis ta cuisine! Betty va s'occuper des clients, moi faut que j'descende en ville, J'ai peut-être ben des défauts, mais j'ai encore du cœur, la mère.

Ti-Guy arriva à Montréal en fin d'après-midi. Lorsqu'il arriva au poste de police, on lui fit savoir que sa femme avait été conduite à l'hôpital, qu'elle était sous observation, qu'on étudiait son cas. On l'avait conduite à l'hôpital du Sacré-Cœur, mais il était d'ores et déjà évident qu'on ne la garderait pas là. Après étude de son dossier, après des examens poussés, on en vint à la conclusion que l'état de madame Gaudrin était devenu stable, c'est-à-dire irrévocable. Pauline était confuse. Pauline était démente. Tout comme sa mère, Lucienne, qui avait fini ses jours à l'asile. Pauline, sans qu'on le clame tout haut, sombrait dans une forme de maladie mentale qui, selon eux, ne pardonnait pas. Elle avait, depuis son arrivée à Sacré-Cœur, des hauts et des bas. Des moments de forte tension et des accalmies. Mais, hélas, sans le moindre retour de sa pleine raison. Comme si un fil s'était coupé, comme si un nerf avait cédé. Et, curieusement, devant le fait accompli, elle ne se plaignait plus de ses maux de tête. C'était comme si les plus fortes douleurs s'étaient assoupies lorsque le cerveau peu à peu s'éteignit. Regardant Ti-Guy, elle le scruta des pieds jusqu'à la tête et lui demanda:

— Êtes-vous médecin, vous aussi? Pourquoi vous êtes pas en blanc comme les autres?

Ti-Guy tenta de réveiller sa mémoire, lui dire qui il était; il l'impatienta:

— J'vous connais pas! J'vous ai jamais vu! Mais si c'est vous qui m'soignez, j'm'en plaindrai pas, j'vous trouve plus *cute* que l'grand barbu!

Constatant que c'était peine perdue, Guy Gaudrin n'insista pas. Les médecins de garde l'avisèrent que sa femme était un cas pour Saint-Jean-de-Dieu où les soins seraient plus adéquats. Une évidence qui le fit frissonner de tout son être. La mère de son enfant parmi les fous? Malgré sa fatigue morale, malgré tous les soucis qu'elle lui avait causés, Ti-Guy avait peine à s'imaginer Pauline dans cet asile où était morte sa mère. Téléphonant à Betty, Ti-Guy la prévint qu'il devait prolonger son séjour, qu'il lui fallait placer sa femme et que toute démarche devait être sanctionnée par lui. Il passa la soirée à prendre quelques verres dans un bar, à danser avec quelques jolies filles mais, plus fidèle à Betty qu'il ne l'avait été à Pauline, il rentra seul au motel loué, même si l'une de ses partenaires qui l'aurait certes suivi... l'avait tenté. Il savait qu'une dure journée l'attendait le lendemain. Et le premier pas à franchir était de retracer Berthe, la sœur «religieuse» de Pauline, qui devait certes se trouver quelque part si elle n'était pas morte. Et ce qu'il souhaitait, c'était que Berthe ne soit pas en mission dans un coin perdu du Tiers-Monde.

Le lendemain, après un appel à l'hôpital Saint-Jean-de-Dieu, on fit moult recherches afin de retracer la sœur de la Providence qui avait pour nom Berthe Pinchaud. Une certaine infirmière se souvenait d'elle. Sœur Berthe était venue tant de fois réconforter sa mère jusqu'à ce qu'elle rende l'âme. Après deux heures d'attente, on rappela Ti-Guy à sa chambre pour l'aviser que la «bonne sœur» avait été localisée et qu'elle était dans un couvent non loin de Pointe Saint-Charles. Ti-Guy s'y rendit tant bien que mal et découvrit l'édifice en question où quelques religieuses séjournaient, attendant une prochaine mission. Il demanda à la voir, on le fit attendre dans un parloir et, vingt minutes plus tard, une religieuse grande et mince entra et le pria de ne pas se lever.

— Restez en place, j'approche cette chaise. On m'a dit qui vous étiez.

— Heu... oui, j'suis le mari de Pauline, mais on est séparés.

— Que puis-je faire pour vous? Vous n'êtes sûrement pas venu jusqu'ici pour faire ma connaissance. Il y a longtemps que je ne fais plus partie de la famille.

— Ben, c'est parce que Pauline est malade et qu'on va la placer à Saint-Jean-de-Dieu. Elle a la même maladie que sa mère... que votre mère, j'devrais dire, et comme vous vous êtes occupée de l'autre...

— Je vois. Vous aimeriez que je m'occupe de Pauline, si je comprends bien. C'est là le but de votre démarche, n'est-ce pas? Mais, ce qu'il vous faut savoir, Monsieur, c'est que Pauline ne me connaît pas. Pas plus que Raymonde, d'ailleurs. Nous avons été séparées si jeunes… Avec toute sa tête, elle saurait que je suis sa sœur, que j'ai pris le voile, bref, elle «savait» qui j'étais, vous comprenez? Mais là, si elle a la même maladie que ma mère, elle ne saura même pas que je suis de sa famille. Donc, toute autre religieuse…

– Oui, j'sais, mais c'est pour les soins, vous comprenez? Avec vous, j'la sentirais entre bonnes mains. C'était sans doute la même chose avec votre mère, mais y'avait le lien… Vous savez, nous avons un enfant, un petit gars qui s'appelle André. Pour lui, j'vous demanderais, si c'est possible, de vous occuper d'sa mère. Pas jour et nuit, mais comme vous l'avez fait pour votre mère. J'me sentirais tellement soulagé… C'est pas parce qu'on est séparés que j'veux m'en laver les mains, vous savez. J'suis pas un Ponce Pilate… J'ai un commerce pis j'suis prêt à payer…

– L'État se charge de ces cas très graves. Il se peut que vous ayez à débourser pour l'hôpital, mais en ce qui me concerne, je suis au service des malades que le bon Dieu m'indique. Et c'est sûrement Lui qui vous a guidé jusqu'à moi. Vous n'avez rien à craindre, je vais m'occuper de ma sœur comme je l'ai fait pour ma mère. J'ai assisté plusieurs cas semblables depuis… Elle doit entrer à Saint-Jean-de-Dieu quand?

– On a parlé de demain matin, les docteurs ont fait les démarches, mais moi, j'veux pas être là quand on va la rentrer. Premièrement, ça va m'crever l'cœur de la voir là pis, si par hasard a m'reconnaît pis a réalise où elle est, j'ai peur qu'a pique une de ces crises…

– Ne vous en faites pas, repartez, je serai là pour l'attendre. Retournez auprès de votre fils. Quand vous voudrez de ses nouvelles, vous n'aurez qu'à me téléphoner. Remarquez que vous pouvez venir la voir à l'occasion, mais comme vous êtes séparés...

— J'viendrai quand même, j'veux pas l'abandonner.

— À votre guise, mais attendez, laissez le temps passer. Pauline va recevoir des traitements et les réactions sont excessives les premiers temps. Laissez passer les fêtes, attendez à janvier et donnez-moi signe de vie, je vous dirai où nous en sommes. Là, retournez à l'hôpital où on la garde présentement, signez les papiers et dites-leur que je serai là pour la recevoir demain matin. J'ai passablement d'influence. Pauline aura sa chambre.

Ne pouvant espérer mieux, soulagé, n'ayant qu'à signer et à tout laisser entre les mains de la «bonne sœur», Ti-Guy régla toutes ses affaires en quelques heures. Pour se remettre du choc, n'ayant aucune envie de reprendre le chemin de Saint-Calixte le soir-même, il opta pour une saine détente. Un bon souper, une douche rapide, un complet propre, son eau de Floride, et il se dirigea vers un club de nuit de la rue Lajeunesse dans le nord de la ville. Là, décompressant sur la piste de danse avec une jolie brunette entre les bras, il dansa et but avec elle jusqu'à ce que l'ivresse les... égare! Pas loin. Jusqu'au motel où Ti-Guy avait une chambre sous un nom d'emprunt. Fier d'avoir si bien réglé le cas de Pauline, rassuré de savoir son commerce entre les mains expertes de Betty, il se prélassa dans les draps avec la jolie brunette moulée comme une déesse. De merveilleux ébats, des bassesses, des mots d'amour et, à cinq heures du matin, la jolie fille sautait dans un taxi, le cœur rempli d'espoir. Avec un nom fictif et un faux numéro sur un carton d'allumettes.

Le lendemain, vers la fin de l'avant-midi, c'est à bord d'une ambulance que Pauline arriva à l'hôpital Saint-Jean-de-Dieu où elle fut admise subito presto, les papiers ayant été préparés la veille. Dépaysée, se demandant où elle était, elle questionna un infirmier qui lui répondit impoliment:

– Une place d'où on sort pas! Toi comme les autres!

Puis, avant qu'elle puisse riposter, elle vit une religieuse s'avancer et lui sourire.

– Bonjour, Pauline, je suis ta sœur. J'espère que le prénom de Berthe te dit quelque chose?

La dévisageant, elle lui répondit évasivement:

– Écoutez, vous aviez pas à m'dire que vous êtes une sœur, ça s'voit!

– Non, pas juste une sœur, Pauline, ta sœur. Ta vraie sœur, pas la religieuse.

– Ben, si ça vous fait plaisir... Attendez, j'pense que j'en ai une, une sœur, mais c'est pas vous... Attendez, y'a son mari, l'cochon avec son caleçon vert!

Sur ces mots, elle éclata d'un rire sonore et le personnel en fonction se rendit compte que «la nouvelle» leur donnerait du fil à retordre.

– Viens, Pauline, suis-moi, je t'amène à ta chambre, lui dit Berthe.

– Ma chambre? J'suis où, ici? On va-tu finir par me l'dire?

– À l'hôpital. On va te soigner, Pauline, on va te remettre sur pied.

– Pourquoi? J'suis pas malade! J'digère bien, j'ai pas mal au ventre...

– Non, ce sont tes maux de tête qui nous inquiètent. Allez, suis-moi.

– C'est drôle, mais y'est parti, mon mal de tête. D'un coup sec! Ça fait des mois que j'me donne plus d'piqûres. J'pense que vous allez m'garder pour rien.

– On verra, Pauline, on verra, lui répondit Berthe en l'entraînant par la main.

Pauline fut surprise de se retrouver dans une chambre privée. Petite, mais avec une commode, un lavabo et une grande fenêtre avec des barreaux.

– Une chambre à moi toute seule? J'ai pas les moyens, j'suis pas riche...

– Ne t'occupe pas de cela, Pauline. Tiens! Enlève ta robe, tes chaussures et enfile cette jaquette et la robe de chambre. Les pantoufles sont sous le lit.

– Pourquoi? J'suis pas malade que j'vous dis! Pis j'ai ma chambre sur la rue... J'sais plus quelle rue, mais j'vais la r'trouver...

– Écoute, Pauline, c'est pour des examens. Les médecins attendent, ils ont beaucoup de patients...

– Ben, fallait l'dire que c'était pour des examens! Y vont ben voir que j'ai rien, que j'suis en bonne santé, que j'suis forte comme un bœuf! Pis, y'aurait-tu moyen d'avoir à manger? Le ventre me crie...

– Oui, juste après le premier examen, Pauline. T'auras un bon dîner.

Pauline se soumit de bonne grâce et trois médecins la questionnèrent de tous côtés. Elle se débattait comme un diable dans l'eau bénite. Ses propos étaient incohérents. Elle mêlait tout, elle parlait de l'ermite, elle parlait de son «gros bébé» qu'elle avait eu et qui avait l'air triste. Elle parla d'un «p'tit jeune» qui lui avait fait une «passe» dans la grange de son père. Elle reculait de dix ans, remontait au temps de la veuve qu'elle qualifiait de «vieille morue» et les médecins, interloqués par toutes les réponses qui n'avaient aucun lien avec les questions, en vinrent à la conclusion que Pauline Pinchaud, souffrant de folie, devait être ramenée au diapason. Avec l'aide de pilules et de… chocs électriques.

De retour à sa chambre, ayant dîné copieusement, elle dit à Berthe qui ne la quittait pas d'une semelle: «Y sont fous, ces docteurs-là! Y m'posent des questions niaiseuses qui me r'gardent pas. Coudon! J'suis-tu dans un asile, ici? Pis, c'est-tu des vrais docteurs que j'ai vus ou des fous déguisés en blanc?» Berthe la pria de se calmer et, voyant qu'elle était fort agitée, lui fit avaler son premier «calmant» prescrit. Pauline l'avala comme s'il s'agissait d'une Madelon mais, vingt minutes plus tard, assommée, elle dormait, elle ronflait, elle râlait. Les jours se succédèrent et sédatif par-dessus sédatif, Pauline dormait sans cesse ou presque. Lorsqu'elle se réveillait, elle se sentait si lourde, si affaiblie les yeux dans les vapeurs, qu'elle refusait tout repas qu'on venait lui offrir. Elle ne mangeait que le dessert, un pudding au chocolat avec des biscuits en forme de feuille d'érable. Berthe fit diminuer la dose de ses pilules, elle ne voulait pas que sa sœur, à l'instar de sa mère, devienne plus démente que lorsqu'elle était entrée. Elle savait que le mal était incurable, mais elle refusait qu'on la traite de façon abominable et que, pour ne pas l'entendre «gueuler», on la garde entre deux sommeils, sans cesse somnolente, avec des pilules roses, jaunes ou vertes, selon les doses prescrites.

Puis, quelques jours avant Noël, Pauline eut droit à son premier choc électrique. Sans savoir ce qui l'attendait, apeurée à l'idée d'être attachée sur une civière, elle cria, hurla et se débattit en jurant, en descendant tous les saints du ciel… sur terre. L'infirmier lui avait dit: «Crie, sacre tant que tu voudras, la grosse, ça va pas les empêcher de t'électrocuter!» À l'insu de Berthe, bien entendu, qui n'aurait jamais accepté une telle menace envers sa sœur. L'employé, pris sur le vif, aurait vite été congédié. Sœur Berthe jouissait de tous les privilèges dans cet hôpital. Parce que, après le décès de sa mère, elle était revenue se dévouer corps et âme auprès des malades les plus récalcitrants. Et parce qu'elle avait veillé les «fous furieux» jour et nuit, au risque de sa propre vie. Depuis, on la saluait, on s'inclinait presque devant elle, mais ces égards n'empêchaient pas certains infirmiers de «bardasser» Pauline dès que sa sœur avait le dos tourné. Parce que Pauline, furieuse, hors d'elle, avant même les premiers traitements physiques, avait craché au visage d'un infirmier chauve qui l'avait traitée de «grosse torche». Mais, en ce matin, peu avant Noël, lors du premier choc électrique, Pauline hurla si fort que les autres malades se réfugièrent dans un coin, les uns contre les autres, angoissés, craignant, chacun, d'être la prochaine victime de cette torture. Lorsque Pauline revint dans sa chambre et que, quelque trente minutes plus tard, elle reprit conscience, elle eut si peur que la sueur perla à nouveau sur son front.

– Ne t'en fais pas, je suis là, Pauline. Regarde-moi, c'est Berthe.

– J'veux m'en aller, j'ai r'trouvé ma santé, ma sœur. J'veux mon congé…

Constatant que Pauline s'exprimait avec plus d'aisance et que ses propos avaient un certain sens, Berthe se pencha vers elle, la couvrit maternellement du drap blanc et lui murmura avec tendresse:

– Tu vois? Ça va déjà mieux… Un seul traitement et tu raisonnes plus sainement, Pauline. Après deux ou trois autres, j'ai bon espoir, du moins… Prions le Seigneur ensemble.

Le temps des fêtes s'était écoulé sans que Pauline n'en voie la moindre lueur. À l'hôpital, on avait tenté de garnir un petit sapin sans y ajouter d'ampoules par crainte du feu, mais des malades avaient brisé des boules dès qu'elles avaient été installées. L'un d'entre eux avait même tenté de s'ouvrir les veines avec un morceau de boule cassée. Donc, rien d'apparent pour les malades, sauf les chants religieux qu'on entendait à la radio ou les chansons joyeuses de Tino Rossi et Lucienne Boyer ayant trait à la circonstance. L'année 1953 se leva sans que Pauline en salue la naissance. Plus troublée que jamais, repliée dans son coin, elle ne comptait plus les saisons, les jours et les heures. Elle voyait la neige tomber, mais ne la commentait pas. Même lorsqu'il y avait tempête. Une seule fois, une «garde-malade» eut la surprise de l'entendre dire tout haut: «Sam, on gèle dans l'shack, le vent passe à travers.» Elle avait demandé à Pauline qui était Sam et l'autre de lui répondre: «C'est-tu d'tes affaires? Tu voudrais m'le prendre, hein? Ben, penses-y pas! C'est moi, sa Minoune!» Et comme sœur Berthe ne savait pas qui était le «Sam» dont Pauline parlait, elle en conclut qu'elle avait retenu ce nom de l'une des pages de son dictionnaire, le seul livre qui ne la quittait jamais. La porte de sa chambre ouverte, il lui arrivait de lire tout haut quelques résumés choisis au hasard, et les autres malades, exaspérés par son ton de voix plaintif, lui criaient souvent: «Ta gueule!»

Le 2 février 1953 et Pauline, calme ce jour-là, avait demandé à Berthe, venue s'en occuper pour la journée:
– C'est quoi ma pierre de naissance? J'suis née en novembre.
Fouillant dans ses affaires, Berthe cherchait, lorsqu'une infirmière qui avait entendu lui répondit: «C'est la topaze, Pauline. Un beau jaune ambré.» Souriante, elle remercia de la tête et Berthe lui demanda:

– Pourquoi demandes-tu cela, Pauline? D'où te vient cet intérêt?

– C'est parce que j'ai lu dans l'dictionnaire qu'une comtesse née en avril portait toujours des diamants, sa pierre de naissance. C'est drôle, mais, moi, j'suis pas née c'mois-là pis Marcel m'avait donné un diamant pour ma fête. Y'aurait dû m'donner une topaze, y s'est trompé.

– Qui est ce Marcel dont tu parles?

– Ben, c'était l'père de ma petite Orielle, mais y'a jamais voulu l'admettre. Mais là, j'pense qu'y'a levé les pattes… J'suis pas sûre…

– Quoi? Tu as une fille, Pauline? Je croyais que tu n'avais qu'un fils.

– La fille, c'était avant, mais c'était une fausse couche. J'l'ai perdue, mais c'était Marcel qui était l'père. À moins qu'c'était Sam ou Ti-Guy, j'sais plus. J'avais choisi le nom d'la p'tite dans un roman d'Clarisse.

– Clarisse? C'était qui, celle-là?

– La défunte… J'l'ai jamais vue, mais y m'avait prêté ses romans. C'est après elle que Sam avait rencontré Gisèle, la grande amoureuse.

– Bon, on va laisser faire, Pauline, on n'ira pas plus loin. Je pense que ton dictionnaire te fait faire du théâtre… Tu mélanges les personnages, tu t'inventes des histoires, tu es une bonne actrice, tu sais.

– Moi? Voyons donc, vous! C'est Veronica Lake qui est une actrice, pas moi!

La religieuse, voyant qu'elle ne viendrait pas à bout de sa sœur de plus en plus agitée, lui administra un calmant. Dès que Pauline somnola, Berthe, voile devant le visage, se réfugia à la chapelle afin de prier pour elle.

En mars, à la suggestion de Berthe, Ti-Guy vint voir Pauline à l'hôpital. Ayant tout mis en œuvre pour qu'elle soit à la hauteur de son visiteur, la religieuse avait insisté pour qu'on la coiffe, qu'on la maquille un peu et qu'on lui fasse porter une jolie robe. Ce qui fut difficile car Pauline, sans le moindre exercice, avait encore grossi du siège, même si elle mangeait un peu moins sous l'effet des sédatifs et des antidépresseurs. Bref, depuis quelques mois, Pauline avalait plus de pilules que de victuailles. Elle avait les joues plus creuses mais le derrière plus large, ce qui la rendait, somme toute, disgracieuse. Ti-Guy s'amena bien vêtu un dimanche après-midi. Il avait même pensé à lui apporter une boîte de chocolats. Mais il était entendu que la bonne sœur allait rester là, le temps de la visite. Il ne voulait, à aucun prix, se retrouver seul avec elle. Il la redoutait, il la craignait. Elle le reçut avec un semblant de sourire sans trop savoir qui il était. Acceptant les chocolats, elle l'avait regardé et lui avait demandé:

— Vous êtes pas mal gentil, mais pourquoi vous m'gâtez comme ça? On s'connaît-tu?

— Voyons, Pauline, c'est Ti-Guy! J'suis ton mari, tu t'rappelles pas?

Elle le regarda, fronça les sourcils puis, riant, demanda à sa sœur:

— C'est-tu vrai? J'ai un mari, moi? Un beau mari comme ça? Aïe! Vous m'tirez la pipe, vous autres! Y'avait Bruno, pis... Mais on pourrait sortir ensemble, si tu veux. T'as l'air bien fait...

— Pauline, je t'en prie, retiens ta langue! lui lança Berthe. On ne parle pas de cette façon. D'ailleurs, monsieur n'est qu'en visite...

— Ben, d'abord, qu'est-ce qu'y'est v'nu faire icitte? V'nez pas m'dire, ma sœur, qu'y'est en peine avec des yeux comme ça! Pis, y'a sûrement pas envie d'une grosse comme moi! Y'a pas vu mes varices, lui! Mais j'ai des gros seins, voulez-vous les voir, Monsieur? Monsieur... Monsieur qui?

Ti-Guy regarda Berthe qui le pria de sortir tout en le suivant. S'excusant, elle lui dit avec un immense regret dans la voix:

— J'ai essayé, j'aurais pu jurer qu'à vous voir... Mais c'est peine perdue. Pauline ne sait plus qui vous êtes même quand il lui arrive de prononcer votre nom parmi tant d'autres. Elle ne sait même plus qu'elle a un enfant, elle n'en parle jamais et quand on revient sur le sujet, elle parle d'Édouard, son «gros» comme elle l'appelle...

— Oui, c'est le p'tit dernier de Raymonde, votre autre sœur. Pauline l'a adoré, c't'enfant-là. C'était avant d'en avoir un à elle. Pis c'que j'ai jamais compris, c'est qu'elle a jamais aimé Dédé comme elle a aimé Édouard. A l'voyait dans sa soupe... Son «gros» l'avait hypnotisée, j'pense! Comme vous voyez, elle était déjà compliquée... Mais là, j'pense plus revenir, ma sœur, à moins qu'son état s'aggrave. J'reste pas l'autre bord d'la rue, vous savez... J'ai mon p'tit, ma mère pis ma blonde à ma charge. J'dis «ma blonde» parce que j'peux pas la marier, vous m'comprenez?

— Oui, ne vous en faites pas, Guy, vous avez du cœur au ventre et ce n'est pas moi qui vais vous importuner avec Pauline. Une seule fois m'a suffi pour me rendre compte que son état est désespéré. Tout comme ma mère, on ne la ramènera pas. Elle a les mêmes symptômes, elle dépérit, elle manque de souffle, elle a des maux de tête qui reviennent. Plus forts qu'avant. On a cessé les chocs électriques sur ma demande. C'était un horrible supplice, elle criait, elle se débattait, elle voulait mourir quand on l'attachait... Je suis intervenue parce que de toute façon, ça ne donnait rien. Et, entre vous et moi, c'est un traitement barbare. Même un chien avec la rage n'endurerait pas cela! On a songé à une opération au cerveau, mais j'ai refusé. Je sais que cela aussi ne donnera rien, que ça va juste l'achever. J'ai vu ma mère, vous savez... Et je tiens à ce que Pauline, tout comme sa mère, parte dans la dignité, quand son heure sera arrivée. Oh! avant que je l'oublie, une question si vous le permettez.

– Bien sûr, j'suis là pour vous répondre.

– Dites-moi, Guy, Pauline, ma sœur... Est-elle.... Était-elle portée sur la chose? Vous me comprenez, n'est-ce pas?

– Heu... oui, j'comprends, mais ça m'gêne d'être franc...

– Allez, c'est important, ne soyez pas intimidé, il nous faut savoir.

– Ben, disons qu'elle était... Comment vous l'dire...

– Insatiable?

– Ben, j'sais pas c'que ça veut dire, c'mot-là, mais disons qu'elle était... qu'elle était pas raisonnable. Avec elle, ça s'arrêtait jamais pis a faisait des choses pas toujours respectables. Quand a s'garrochait sur un homme...

– Bon ça va, j'ai compris. Et ça m'embête, parce que ma mère, dans ses pires moments de folie, n'a jamais songé à un homme.

– Pauline vous donne-t-elle du trouble de ce côté-là, ma sœur?

– Oui, de plus en plus. Elle se laisse abuser, elle provoque même... La semaine dernière, on l'a surprise en flagrant délit avec un déficient de quinze ans. On a dû l'isoler et elle est sous surveillance car, depuis, tous les mâles rôdent autour d'elle. Mais là, mieux renseignés, nous allons être aux aguets. Vous savez, c'est un asile, ici. C'est dangereux, c'est même risqué... Juste avant que vous partiez, Guy, pendant que j'y pense...

– Oui, qu'est-ce que j'peux faire pour vous?

– Elle parle d'un dénommé Sam, de Marcel, d'une fausse couche qu'elle aurait eue… Elle mentionne Bruno, un petit jeune dans un tas de foin…

À cette dernière mention, Ti-Guy avait légèrement rougi.

– Si vous voulez savoir si ces personnes existent, je vous répondrai oui. Sam est mort, Marcel, on l'a pas revu, mais les autres, c'est des aventures, vous comprenez? J'suis le seul qu'elle a marié… À cause du p'tit. La p'tite qu'a l'a perdue, c'était avant. A savait même pas de qui elle était… Y'a-tu autre chose, ma sœur?

– Non, ça va, je me sens mieux renseignée. Pauline revit des souvenirs, sa mémoire s'allume et s'éteint. Mais, chose certaine, tout ce qu'elle me raconte ne vient pas que de son dictionnaire. Mais il n'est pas facile de savoir ce qui a été et ce qu'elle invente à son gré, vous saisissez?

Surveillée de très près depuis les révélations de son mari, Pauline ne pensait guère revoir le jeune déficient qui, de son côté, la cherchait… et pour cause! Sans parler des autres pour qui elle avait retroussé ses jupes à maintes reprises. Car, Pauline, dans ses moments charnels, dans ses «pleines lunes», se frôlait tout aussi bien sur les jambes d'un patient de trente ans que sur le sexe mort d'un vieillard de quatre-vingts ans. Elle jouait «des doigts» quand elle le pouvait et cherchait des yeux le freluquet de quinze ans qui, après avoir profité de «sa grosse main», lui avait léché les seins. Mais là, surveillée de près, c'était la consigne, Pauline était confinée à sa chambre dès le repas du soir terminé. Et lorsque Berthe la quittait pour la nuit, sur la pointe des pieds, c'était l'infirmier chauve et costaud qui s'infiltrait dans sa chambre. Celui qui, à son arrivée, l'avait rudoyée et qui, maintenant, s'en était quelque peu épris. Parce que Pauline, démente, pas toujours propre mais toujours portée sur la chose, faisait à ce grossier personnage ce qu'il lui commandait, sans répit, des heures durant, jusqu'à ce qu'un collègue vienne prendre la relève. Et ce, de deux à trois fois par semaine. Ce qui pour elle était normal, puisque dans ces moments, elle retrouvait en elle celle qu'elle avait été à treize ans avec les marins ivres et les débardeurs du port. Normal, parce que, avec les ans, ses relations sexuelles avec Marcel, Ti-Guy, Réal, Bruno et ceux qui leur avaient succédé, avaient toutes été empreintes «d'écœuranteries» démesurées. Et ce, même avec Sam qui l'avait tant aimée.

Le mois de juin s'annonçait beau et chaud et Pauline, fenêtre ouverte, se plaignait à Berthe des barreaux.

– Si y'avait pas ça dans les hôpitaux, j'pourrais nourrir les oiseaux... Mais pas les corneilles, par exemple... Quand j'y pense...

– Quand tu penses à quoi, Pauline?

– À lui! À Sam! Y'a besoin de jamais r'commencer ça, lui! Ça prend un fou! C'était dur comme d'la roche.... Si y veut m'ravoir dans son shack, y'a besoin d'aller creux dans son tronc d'arbre... Moi, manger d'la marde...

– Pauline! Quel langage! Et comme je ne comprends pas ce que tu dis, pour ce qui est des oiseaux, ils sont bien nourris, Dieu y voit, ne crains pas.

Ce même après-midi, alors qu'elle était dans la salle de récréation, les yeux dans le dictionnaire, une pensionnaire lui demanda:

– Tu vas nous parler d'qui aujourd'hui, la grosse?

Berthe, ayant entendu, réprimanda la vieille dame du quolibet utilisé.

– Ben, quoi? Est pas maigre pis a l'sait! Tout l'monde l'appelle la grosse pis ça la dérange pas! Pas vrai, Pauline?

Fouillant dans son dictionnaire, elle répondit évasivement:

– Non, ça m'dérange pas. Marcel m'appelait comme ça en dernier... Pis y'a deux gars qui m'ont appelée comme ça quand j'suis allée au magasin avec Ninon Marceau... Le pire, c'est qu'c'était elle qui avait pété, pas moi... Dans sa chaise roulante, à part ça! Y'avait juste Sam qui m'appelait Minoune! Y'était fin lui, y parlait mieux... Y'était pas comme les cochons qui viennent me voir la nuit... Pis, c'est pas grave, sœur Berthe, chicanez-la pas, on l'appelle bien la vieille, elle, pis a dit rien...

N'attendant pas qu'elle se rende plus loin, l'un des infirmiers sortit tout doucement de la salle d'activités. Berthe qui avait saisi au passage la remarque de Pauline, voulait qu'elle précise ce qu'elle avait laissé échapper.

– Ben non, laissez faire ma sœur, j'ai pas dit qu'j'aimais pas ça, y sont corrects ces deux-là...

Puis, ouvrant son dictionnaire, furetant, s'arrêtant à une page, elle dit à la vieille dame qui attendait une histoire:

– Aujourd'hui, j'vais vous parler de Toulouse-Lautrec, un nain infirme qui dessinait des femmes nues. Des grosses en plus...

– Ah, non, pas lui, on l'connaît pas! Tu peux-tu nous parler d'Ovila Légaré?

Alors que Pauline sombrait de plus en plus dans la folie, tout n'allait pas pour le mieux à Saint-Calixte. Ti-Guy, dont le commerce était prospère, en avait plus qu'assez d'avoir sa mère à ses trousses. Cette dernière, en pleine ménopause, était exécrable à certains moments et trouvait même le moyen de regarder de travers la Betty de la butte qu'elle avait prise en grippe. Ti-Guy, toujours amoureux de son Anglaise, toujours fougueux dans ses moments intimes avec elle, semblait passablement sûr de lui car Betty, belle mais un tantinet naïve, l'aimait... aveuglément. Il n'y avait rien qu'elle n'aurait pas fait pour lui. Toujours bien mise, bien tournée, aguichante, aucun homme n'aurait résisté au moindre sourire, mais elle n'avait d'yeux que pour «Guy» qui la gardait précieusement à lui à coups de «mon bébé» ou «j't'adore». Betty ne songeait même pas à l'épouser. Partager sa vie avec lui était tout ce qui comptait pour elle. Derrière les comptoirs à longueur de journée, dans son lit à longueur de nuit ou presque... Car Guy Gaudrin, prétextant des achats, s'éloignait du village parfois pour se retrouver dans un autre comté avec une fille ramassée dans un bar. Une fille, n'importe laquelle, qui, sans être aussi belle que Betty, lui donnait d'autres sensations. Une façon comme une autre de tuer la routine, quoi! Et comme le plus grand plaisir de Ti-Guy était de séduire, il lui fallait plus qu'une concubine acquise pour mettre sa virilité pavée d'immoralité... en valeur.

Guy Gaudrin ne voulait pas d'enfants, clamait-il? Betty non plus! En aurait-elle désiré un pour solidifier leur amour, qu'elle n'aurait osé le lui dire, de peur de... le perdre! Parce que Guy avait été le premier homme que Betty avait aimé, le premier à qui elle s'était donnée. Et le dernier qu'elle aurait voulu quitter, même si un prince beau comme un dieu l'eut courtisée. Ce grand amour, ce bel amour, cette adulation servile, cette adoration... faisait rager Emma Gaudrin. Avec Betty pour le porter aux nues, il n'avait guère besoin des «p'tits soins» de sa mère. Avec Betty en avant dans le commerce, Emma était toujours en arrière dans la cuisine. Et c'était certes le cas de le dire puisque sa vie s'écoulait à faire la popote et la lessive. Tout comme Pauline, naguère, alors qu'Emma Gaudrin était reine-mère. De plus, confinée «à la maison», elle avait la lourde tâche d'élever son petit-fils qui, avec le temps, s'avérait polisson. Ti-Guy s'occupait de moins en moins de Dédé et Betty, accrochée à «son homme», ignorait totalement l'enfant qui se foutait d'elle également. Un jour que Dédé était plus que vilain, mémère trouva le moyen de s'en plaindre à son fils. Selon elle, avec ses cris, il dérangeait tout le monde au magasin. Ce à quoi Ti-Guy avait répondu:

– Pourtant, Betty s'en plaint pas, la mère.

– J'comprends! A s'en occupe pas! A l'ignore parce qu'y vient pas d'elle! Pis a l'a pas l'sens maternel, ton Anglaise! Est peut-être belle, t'en es peut-être fier, mais ç'a rien d'une mère, c'te fille-là! Attends-toi pas à en avoir d'autres avec elle!

– Ben, tant mieux, ça s'adonne que j'en veux pas, moi non plus! J'en ai jamais voulu, la mère! Sans l'accident qui m'a donné Dédé…

– Parle pas comme ça, l'bon Dieu va t'punir! Pis, penses-y, c'est le p'tit qui va perpétuer le nom des Gaudrin…

– Pour c'qu'y vaut, la mère!

L'été s'écoula, le petit Dédé était de plus en plus turbulent, Betty se faisait bronzer au lac Bellevue devant les touristes et Ti-Guy, possessif, lui demanda de profiter du soleil dans la cour de la maison, sur une couverture, à l'abri des regards. Madame Gaudrin avait recommencé à être aimable envers elle. Elle s'était rendu compte qu'en lui tenant tête, son fils s'éloignait d'elle. Or, pour reconquérir l'affection de son fiston, elle fit presque des courbettes à «l'intruse», qu'au plus profond d'elle-même, elle détestait. Pas autant qu'elle avait haï Pauline, mais pas loin, différemment, parce qu'avec «la grosse» comme elle l'appelait encore, et que Ti-Guy n'avait jamais aimée, elle n'avait pas eu à jouer de… compétition. Gertrude venait la visiter, Emma se plaignait de son triste sort,

Gertrude la consolait pour ensuite se dire qu'elle méritait tout ce qui lui arrivait. Trop longtemps, Emma Gaudrin avait régné en souveraine à Saint-Calixte. Maintenant, elle n'était plus que la mémère du petit André qui la faisait damner. Un coup pendable n'attendait pas l'autre et, lorsque mémère lui donnait une petite fessée, il hurlait à fendre l'âme. Ti-Guy reprochait à sa mère d'être trop sévère avec lui.

– C'est un p'tit démon, c't'enfant-là! J'en viens pas à bout, Ti-Guy!

– Voyons, la mère, y'a pas encore trois ans... C'est un bébé...

– Y m'donne des coups d'pied, y m'pince, y' mord!

– C'est pour avoir ton affection, la mère, r'garde-le, y'a l'air d'un ange...

Et pour prouver que son fils n'était pas le monstre que sa mère prétendait, Ti-Guy le prenait sur ses genoux, le faisait sauter et rire, et l'enfant, ravi, se blottissait affectueusement contre lui.

– Ça parle au diable! C'est moi qui l'gâte, pis c'est toi qu'y caresse!

– C'est parce que t'as pas l'tour, la mère! Un enfant, ça s'élève pas avec des claques sur les fesses! Cajole-le un peu, donne-lui c'qu'y veut!

Les pelouses étaient jaunes, les feuilles étaient tombées des arbres lorsque le mois d'octobre compta ses dernières journées. À l'asile, par un jour de pluie, Pauline s'était levée de mauvais pied. Un mal de tête la tenaillait. Si fort, si violent, qu'elle avait l'impression que la douleur allait lui percer le tympan. Et, de surcroît, Berthe n'était pas là ce jour-là. Alitée avec une vilaine grippe, elle avait confié sa sœur aux bons soins des... infirmiers! Le chauve entra le premier dans la chambre le matin et, voulant glisser sa main sous la couverture, il reçut une gifle en plein visage. Estomaqué, choqué, il regarda Pauline et lui dit:

— Qu'est-ce qu'y t'prend à matin? T'es dans tes règles, la grosse?

— Non, pis décampe, ça m'tente pas, j'ai mal à' tête!

— T'as juste à l'dire! Une autre claque comme ça pis t'as mon poing…

Il s'arrêta net et sortit précipitamment, l'infirmière en chef venait d'entrer.

— Pauline, la bonne sœur sera pas là aujourd'hui. Moi, j'veux bien qu'tu t'habilles après avoir pris ton bain pis qu'tu manges au réfectoire avec les autres, mais tu vas m'promettre de pas faire de trouble, de bien t'conduire, de pas t'laisser approcher ou d'approcher personne. Si tu t'conduis bien…

— Oui, oui, allez pas plus loin, la tête me fend, j'suis étourdie, pis c'est pas aujourd'hui que j'vais avoir envie de queq' chose… Vous avez vu comme y'a sorti, l'infirmier pas d'cheveux? Avec une tape en pleine face!

— Celui qui vient d'sortir? Qu'est-ce qu'il t'a fait, Pauline?

— Ben… toujours à fouiner sous les couvertes, celui-là…

— Pourtant, d'après lui, c'est toi qui fais les premiers pas.

— Oui, des fois, mais y s'fait pas prier! C'est un cochon… Pis, y sont-tu icitte pour nous soigner eux autres, ou pour nous tâter? Qu'on l'veule ou pas…

— Bon, ça va faire, à t'écouter, tous les infirmiers sont dans le même sac. Et, en réunion, ce sont eux qui se plaignent de toi, Pauline. Tu les agresses… La bonne sœur le sait, elle ferme les yeux, mais pas nous. Si ça continue, il va falloir encore t'isoler. Et, aujourd'hui, tes mains chez vous, compris?

Pauline, mi-normale, mi-déficiente, réagit très mal aux propos de l'infirmière en chef. Elle la traitait comme une femme indécente alors que… Ce qui n'était pas pour alléger la mauvaise humeur qui la tenaillait. Elle gagna le réfectoire et là, au bout de la table, parmi les fous, elle leur cria qu'elle était normale, qu'ils lui donnaient mal au cœur. Puis, regardant le jeune déficient qu'elle avait agressé, elle ajouta:

– Toi, r'garde-moi pas comme ça, pis lâche-toi! Tu vas rien avoir de moi!

La vieille dame, gruau sur le menton, un cheveu gris sur son croûton, lui demanda:

– Tu vas nous parler d'qui aujourd'hui, Pauline? T'as pas ton gros livre?

– Non, j'l'ai pas! Pis ça s'appelle un dictionnaire! Pis j'ai rien lu hier soir, j'avais mal à' tête.

Elle avala un morceau de sa rôtie puis, regardant la vieille, ajouta:

– Pis ça donne quoi? Tu connais rien ni personne! T'aimes juste les chansons à répondre d'Ovila Légaré! J'parle dans l'beurre quand j'te parle de Napoléon! J'suis tannée d'conter mes histoires à des idiotes, des imbéciles pis des fous! Y'a juste moi d'instruite, icitte!

– Toé, la grosse, fais pas ta fraîche! T'as même pas été à l'école! lui lança un gros monsieur bedonnant de pas moins de soixante ans.

– Pis toé? T'es mal placé pour me traiter d'grosse! T'es-tu r'gardé? Pis tout c'que tu sais faire, c'est d'péter pis roter! T'as même pas été élevé pis t'es dégoûtant! R'garde-moi pas, le cœur me lève!

Le gros monsieur baissa la tête, le silence revint et le jeune freluquet qu'elle avait rabroué la regardait avec des yeux de biche. Il attendait, depuis qu'elle avait abusé de lui, que l'offense se répète. Le regardant, sentant qu'il était triste, elle lui dit:

– Toi, j't'haïs pas, t'es fin, t'es propre, mais j'peux pas t'inviter dans ma chambre, la bonne sœur veut pas. Pis dans la tienne, t'es pas tout seul. Pis tout l'monde dit qu't'es trop jeune... C'est-tu vrai qu't'as juste quinze ans?

– Oui, mais ça fait rien, j'sais quoi faire...

– Oui, je l'sais. Pis t'es pas mal amanché... Mais, j't'haïs pas, j'te l'dis encore, pis j'trouverai ben l'moyen...

Il lui sourit et la vieille dame, ayant observé la scène, lui demanda:

– C'est-tu lui le roi avec qui tu couchais? Tu t'rappelles, l'aut' soir?

Pauline, se creusant les méninges, lui répondit dans un éclair de mémoire:

– Ben non, j'parlais du Roi-Soleil, y'était ben plus vieux qu'lui. Pis moi, j'étais sa favorite, madame de... Attends, madame de...

Soudain, sans que personne ne s'y attende, Pauline se prit la tête entre les mains, hurla de douleur et tomba par terre, inconsciente, le visage rouge, la sueur dans le cou. Le personnel accourut et on la conduisit à la salle d'urgence. Deux médecins se penchèrent sur elle, l'examinèrent et, se consultant, hochèrent la tête.

– Elle a eu une douleur effroyable. Regardez l'enflure, c'est le coup de ciseau de ce mal incurable. Il va falloir la transporter à l'étage. Là, avec les injections...

Au même moment, Pauline ouvrit les yeux, se leva, rua les médecins de coups de pied en les injuriant. Les infirmiers appelés en renfort eurent peine à en venir à bout. Folle de rage, l'écume à la bouche, elle leur incrustait ses ongles dans les bras et, dans un geste inattendu, en saisit un aux parties génitales. Elle le serra si fort qu'il tomba à genoux, plié de douleur. D'autres s'amenèrent, on finit par la maîtriser avec une camisole de force et comme elle leur crachait au visage, ils lui pansèrent la bouche d'un diachylon. Attachée sur la civière, gigotant, râlant, il fallut qu'un médecin lui injecte un vif tranquillisant pour qu'elle ferme les yeux et qu'on la transporte dans sa chambre. Mais, ce qui avait intensifié, sans qu'on le sache, cette débâcle soudaine, c'est que Pauline, reprenant conscience, attachée sur la civière, se croyait en route pour un choc électrique. Et là, dans sa chambre, souffrante, meurtrie, encore en transe, Pauline Pinchaud vivait ses pires moments de déchéance.

Après l'orage, l'accalmie. Les jours suivants, avec Berthe de retour auprès d'elle, Pauline était si fragile, si épuisée, qu'on avait peine à la faire manger. Au gré des fortes doses de sédatifs qu'on lui administrait, la pauvre fille dépérissait. Berthe s'objecta, refusa qu'on la drogue à ce point et leur dit: «J'ai vu ma mère, je sais où ma sœur en est. Ne la tourmentez pas, laissez-la entre les mains de Dieu.» Peu après, elle sembla reprendre des forces, elle mangea mais ne garda rien. Elle souffrait d'une migraine tenace, son front se crispait, elle s'arrachait les cheveux et c'était finalement le sac de glace, que ce pauvre sac de glace qui la soulageait, tout comme au début de son mal incurable. Elle voulut se lever, elle tituba, elle s'écrasa et Berthe, aidée d'infirmiers, la remit dans son lit tout en nettoyant ses plaies. Les bourrelets fondaient. Sans être disparus, ils pendaient. Ses chairs étaient molles et le tablier du ventre s'affaissait sur ses genoux. Au rythme des migraines, la couperose s'était accentuée. Du front jusqu'au menton. Jadis jolie, puis mignonne des traits, Pauline était laide dans son lit. L'urticaire bien en vue, les lèvres sèches, les cernes noirs autour des yeux, le rictus constant, la souffrance l'avait défraîchie. Angoissée, nerveuse, elle se grattait les bras, elle s'arrachait la peau. Un jour, c'était l'espoir; le lendemain, la résignation.

Novembre, sa pluie, sa grisaille, ses longues et mornes soirées, et Pauline, le 5 du mois, avait eu vingt-six ans à l'insu de l'humanité. Berthe, qui pourtant avait son baptistère, n'y avait même pas pensé. Souffrante, elle passait de longues journées couchée, et Berthe soignait ses plaies de lit. Voulait-elle se lever qu'elle retombait sur l'oreiller. Berthe, habituée à l'agonie, au trépas, par sa mère et par les autres qu'elle avait accompagnés jusqu'à la fin, sentit que, pour sa sœur, la fin s'avérait proche. Prenant le téléphone, elle rejoignit Ti-Guy et lui dit:

— Vous devriez venir, je crois qu'elle n'en a pas pour longtemps.

Ti-Guy, peiné mais stressé à l'idée de se rendre à son chevet, appela Jovette qui, ayant presque oublié Pauline, lui dit:

— Je n'ai pas eu le choix que de couper les ponts, Ti-Guy. Mon mari...

— Oui, j'sais pis j'te r'proche rien, Jovette. T'en as tellement fait pour elle... Mais là, ça semble être la fin. On m'a demandé d'y aller... J'ai peur, j'suis pas capable d'y aller tout seul... J'me demandais...

— Si j'irais pas avec toi? C'est ça qu'tu veux me demander, n'est-ce pas?

— Ben, j'osais pas, j'hésitais...

— J'vais y aller, Ti-Guy. Passe me prendre. Tu sais, j'ai encore des affaires à elle, ici. Un poudrier antique avec Marie-Antoinette, une petite statue de ballerine... Des choses qu'a m'a jamais montrées. J'me demande où a l'a ben pu prendre ça... J'ai aussi du linge, des sous-vêtements, son cadre de *La Joconde*... C'est pour quand, la visite?

– Ben, le jeudi 3 décembre si tu peux. Dans l'après-midi...

– Ça va, j'irai. Ça va m'donner le temps de m'trouver une gardienne. Philippe a pas l'tour tout seul avec Laure.

– J'te r'mercie, Jovette. Ça m'rassure... J'vais mieux dormir à soir. Moi, les agonies... C'est pas qu'j'ai pas d'cœur, mais dans des cas comme ça, j'sais pas quoi dire, j'sais pas quoi faire. Pis, est tellement jeune...

Ce n'était presque plus l'automne, ce n'était pas encore l'hiver. Il faisait froid, le vent soufflait, mais les chemins étaient beaux lorsque Ti-Guy quitta Saint-Calixte avec madame Biron, la grand-maman, qui allait garder la petite Laure pendant que Jovette s'absenterait avec lui. Un brin de causette entre Ti-Guy et la veuve du garagiste, cette dernière compatissait avec lui, elle était même peinée; elle avait toujours aimé Pauline. Elle n'osa rien dire de Betty ni de sa mère, la chère Emma qui n'était plus que l'ombre de son fils. Elle parla de Dédé qu'elle trouvait mignon avec ses yeux pers et ses cheveux blonds. Selon elle, il ne ressemblait ni à son père ni à sa mère. «On dirait un ange tombé du ciel, un chérubin», dit-elle. «Ou un p'tit démon», avait ajouté Ti-Guy en riant.

Ils arrivèrent rue Guizot et Jovette, après avoir confié sa petite à sa mère, sauta dans le camion de Ti-Guy. Ce dernier lui offrit une cigarette, mais Jovette ne fumait plus depuis belle lurette. Pour Laure et, surtout, pour ne pas déplaire à son mari. La regardant, Ti-Guy lui avait dit: «Toi, plus tu vieillis, plus t'es belle!» Flattée, elle lui avait répondu: «J'pourrais en dire autant de toi... Bel homme, plus un seul bouton d'acné...» Ils éclatèrent de rire pour ensuite reprendre d'un air sérieux:

– J'ai peur de c'qui nous attend là-bas, Jovette. C'est un asile…

– Ben, disons un hôpital pour les maladies mentales, ça fait moins dérangeant. J'me d'mande si a va nous r'connaître pis si c'est l'cas, comment a va nous accueillir. Tu sais, c'est moi qui l'ai confiée aux policiers…

– T'avais rien d'autre à faire, a devenait dangereuse. Pis là, avec toi, ça m'inquiète moins comment ça va s'passer, Jovette. Tu vas trouver les mots qu'y faut. Moi, tout seul, j'gèle, j'paralyse, j'sais pas quoi dire.

– C'est quand même pas croyable c'qu'y lui arrive… À son âge! J'sais qu'sa mère a subi le même sort pis qu'c'est héréditaire, mais fallait qu'ça tombe sur elle…

– Oui, j'sais, mais on est fait par les autres, pas vrai? Moi, si j'me fie à mon père, j'vivrai pas jusqu'à soixante-quinze ans. Le cœur va m'lâcher avant…

– On arrive, j'pense… C'est bien là, hein? Le gros édifice en pierres grises…

– Oui, c'est là, on *parke,* on monte, la sœur Berthe nous attend.

– Dis-moi donc, de quoi a l'a l'air, la bonne sœur? J'ai peine à l'imaginer…

– Ben… Est aussi maigre que Pauline est grosse, aussi grande que Pauline est courte. Pis avec un bon parler… Tu pourras jamais croire qu'a vient d'la même famille.

– Pis l'autre, la Raymonde, est-tu au courant qu'sa sœur se meurt?

– Oui, Berthe l'a avisée, mais a veut rien savoir. A dit qu'a l'a pas d'sœur. R'marque qu'a l'a fait la même chose pour sa mère. C'est une sans-cœur…

– Oui, mais faut dire qu'après c'que Pauline lui a fait… Tu sais, le caleçon d'Léo… Faut pas s'attendre à c'qu'a vienne pleurer au pied du lit d'Pauline. Imagine! Léo rentrer chez lui sans son sous-vêtement! Encore chanceux qu'a l'a pas tout pris! L'aurais-tu vu r'venir tout nu enveloppé dans une couverte?

Ils pouffèrent de rire mais, poussant la porte du vieil immeuble qui grinçait, la réalité refit surface et c'est avec un certain embarras qu'ils se retrouvèrent dans un long couloir où une religieuse les guidait.

Jovette et Ti-Guy, assis au parloir où tout était sombre, attendaient que sœur Berthe vienne les quérir pour les conduire à la chambre. La voyant s'avancer, Jovette fut très impressionnée par le maintien de la sœur de la Providence. Tenue impeccable, racée, altière, elle lui avait dit après avoir salué Guy:

– Heureuse de vous connaître, Madame. J'espère que Pauline se souviendra…

– Heu… J'm'attends à rien, ma sœur. On verra bien… Si le bon Dieu le veut…

Ils montèrent, atteignirent l'étage, la chambre. Berthe, poussant la porte, Ti-Guy insista pour que Jovette pénètre la première. Fort émue, s'approchant du lit, Jovette sentit ses yeux s'embuer de larmes. Elle qui, pourtant, ne pleurait plus depuis longtemps. La femme qui gisait sur l'oreiller était loin d'être la Pauline qu'elle avait connue. Cheveux plus courts, les yeux cernés, la couperose tirant sur le mauve, le nez enflé, sueur au cou, râles constants, elle n'avait que vingt-six ans et, à la voir, on aurait pu jurer qu'elle approchait de quarante ans. Difforme, mal en point, un sac de glace sur la tête, elle ouvrit les yeux lorsqu'elle entendit des murmures.

– C'est qui eux autres? marmonna-t-elle en regardant Jovette et Ti-Guy.

– C'est Ti-Guy, ton mari, Pauline, et ton amie Jovette. Tu te souviens?

– Lui, j'l'ai déjà vu… C'est un docteur, mais elle, ça m'dit rien… Où c'est qu'on s'est connues? Avez-vous grandi dans l'bas d'la ville?

Jovette, en larmes, lui répondit en s'essuyant les yeux:

– Non, Pauline. À Saint-Calixte, puis chez moi, chez toi… On a passé des mois à se voir, j't'ai hébergée souvent. Rappelle-toi, Carmen, les cigares, ton p'tit…

Pauline se prit la tête à deux mains et dit à Berthe en la regardant:

– Ça m'force de penser, la tête me saute, j'la connais pas, c'te femme-là. Lui non plus! J'dormais! Pourquoi vous m'avez dérangée, ma sœur?

Jovette, constatant que le mal avait fait son œuvre, regarda Ti-Guy et lui murmura tout en lui empoignant le bras:

– J'pense qu'on est mieux d'sortir pis d'la laisser se reposer.

– Oui, faites donc ça, pis r'venez pas si c'est juste pour m'examiner! J'veux plus d'docteurs, plus d'gardes-malades! J'veux juste la bonne sœur à côté d'moi parce qu'a prend soin d'moi, elle…

Jovette et Ti-Guy s'apprêtaient à sortir lorsqu'ils tressautèrent. Pauline, s'adressant à Berthe, lui demanda sans que personne ne s'y attende:

– Sam Bourque est pas v'nu, lui? C'est lui que j'veux voir, pas des étrangers! J'gage qu'y est en train d'calfeutrer l'*shack* pour la p'tite!

Comme le monologue semblait engagé, Berthe fit signe à Ti-Guy et Jovette de rester dans la porte. Là où ils se trouvaient, Pauline ne pouvait les voir. Se sentant seule avec la bonne sœur, elle la regarda et poursuivit:

– C'est l'curé Talbert qui m'a jetée dans ses bras, vous savez. Moi, j'cherchais juste une place pour loger. Ma sœur m'avait jetée dans' rue pis j'suis arrivée au presbytère pour demander la charité. J'avais plus une cenne dans ma sacoche.

Elle prit une grande respiration et enchaîna:

– Y m'a pas reçue avec des belles façons, y'avait pas d'place dans son *shack*... Piquet a insisté! Vous avez pas connu Piquet, hein, vous? C'était un paquet d'os mais y'était ben d'service. Y'a fini par lever les pattes, y buvait comme un trou. Pis y restait avec la veuve, une vieille folle, une chipie... Y s'la passaient... Si vous étiez pas sœur, j'vous en dirais plus, mais par respect pour vot' crucifix... Vous êtes sûre qu'y viendra pas, l'ermite?

– L'ermite? Tu parles encore de Sam Bourque, Pauline?

– Oui, on l'appelait l'ermite parce qu'y vivait seul sur la butte. Y m'a mal accueillie, mais j'l'ai apprivoisé, vous savez. J'savais comment m'y prendre avec les hommes. J'l'ai toujours su, j'ai commencé à gagner ma vie à l'âge de treize ans dans l'port avec les débardeurs... Vous savez, quand y faut manger pis qu'on a une mère folle...

Cette fois, c'était la religieuse, Berthe, qui doucement, pleurait.

– J'vous chavire-tu tant qu'ça? Plaignez-moi pas, j'ai fait mon chemin! J'suis pas grosse de rien! J'ai resté avec Sam, y m'a appris à nager, j'lui ai fait à manger, pis y m'a instruite avec son dictionnaire. C'est d'lui que ça m'vient c'cadeau-là. Y'aimait ben Bonaparte, y'a même écrasé une bestiole su'l' portrait d'un artiste. Pis on a commencé à s'aimer. Y'était pas jeune, y'avait soixante ans, trois fois mon âge, mais y'était robuste, ben fait, solide, pas beaucoup d'cheveux, mais un vrai mâle. Pis capable à part ça! J'ai jamais fait l'amour avec un homme comme ça de toute ma vie! Y'avait un doigt-fesses... Oh! excusez-moi...

– Continue, Pauline, j'veux tout savoir de toi. Ta mémoire semble de plus en plus fertile. Continue, c'est bon signe.

– J'me rappelle de l'orage, c'est là qu'ça s'est passé. Y sentait bon, y sentait l'homme pis y'avait l'tour, y'avait déjà été marié. Y m'avait lu des histoires de son dictionnaire en petite tenue... Tous les deux. Pour s'agacer, on l'savait... Pis y'avait un tronc d'arbre, y'était près d'ses cennes, mais j'en v'nais à bout, y m'bourrait d'*cup cakes*, y m'a même acheté un cœur en argent, pis y m'a fait une balançoire avec un vieux *tire* de Piquet, j'pense. Vous pourriez pas l'appeler? Y reste sur la butte! J'pense qu'y a pas l'téléphone, mais au village, on peut lui faire la commission. Piquet y va chaque jour... Pis là, la veuve veut nous inviter à souper, mais ça nous tente pas, Sam pis moi. A m'écœure avec ses dents jaunes... J'suis fatiguée, ma sœur, faudrait que j'dorme. S'y fallait qu'Sam arrive pis qu'j'sois pas en forme...

– À Saint-Calixte, Pauline, n'y avait-il pas d'autres personnes, d'autres amis?

– Heu... non, j'pense pas. Juste lui pis moi, pis Piquet pis Charlotte. Charlotte, c'est la veuve, la maigre, la laide... J'pense qu'est morte...

– Jovette Biron, Ti-Guy Gaudrin, ça ne te dit rien?

Pauline songea quelques instants puis, sûre d'elle ou presque, elle s'écria:

– Oui, ça m'dit queq' chose ces noms-là, mais c'était pas du vrai monde! C'était dans les romans d'Clarisse... J'm'en rappelle, y s'aimaient... Vous avez pas r'joint Sam, ma sœur?

– Non, Pauline, pas encore. Aimerais-tu t'assoupir, dormir un peu?

– Oui, peut-être, mais vous savez qu'j'étais enceinte de Sam, hein? Une p'tite fille! Orielle! Sam a même fait un lit pour elle.

– Ne m'as-tu pas dit, l'autre jour, que le père était un dénommé Marcel?

– Marcel? Connais pas! J'vous ai pas dit ça! Peut-être une
autre malade, ma sœur, pas moi. Ben, pour r'venir à Sam, on
l'a perdue la p'tite, j'l'ai pas rendue à terme, mais Sam m'en
veut pas, on va s'reprendre. J'suis encore jeune…

– Tu l'as beaucoup aimé cet homme, n'est-ce pas?

– Ben, j'l'aime encore, c't'affaire! C'est pas fini, nous deux!
J'attends juste qu'y m'sorte d'icitte, ma sœur. Vous devriez
l'savoir, ça fait deux heures que j'vous parle de lui! Y'a pas
d'auto, y va sûrement arriver en autobus, mais ça fait rien, y
fait pas frette pis on en a vu d'autres… On gelait dans l'shack!
Mais en l'attendant, j'vais dormir un peu, j'ai mal à' tête. Y
sont partis les étrangers? J'veux plus d'visite des gens que
j'connais pas. Juste Sam, ma sœur, juste lui, à moins qu'y
vienne avec Piquet pis sa bagnole.

Jovette et Ti-Guy s'étaient retirés. Exténuée, Pauline s'était
endormie. Berthe s'excusa auprès de Jovette et de Guy en leur
disant:

– Dommage, vous étiez sa seule amie… Et vous, son mari…

– C'est pas grave, clama Ti-Guy, en autant qu'elle a de bons
souvenirs.

Jovette, pensive, heureuse et triste à la fois, dit à la religieuse:

– Vous savez, ma sœur, je viens de comprendre à quel
point elle l'a aimé, cet homme-là. Il est mort, il s'est pendu,
elle s'est sentie coupable, mais ce n'est pas ce qui la rattache
à lui. Elle a aimé l'ermite comme elle n'a jamais aimé un autre
homme dans sa vie, même toi, Ti-Guy.

– Je l'sais pis, d'un autre côté, Sam est sans doute celui
qui l'a le plus aimée.

– Peu importe qu'elle ne nous reconnaisse pas, ma sœur, reprit Jovette. Peu importe que nous soyons, Ti-Guy et moi, des personnages de roman, ce qui importe et qui m'a touchée droit au cœur, c'est que pour elle, Sam soit encore vivant. Vous savez, c'est avec Piquet, Sam, la veuve, la butte, le lac, le shack que tout a débuté pour elle. Et je pense qu'on a raison quand on dit que le commencement et la fin, ce sont deux extrémités qui se touchent. C'est mon mari qui m'a appris cette citation… Et si Pauline part avec Sam Bourque dans le cœur et dans l'âme, ce sera une fin heureuse pour elle. Elle partira en douceur, ma sœur, sans souffrir. Elle s'en ira peut-être avec un doux sourire.

Ils saluèrent la bonne sœur qui leur promit de leur donner des nouvelles au moindre signe et, à l'extérieur, avant de monter dans le camion, Ti-Guy, regardant Jovette, lui demanda:

– J'veux pas m'payer ta tête, Jovette, j'veux pas qu'tu penses que j'me moque, mais j't'écoutais parler à la sœur. Où c'est qu't'as appris à parler comme ça, toi? On aurait dit la femme du courrier du cœur dans l'journal du matin.

Souriante, lui prenant la main, elle lui répondit:

– La vie, Ti-Guy, pis mon mari. J'avais sans doute ça dans l'sang avant, mais mon père l'avait figé dans mes veines.

Samedi, 5 décembre 1953, c'était frisquet, Berthe avait enfilé ses bottillons, sa pèlerine à capuchon, et elle avait noué un foulard sur sa bouche avant de se rendre à Saint-Jean-de-Dieu y consacrer sa journée. Dès son arrivée, on l'avisa que Pauline avait passé une très mauvaise nuit, qu'elle avait eu une crise terrible, qu'elle avait déliré et qu'il avait fallu lui administrer de fortes doses de sédatifs pour l'immobiliser, sans pour autant contrer la douleur qui se voulait intense et constante. Berthe se rendit auprès d'elle et la trouva mi-éveillée, très affaiblie, la bouche pâteuse, les yeux embués. Lui prenant la main, elle lui demanda:

– Ça va, ma petite? Le mal s'atténue?

– Un peu, mais j'suis contente de vous voir, ma sœur. Quand vous êtes pas là, j'ai peur, j'dors pas pis j'souffre.

– Bon, ça va, j'suis là et je ne te quitterai plus. Tu as faim?

– Oui, mais j'ai peur d'avoir mal au cœur si j'mange.

– Tu pourrais essayer. Qu'est-ce que je pourrais te préparer?

– Ben, rien d'chaud… Un morceau d'tarte, peut-être? Au sucre…

– Voilà qui risque de te donner plus de nausées qu'un bon gruau…

– Non, pas d'la soupane, ça goûte la colle! D'la tarte ou rien, ma sœur.

Et Pauline reçut une pointe de tarte au sucre qu'elle avala gloutonnement et qu'elle digéra très facilement. Elle était fébrile, prête à bondir, à crier et à pleurer, et Berthe sentit que ce n'était pas la journée pour la contrarier. À bout de souffle, oppressée, Pauline demanda à ce qu'on la soulève sur son oreiller et insista pour qu'on lui remette son dictionnaire. Même s'il était lourd entre ses mains, elle réussissait à en tourner les pages, à fouiller parmi les portraits, à lire quand elle le pouvait.

– Regardez, ma sœur, c'est le portrait de Novalis. C'était un baron pis un poète. Y'était bel homme, hein? C'est d'valeur, y'est mort jeune. Comme Marcel… Pis là, c'est Marie-Thérèse, la reine de Vienne si je lis bien. Aïe! Pas maigre celle-là! A devait manger autant qu'moi!

Alors qu'elle tentait de tourner une autre page, le dictionnaire lui glissa des mains, tomba par terre et Pauline, épuisée, ne le réclama pas. Au même moment, un médecin de service était entré pour un bref examen. Il lui regarda les yeux, les oreilles, lui ausculta la poitrine sans rien dire, si bien Pauline s'impatienta:

— Le chat vous a-tu mangé la langue, vous?

Berthe sourit, le médecin aussi et, bon joueur, il répondit:

— Non, mais quand j'observe, j'parle pas, ça m'déconcentre.

— Ben, fallait l'dire! On aurait pu jurer que vous étiez sourd-muet!

La regardant, la trouvant agressive pour une malade aux soins palliatifs, il lui demanda:

— Savez-vous qui vous êtes au moins, Madame?

— Ben, Pauline Pinchaud, servante, c't'affaire!

En milieu d'après-midi, alors que Berthe lisait des psaumes tout en la surveillant du coin de l'œil, Pauline se réveilla et, faiblement, délira. «Sam, j't'en prie, prive-moi pas de c't'ourson-là, j'en ai jamais eu un dans ma vie. Quand j'étais p'tite, le voisin voulait pas me prêter l'sien. Pis, tu sais, j'suis contente de la balançoire. T'es fin, Sam, j'peux lire en m'balançant astheure. Tu l'sais que j't'aime, hein? J'te fais fâcher avec les autres, mais c'est toi qu'j'aime, personne d'autre. T'es doux, tu fais bien l'amour, tu connais ça une femme, toi. Mais j'comprends pas que t'as pu t'contenter d'la veuve. A pue, est maigre, a l'a les pattes croches... Un vrai squelette... Quoi? Tu dis quoi? J'étais pas là... C'était pour ça, j'comprends, mais là, j'reviens pis j'pars plus. J'vais passer ma vie avec toi, Sam. On va être bien ensemble... On n'a pas besoin d'faire des enfants, juste toi pis moi, la butte pis l'shack... Mais j'aimerais bien qu'a décolle, la Charlotte! Qu'a r'tourne au village astheure que Piquet est six pieds sous terre... On n'a pas besoin d'elle dans les parages, c'est une vieille maudite, Sam, j'te l'dis, a va finir par nous faire du tort... J'reviens pour plus jamais partir parce que j't'aime, Sam. Pis tu m'en veux pas, j'espère? J'sais qu'j'ai une tête de linotte, j'sais qu'j'suis pas toujours fine, mais j'vas m'corriger, j'te l'jure. Pis j'vas t'faire d'la soupe pis du macaroni aux tomates... Pis le soir venu, tu vas m'prendre dans tes bras, tu vas m'emmener dans ton lit pis on va faire l'amour ensemble. On va r'commencer comme avant que j'parte, j'vais m'rouler sur toi, tu vas m'serrer les cuisses, tu vas glisser ton doigt-fesses... Faut qu'j'arrête au cas où quelqu'un d'autre apprendrait ça. Faut que j'garde ma classe, c'est toi qui me l'as dit... J't'aime Sam, j'veux qu'on s'marie, j'veux qu'on... Pis là, faut que j'signe ma lettre sinon tu la recevras jamais. Attends-moi, j'arrive pis je r'pars plus, j'te l'jure. J't'aime Sam, j't'aime...

Sur ces derniers mots, Pauline s'était assoupie. Sa sœur, son missel sur les genoux, avait écouté le long monologue, avec des larmes dans les yeux. Dieu que Pauline avait souffert pour avoir ainsi de tels sursauts de conscience. Fallait-il qu'elle ait fait mal à cet homme pour s'en accuser jusqu'à épuisement. Pour involontairement lui demander constamment pardon. Et fallait-il qu'elle l'ait aimé pour ne se souvenir que de lui dans ces tout derniers moments de sa vie. Lui et son petit entourage. Lui et sa solitude sur la butte. Lui et elle... Pas même Jovette ni Ti-Guy. Pas même Marcel ni les autres. Pas même Dédé... Que Sam et elle. Qu'eux!

Berthe se leva pour se verser un verre d'eau lorsque Pauline, assise d'un bond dans son lit, se mit à crier, à hurler en se tenant la tête à deux mains. Le cou en sueur, la lèvre en sang à force de la mordre, elle gémissait, elle se roulait d'un oreiller à l'autre, elle se relevait, elle appelait à l'aide et, dans une douleur extrême, elle cria de toutes ses forces: «J'en peux plus! Mon Dieu, v'nez m'chercher!» Berthe la soutint, un infirmier vint lui prêter main forte, une infirmière arriva au pas de course avec une seringue, mais avant qu'elle puisse la remplir du médicament le plus efficace qui soit, Pauline lança un cri qui fit vibrer la vitre de la fenêtre, échappa un râle qui semblait d'outre-tombe puis, les yeux sortis de la tête, elle retomba sur son oreiller, la bouche ouverte, le sang lui coulant de la lèvre. Impuissante, Berthe s'en approcha, l'infirmière aussi. Hélas, Pauline Pinchaud venait de perdre la vie.

Deux jours plus tard, malgré la mauvaise nouvelle, en dépit du deuil, Dédé fêtait son troisième anniversaire sur le cheval de bois que son père lui avait offert, tout en soufflant les bougies de cire de son gâteau. Le lendemain, en présence de sœur Berthe qui regrettait que Pauline n'ait pas reçu les derniers sacrements, en présence de Ti-Guy, Jovette et son mari, on mit Pauline en terre avec son père, sa mère et son frère, Albert, mort à douze ans d'un bête accident. Jovette versa des larmes, Ti-Guy garda sa contenance et Berthe, devoir accompli, quitterait l'hôpital pour rejoindre le couvent jusqu'à sa prochaine mission. Ti-Guy avait payé un cercueil de bronze à celle qui, légalement, était encore sa femme. Et, de surcroît, la mère de son enfant. Pour ne pas qu'elle parte seule, il avait insisté pour qu'on lui mette entre les mains, non un chapelet, mais le dictionnaire de Sam auquel elle tenait tant. De cette façon, elle irait rejoindre l'ermite, le seul homme qu'elle avait aimé, avec une certaine partie de lui. Et Jovette avait choisi, avec la religieuse, la plus belle robe de Pauline. Une robe que Ti-Guy lui avait achetée, au temps où il lui disait qu'elle avait les yeux, le nez et les pommettes de Jane Wyman. Sur la pierre tombale, on fit graver: PAULINE PINCHAUD-GAUDRIN 1927-1953. Les fleurs de Jovette furent déposées et, déjà, les rafales dispersaient les pétales. Ensemble, les assistants reprirent l'allée cernée de monuments et, soulagés, échappèrent un soupir pour celle qui, enfin, avait fini de souffrir. Au printemps de sa vie. Dans sa tête et dans son cœur. Par malheur.

Épilogue

Mai 1957. Le vent était froid, le printemps tardait à venir et Ti-Guy passait une fin de semaine dans les Laurentides avec la seconde madame Gaudrin, née Betty Blair. Quatre années ou presque s'étaient écoulées depuis que Pauline avait été portée en terre. La mort de cette dernière avait certes fait jaser à Saint-Calixte. Gertrude qui, pourtant, l'avait toujours vilipendée, avait fait montre d'un quelconque chagrin devant Emma, évidemment qui, de son côté, disait à qui voulait l'entendre: «Dieu ait son âme, mais moi, ça m'fait pas d'peine. Elle a fait plus d'mal que de bien dans sa vie. Elle a même pas eu l'courage d'élever son p'tit!» Quelle diffamation de la part de celle qui lui avait ravi l'affection de son enfant dès les premières semaines de sa naissance. Bob et Fleur-Ange avaient été chagrinés de la fin malheureuse de Pauline, mais ils n'avaient pu assister aux funérailles. Des messes avaient été chantées à Saint-Lin de leur part pour le repos de l'âme de la pauvre défunte. Raymonde et son mari, Léo, s'étaient abstenus de tout commentaire. Comme si Pauline n'avait jamais existé pour eux. Et pour cause! Édouard, le «gros bébé triste» avait depuis longtemps oublié celle qui l'avait aimé plus que son propre fils. Qui sait si, des cieux, Pauline ne veillait pas sur son «gros» adoré?

Quatre années pendant lesquelles, à Saint-Calixte, Guy Gaudrin était roi et maître. Il avait même acheté l'hôtel d'en face et le garage que les frères de Jovette opéraient. Las du commerce, ils l'avaient vendu à Ti-Guy pour prendre chacun «leur bord» avec leur femme, l'aîné entraînant sa mère avec lui dans son avenir avec sa femme. La vieille Hortense avait rendu l'âme en 1955, le curé avait donné sa place à un plus jeune, le maire avait perdu ses élections, cédant son siège au petit conseiller revenu prendre son poste. Aimé des paroissiens, le «pourceau», ex-mari de Madeleine, ennemi juré de Ti-Guy, avait gagné haut la main l'élection convoitée, mais il devait courber l'échine devant «monsieur Guy Gaudrin» devenu prospère, et qui contrôlait à peu près tout à Saint-Calixte. Même les chanteuses et les diseuses populaires qu'il engageait à l'hôtel et dont certaines partageaient allègrement... son lit! À presque vingt-sept ans, Guy Gaudrin était le plus bel homme des environs. Les filles se l'arrachaient des yeux, mais Betty, moins naïve, l'avait... à l'œil! Plus personne ne fleurissait la tombe où reposaient la veuve, Sam, Piquet et le premier mari de Charlotte. Gertrude avait fini par en avoir marre de débourser pour l'entretien et, depuis deux ans, chaque printemps jusqu'à la mi-septembre, on pouvait voir de hautes herbes sur le carré de terrain dont la pierre tombale était devenue la «propriété» des... araignées.

Emma Gaudrin avait payé cher son égoïsme de grand-mère. S'emparant de Dédé, voulant en faire un second Ti-Guy à sa manière, elle s'était mise un doigt dans l'œil puisque l'enfant, dès qu'il apprit à marcher et à parler, se mit à lui tenir tête. Et comme Ti-Guy le lui laissait tout entier et que Betty l'ignorait, Emma fut contrainte à devenir la proie, la cible, la «mémère» malmenée à coups de pied, du bambin mal élevé.

Jovette, en ville avec Philippe et leur petite Laure, avait coupé les ponts ou presque avec Saint-Calixte depuis le départ de sa mère et de ses frères. Elle voulait effacer toute trace de ce patelin de sa mémoire. Seul son scélérat de père reposait six pieds sous terre au cimetière du village. Dans un coin isolé avec pour monument une croix de granit déjà brisée, abandonné de tous, sa femme, ses fils, ses brus et, davantage, par sa fille qui, de loin, n'ayant rien oublié de son enfer, crachait encore son fiel sur le bout de terrain dans lequel il... pourrissait. Madame Biron s'informait du village de temps à autre à Gertrude par le biais du téléphone, mais Jovette, sur les instances de son mari, ne donna plus signe de vie à Ti-Guy. Dans son ardente confession, naguère, au temps de Carmen, en racontant sa vie, Jovette avait eu le malheur de dire à Philippe que Ti-Guy l'avait maintes fois sauvée des griffes de son père en se glissant dans son lit. Une confidence qui n'était pas tombée dans l'oreille d'un sourd. Un aveu de trop, sans doute, puisque le nom de Guy Gaudrin, subtilement, sauta du carnet d'adresses de Philippe et Jovette Jarre.

Guy Gaudrin, vingt-sept ans ou presque, était, comme tous le savaient, le mâle par excellence de la région. Pour la plus grande fierté et la méfiance de Betty. Elle, aussi belle et sensuelle que les actrices de l'heure, n'avait rien à lui envier sauf son argent. Ensemble, ils formaient le plus beau couple que l'on puisse admirer. Lorsqu'ils venaient en ville, les têtes se tournaient sur leur passage. Parfois pour lui, souvent pour elle, maintes fois pour les deux. Bien vêtus, lui aussi séduisant que Tony Curtis, elle, aussi belle que Lana Turner, pas étonnant qu'on les admire, qu'on la courtise, qu'on le désire. Betty, femme d'un seul homme, ne voyait pas toujours tous ces regards posés sur elle. Lui, plus enclin à l'infidélité, n'en ratait pas un. Et quand il revenait seul en ville pour ses affaires, il était rare que Guy Gaudrin passât la nuit sans une femme superbe dans son lit. Et, contrairement aux années précédentes, il ne filait plus à l'anglaise. Quand une fille lui plaisait, il revenait, la revoyait, jusqu'à ce qu'une autre, plus charnelle, mieux moulée encore, appuie ses lèvres pourpres contre les siennes. Betty se doutait bien qu'elle n'était pas la seule. Ne l'avait-il pas séduite alors qu'il était marié? Il était évident qu'elle était cent fois plus jolie que Pauline, mille fois plus désirable, mais un homme qui a dans la peau un tel désir de la chair… Betty savait que, de temps en temps, elle le partageait. Certains arômes, certaines séquelles ne mentaient pas. Mais elle l'aimait au point de fermer les yeux sur ses écarts de conduite, quitte à se contenter le soir, quand il rentrait, des… restes! Jamais elle n'aurait songé à lui rendre la monnaie de sa pièce. Courtisée, adulée par des hommes aussi beaux, plus riches que lui, elle détournait la tête. Pour elle, il n'y avait que Guy. Et c'est par reconnaissance, bourré de remords envers elle, en admiration devant sa patience et son silence, qu'il fit de Betty sa femme, deux ans après la mort de Pauline. Entêtée, Emma Gaudrin s'était écriée le jour des noces: «Vous allez faire de beaux enfants, vous deux!» Mais le couple, aussi parfait fût-il, ne voulait pas d'héritier. Ils avaient convenu, sur la «décision» de Guy, de ne vivre que l'un pour… l'autre.

Ils s'étaient offert le Mexique, ils avaient visité la France, l'Italie, ils voyagaient beaucoup, Betty et Guy Gaudrin. Et durant ces déplacements, deux commis s'occupaient du magasin et mémère, du p'tit. L'hôtel était confié à un gérant, le garage entre bonnes mains et le «pourceau» nouveau maire veillait aux intérêts de son citoyen le plus honorable, monsieur Guy Gaudrin. Ce qui faisait que «madame-mère» se pavanait devant Gertrude comme la «doyenne» des personnes en vue de Saint-Calixte, même, avec à ses trousses, un petit monstre qui lui bottait le derrière. «Ti-Guy» pour sa mère, «Guy» pour Betty, avait fait construire une jolie maison de pierres pour abriter son bonheur avec sa femme. Un bonheur tranquille, alors que, dans le *back store* du commerce, dans le logement de mémère, c'était l'enfer avec ce «diable» en personne qui lui tenait tête. Et ce, sans que Ti-Guy intervienne. «Tu l'voulais à toi, la mère? Tu l'as!» lui avait-il répondu lorsqu'elle le supplia de le prendre avec lui, de le rappeler à l'ordre, le temps que sa pression… baisse!

André «Dédé» Gaudrin avait poussé comme de la mauvaise herbe. Avec le caractère insolent de sa mère et le vice au corps de son père… et de sa mère! Bref, les qualités étaient plutôt rares chez cet enfant fait par les autres. Et quels autres! Un père impudique qui trouvait la «grosse» Pauline «ragoûtante», et une mère dont l'école primaire avait été le port, les débardeurs, les patrons, l'ermite, Marande et… le jeune Gaudrin! Ti-Guy avec qui elle avait fait plus souvent des «grossièretés» que l'amour. C'était certes par «accident» qu'elle l'avait engendré en tenant des propos indécents à son jeune amant. L'enfant non prémédité, l'enfant non désiré, l'enfant qui, plus chanceux que la petite Orielle, avait vu le jour. Et de par sa naissance, un mariage «obligé». Voilà ce que représentait le fils aux yeux de son père. Voilà pourquoi Betty l'ignorait, devenant par le fait même, l'ennemie de sa belle-mère. Parce que, tête haute devant Gertrude,

Emma Gaudrin n'était jamais allée plus loin qu'à Montréal. Alors que l'Anglaise, sculptée comme une déesse, portée sur la main par Ti-Guy, avait vu le Mexique, la France et... Emma n'osait y penser, ça la rendait hors d'elle. Et voilà que Ti-Guy avait même parlé de visiter l'Espagne avec elle. L'Espagne! Betty Blair en Espagne pendant qu'elle... Lorsque son médecin lui disait: «Votre pression monte, Madame Gaudrin», elle voyait rouge. Parce que, entre les gâteries de Betty et les saloperies de Dédé, c'était assez pour lui faire «éclater» le thermomètre. Elle en vint même à regretter... Non, il ne fallait pas! Elle avait tant haï Pauline...

Dédé avait commencé l'école l'année précédente. Il en était à sa deuxième année et son institutrice se plaignait sans cesse de son peu d'enthousiasme, de sa forte tête et de ses effronteries envers elle. Elle avait même dit à Emma quelques jours avant que Betty et Guy quittent pour l'auberge: «Si ça continue, moi, j'en parle au directeur, Madame Gaudrin. Cet enfant-là est mal élevé. Il défait les rubans des filles, il donne des jambettes aux plus petits que lui, il parle mal, il refuse d'étudier, il s'écrase sur son pupitre et j'en passe! André est un mauvais exemple pour les autres. De plus, il est sournois, hypocrite, méchant... Puis, je m'excuse d'avoir à vous le dire, mais il est un tantinet vicieux. L'autre jour, il avait avec lui des photos... Je préfère ne pas avoir à les décrire, mais des photos qui viennent de la grande ville, pas d'ici. J'ai voulu les lui saisir, mais il s'est sauvé en criant qu'elles étaient à son père, que je n'avais pas le droit, qu'il allait les remettre dans le tiroir... Si vous ne parlez pas à votre fils, Madame, si le père de l'enfant ne vient pas me voir suite à ma requête, ce sera le renvoi, l'assistante du directeur me l'a certifié. On ne peut garder plus longtemps un tel petit monstre à l'école!» Pour toute réponse, Emma avait répondu: «Minute là, vous! Vous trouvez pas qu'vous exagérez?» Le soir venu, Dédé jouait à l'innocent. L'institutrice ne l'aimait pas, elle l'avait pris en grippe, etc. Et avec ses cheveux blonds venus on ne savait d'où, les yeux pers de son père, les traits fins, délicats, on aurait pu lui donner le bon Dieu sans confession. Mais Emma, quand même consciente de ses hauts et ses bas, savait fort bien que le «petit ange» pouvait avoir... un visage à deux faces!

Fin mai 1957, le temps se réchauffait, la vie était belle, les Four Aces n'étaient plus à la mode, Rosemary Clooney déclinait, Frank Sinatra résistait encore, mais Elvis Presley avait pris toute la place. La télévision était dans toutes les maisons, les clubs de nuit se multipliaient à Montréal comme à Québec et partout en province. À Saint-Calixte, à l'hôtel, il y avait un petit orchestre, de la danse, la bière coulait à flots, le rye avec Seven Up était en vogue, le *Singapore Sling,* le *John Collins* et le *Bloody Mary* aussi. Les filles portaient de jolies robes à crinoline, ajustées à la taille, des souliers à talons aiguilles, chignons entourés de perles ou de fleurs et de longues boucles d'oreilles qui leur donnaient une allure de vamp ou de gitane. Sans parler du mascara sur les faux cils, du rouge à lèvres pourpre, du poli à ongles, de l'ombre à paupières... Jamais les filles n'avaient été aussi féminines qu'en ces années-là. Au grand bonheur des gars qui, la main constamment dans la poche, payaient toutes les dépenses, pour la simple fierté d'en avoir une à leur bras. Les jeunes hommes de cette époque, tout aussi orgueilleux que leurs «conquêtes», portaient des vestons assez longs, des pantalons larges avec treize pouces de circonférence à la cheville. Il fallait donc, chaque fois, retirer ses chaussures pour enlever son pantalon, ce qui n'était guère «pratique» dans les chambres louées pour une... «p'tite vite!» Les cheveux des messieurs contenaient autant de «graisse» que les filles pouvaient avoir de *Spray Net*. C'était l'époque où le Brylcreem, le Wildroot et le Wave Set étaient très en vogue. Inutile d'ajouter que les filles n'avaient guère le loisir de jouer dans les cheveux de leur amoureux, les soirs de sortie. Betty et Guy, en plein dans le ton de cette génération, s'en donnaient à cœur joie dans les clubs de nuit de Montréal où Guy, frondeur, au risque de croiser une «flamme» d'un soir, obtenait un *ring side* pour cinq dollars afin que Betty voit de près «l'artiste invité», après avoir écouté chanter Yvan Daniel, le M.C. de la soirée. Et, pendant que la jeunesse dansait sur les rythmes les plus fous, mémère Gaudrin sentait sa pression monter avec ce petit-fils aussi traître que Judas, malsain comme un raton-laveur, vif comme un chat siamois et rusé comme un renard. Un «p'tit ange cornu», comme disait de lui sa grand-mère à Gertrude. Pour ensuite ajouter dans ses moments de colère: «On sait ben! Y'a tout pris d'sa mère, rien d'son père, c't'enfant-là!»

Le printemps tirait à sa fin, Emma en avait vu de toutes les couleurs et, n'en pouvant plus, elle avait dit à son fils, le souffle court:

– Faut que j'te parle, Ti-Guy! Pis c'est urgent!

– Bon! Qu'est-ce qu'y a encore, la mère… Le p'tit, j'suppose?

– Ti-Guy, j'en peux plus de c't'enfant-là! J'l'aime bien, mais si tu fais rien, y va m'faire mourir, j'te l'jure!

– Qu'est-ce qu'y peut faire de si grave, la mère? Y'a juste sept ans, à peine l'âge de raison…

– Ben, y l'a, l'âge de raison! Y'a même l'âge d'être un poison! Tu veux savoir c'qu'y fait d'pas correct, ben, j'vas te l'dire moi, pis si après, tu l'corriges pas, j'te l'renvoie!

– Vas-y, parle, on verra ben après…

442

– Ben, ton Dédé, y garroche du sable dans les yeux des autres enfants! J'l'ai vu, Ti-Guy! Y'en a un qui a failli perdre la vue, sa mère est v'nue s'plaindre! C'est grave c'que j'te dis-là! Pis y'est méchant! Y prend des fourmis pis y les laisse se noyer dans une bouteille de Pepsi remplie d'eau! Les pauvres p'tites se débattent, pis y les laisse crever à bout d'force en riant comme un fou quand y tombent au fond! C'est cruel, j'lui ai dit, mais y continue. Y'aime ça les voir s'faire aller les pattes… Ah! le p'tit verrat! Pis y tire les cheveux d'la petite Eugénie, y'a même arraché la tête de sa catin! Y s'asseoit en d'sous d'la table pis y r'garde en d'sous d'ma robe! En veux-tu d'autres comme ça? T'as juste à aller voir la maîtresse d'école, a l'a une liste longue comme le bras sur lui. Un autre mauvais coup en classe pis, si tu t'montres pas, c'est le renvoi, a me l'a dit. Pis tu parles d'âge de raison… Y'a juste sept ans pis y'a toujours sa p'tite «quéquette» entre les mains! Tu trouves ça normal, toi? Un vrai p'tit vicieux que j'te dis! C'est d'la mauvaise graine, c't'enfant-là! A nous a-tu laissé un monstre en héritage, c'te grosse-là! Y'a rien d'toi, Ti-Guy!

– C'est tout? Pis tu t'énerves avec ça? C'est un p'tit gars, la mère, un vrai! Ça va passer, y va grandir… Lâche-le un peu, laisse-le faire…

Emma Gaudrin tomba à la renverse sur sa chaise. Le bec cloué, elle ne pouvait rien dire, rien ajouter. Ti-Guy venait de régler son stress, sa haute pression «pis» son anxiété.

Trois jours plus tard, se promenant sur la rue Principale avec le «p'tit» qui lançait des roches partout, elle lui dit:

– Écoute, Dédé, t'es mieux d'arrêter ou j'te tords le bras.

Elle accéléra le pas, manqua de souffle, sa pression montait et le petit blond, mesquin, narquois, poursuivait son manège.

– Dédé, arrête ou j't'étampe ma main dans' face devant tout l'monde!

– T'es mieux d'pas commencer ça, maudite mémère!

– Quoi? Tu m'parles comme ça? Tu penses que j'ai pas l'droit de...

Levant la main, elle vint pour le frapper, mais il lui arrêta le bras. Stupéfaite, elle se retint et, le voyant, les yeux méchants, elle lui demanda:

– Pourquoi qu'tu me r'gardes comme ça? Pis pourquoi qu'tu penses que j'aurais pas l'droit de t'mettre ma main dans' face pis mon pied au derrière?

Et pour la première fois, sérieux, grave, blessant, Dédé lui répondit en bégayant:

– Par... Parce que... Parce que t'es pas ma mère!